Kvinnen i buret

Jussi Adler-Olsen

Kvinnen i buret

OVERSATT FRA DANSK AV ERIK KROGSTAD

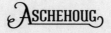
ASCHEHOUG

Jussi Adler-Olsen

Kvinnen i buret, 2009

Fasandreperne, 2010

Flaskepost fra P, 2011

Journal 64, 2012

Oversetteren er medlem av Norsk Oversetterforening.

13. opplag 2014

Originalens tittel: *Kvinden i buret*

Copyright © 2007 Jussi Adler-Olsen

© JP/Politikens Forlagshus A/S, København 2007

Norsk utgave © 2009, 2010 og 2011 H. Aschehoug & Co. (W. Nygaard), Oslo

www.aschehoug.no

Satt hos Type-it AS, Trondheim

Papir: 50 g Ensobulky 2,4

Printed in Lithuania

UAB PRINT-IT, 2014

ISBN 978-82-03-215513

Stor takk til Hanne Adler-Olsen, Henning Kure, Elsebeth Wæhrens, Søren Schou, Freddy Milton, Eddie Kiran, Hanne Petersen, Micha Schmalstieg og Karsten D.D. for uunnværlige og grundige kommentarer. Takk til Gitte & Peter Q. Rannes og Det danske Forfatter- og Oversettersenter Hald for viktig arbeidsro i avgjørende skrivestunder. Takk til Peter Madsen for særutgaveillustrasjoner og til Peter H. Olesen og Jørn Pedersen for inspirasjon. Takk til Jørgen N. Larsen for research, Michael Needergaard for faktakunnskaper om trykkammerpåvirkninger, og takk til K. Olsen og politikommissær Leif Christensen for politifaglige korreksjoner. Og sist men ikke minst en stor takk til min redaktør Anne Christine Andersen for et usedvanlig godt samarbeid.

«Til Hanne Adler-Olsen. Uten henne hadde kilden tørket inn.»

PROLOG

HUN KRAFSET FINGERTUPPENE til blods på de glatte veggene og hamret knyttnevene mot de tykke rutene til all følelse hadde forlatt hendene. Minst ti ganger hadde hun famlet seg frem til ståldøren og kjørt neglene inn i sprekken og revet i den, men døren var ikke til å rikke og kanten var skarp.

Til slutt, da neglene hadde løsnet, falt hun bakover på det iskalde gulvet og hev tungt etter pusten. Et øyeblikk stirret hun ut i det buldrende mørket med oppspilte øyne og hamrende hjerte, og så skrek hun. Skrek til det kimte for ørene og stemmen sviktet.

Så la hun hodet bakover og kjente på nytt den friske luften som strømmet ned fra taket. Kanskje hun kunne komme seg opp hvis hun tok sats og hoppet og fikk tak i noe? Kanskje det ville skje noe da?

Ja, kanskje ville djevlene der ute bli nødt til å komme inn til henne.

Og hvis hun siktet etter øynene deres med strake fingre, kunne hun kanskje blinde dem. Hvis hun var rask og resolutt nok, kunne det gå. Og da kunne hun kanskje komme seg ut også.

Hun sugde litt på de blødende fingertuppene, satte dem i gulvet og skjøv seg opp.

Hun stirret blindt opp mot taket. Kanskje var det for høyt. Kanskje var det ingenting å få tak i. Men det måtte prøves. Hva ellers?

Hun dro av seg jakken og la den pent fra seg i et hjørne for ikke å ødelegge den hvis hun falt. Så tok hun sats og hoppet til værs med oppstrakte hender, men traff ingenting. Prøvde et par ganger til før hun famlet seg inntil kortveggen og ble stående litt og samle seg. Så tok hun tilløp og hoppet så høyt hun kunne, kavende etter håpet. Da hun landet, gled den ene foten på det glatte gulvet, og hun falt på siden. Skulderen traff betongen, hun stønnet tungt og skrek da hodet smalt inn i veggen så det gnistret for øynene.

Hun ble liggende urørlig en lang stund og ville bare gråte, men lot det være. Hvis fangevokterne hennes hørte det, kunne det bli misforstått. De ville tro hun var i ferd med å gi opp, men det var hun ikke. Tvert imot.

Hun ville ta vare på seg selv. For dem var hun kvinnen i buret, men avstanden mellom gittersprinklene bestemte hun selv. Hun ville tenke tanker som åpnet ut mot verden og holdt galskapen på avstand. De skulle aldri knekke henne. Det bestemte hun der hun lå på gulvet med en dunkende smerte dypt inne i skulderen og et forslått øye som langsomt klistret seg igjen.

En vakker dag skulle hun nok komme seg ut.

1

2007

CARL TOK ET skritt frem mot speilet og strøk en finger over tinningen der kulen hadde streifet ham. Såret var grodd, men arret avtegnet seg tydelig under håret hvis noen gadd å se etter.

Hvem faen skulle gidde det, tenkte han mens han gransket ansiktet sitt.

Plutselig kunne han se tydelig at han hadde forandret seg. Rynkene rundt munnen var blitt dypere, posene under øynene mørkere og blikket uttrykte dyp lede. Carl Mørck var ikke seg selv lenger, han lignet ikke den erfarne kriminaletterforskeren som levde og åndet for jobben, ikke den høye, elegante jyden som fikk øyenbryn til å løfte seg og lepper til å skilles. Men for faen – hva skulle han med det?

Han kneppet skjorten, tok på seg jakken, helte i seg den siste kaffeskvetten og dundret ytterdøren igjen etter seg så de andre beboerne i huset skulle skjønne at det var på tide å komme seg ut av dynene. Blikket hans falt på dørskiltet. Det var modent for utskiftning. Det var allerede lenge siden han hadde begynt å føle Viggas utflytting som en fjern hendelse. Og selv om de ikke var lovformelig skilt ennå, så *var* løpet kjørt.

Han snudde seg og satte kursen mot Hestestien. Hvis han rakk toget om tyve minutter, kunne han tilbringe en drøy halvtime hos Hardy på klinikken før han dro videre inn til Politihuset.

Han så kirken ruve høy og rød over de nakne trærne og prøvde å minne seg selv om hvor heldig han hadde vært tross alt. Bare to centimeter til høyre, så hadde Anker fortsatt vært i live. Og bare én centimeter til venstre, så var det han selv som hadde blitt drept. Lunefulle centimeter som hadde skilt ham fra turen langs de grønne markene og de kalde gravene noen hundre meter foran ham.

Carl prøvde å fatte det, men det var vanskelig. Han visste fint lite om selve døden. Bare at den kunne være uforutsigelig som lynnedslag, og uendelig stille når den først hadde innfunnet seg.

Til gjengjeld visste han alt om hvor voldsomt og meningsløst det å dø kunne være. Det visste han virkelig.

BARE ET PAR UKER etter eksamen på Politiskolen hadde synet av det første mordofferet brent seg fast på netthinnen hans: en liten, spinkel kvinne som var blitt kvalt av ektemannen, og nå lå med brustne øyne og et ansiktsuttrykk som gjorde Carl uvel i ukevis. Siden var det kommet massevis av nye saker. Hver morgen hadde han stålsatt seg for nye syn: de blodige klærne, de voksbleke ansiktene, de iskalde fotografiene. Hver dag hadde han lyttet til menneskers løgner og bortforklaringer. Hver dag en ny forbrytelse i en ny avskygning, etter hvert mer og mer distansert. Femogtyve år i politiet og ti i drapsavdelingen herdet sin mann.

Slik hadde det vært helt til den dagen da det dukket opp en sak som boret seg gjennom panseret hans.

DE HADDE SENDT ham og Anker og Hardy ut til en pill råtten rønne ved en nedslitt grusvei ute på Amager, der det lå et lik og ventet på dem for å fortelle sin helt særegne historie.

Som så ofte før hadde det vært stanken som hadde fått en nabo til å reagere. Bare enda en eneboer som hadde lagt seg fredelig til rette i sin egen dritt og utåndet sine siste sprittåker, så det ut til, helt til de oppdaget spikeren fra en spikerpistol som sto halvveis inn i kraniet. Det var på grunn av denne spikeren at Københavnpolitiets drapsavdeling var blitt koblet inn i saken.

Den dagen var det Carls team som sto for tur, noe verken han eller kollegene hadde hatt spesielle innvendinger mot, selv om Carl som vanlig bannet over arbeidspresset og de andre teamenes sendrektighet. Men hvem kunne forutsett hvor skjebnesvanger nettopp denne saken skulle bli? At det bare skulle gå fem minutter fra de trengte inn i likstanken til Anker lå i en blodpøl på gulvet og Hardy hadde gått sine siste skritt og Carl fikk slukket den gløden i seg som var absolutt nødvendig for å være etterforsker i Københavnpolitiets drapsavdeling.

2

2002

TABLOIDENE ELSKET DEMOKRATENES nestleder Merete Lynggaard for alt hun sto for. For de skarpe replikkene fra Folketingets talerstol og den manglende respekten for statsministeren og nikkedukkene hans. For hennes kvinnelige attributter, ertende øyne og forføreriske smilehull. De elsket henne for ungdommen og suksessen hennes, men mer enn noe annet elsket de henne fordi hun ga uendelig næring til spekulasjonene om hvorfor en så begavet og vakker, ung kvinne aldri hadde vist seg offentlig med en mann.

Merete Lynggaard solgte blader og aviser i bøtter og spann. Lesbisk eller ikke, hun var virkelig hett stoff.

Og ingen var mer klar over det enn Merete selv.

«HVORFOR GÅR DU ikke ut med Tage Baggesen en kveld?» sa sekretæren hennes der de trippet ned mot den lille, blå Audien hennes gjennom regndammene som fløt ned mot parkeringsplassene inne på Christiansborg. «Jeg vet det er mange som gjerne vil ha deg med ut, men han er jo helt vill etter deg. Hvor mange invitasjoner har han egentlig kommet med? Har du tall på alle lappene han har skrevet? Senest i dag var han inne med en. Gi ham en sjanse da vel, Merete.»

«Kanskje *du* burde gå ut med ham i stedet?» Merete så ned og lempet en bunke saksmapper inn i baksetet. «Hva skal jeg med en samferdselspolitisk talsmann fra Radikalt Sentrum, kan du si meg det, Marianne? Er jeg en rundkjøring i Herning, kanskje?»

Merete kikket over på Tøjhusmuseet der en mann i hvit bomullsjakke sto og fotograferte bygningen. Eller var det henne han tok bilder av? Hun ristet på hodet. Denne følelsen av å være iakttatt begynte å gå henne på nervene. Det grenset snart til paranoia. Nå måtte hun lære seg å slappe av litt.

«Tage Baggesen er femogtredve år og dritstilig, han kunne kanskje tålt å ta av et par kilo, men til gjengjeld har han en lystgård i Vejby. Ja, og et par stykker på Jylland også, tror jeg. Hva mer kan du ønske deg?»

Merete så på henne, ristet skeptisk på hodet. «Ja, han er femogtredve og bor sammen med moren sin. Ta ham *du*, Marianne. Du er jo helt gal for tiden. Vær så god. Han er din!»

Hun tok en stabel mapper ut av hendene på sekretæren og slengte dem inn på setet til de andre. Klokken på dashbordet viste 17.30. Hun var allerede sent ute.

«De kommer til å savne stemmen din i Folketingssalen i kveld, Merete.»

«Ja, ja,» sa hun og trakk på skuldrene. Helt siden hun gikk inn i politikken hadde hun hatt en stående avtale med Demokratenes gruppeleder om at etter klokken atten disponerte hun tiden sin selv, med mindre det var snakk om tvingende nødvendige utvalgsmøter eller avstemninger. «Ikke noe problem,» hadde han sagt den gangen, fullt klar over hvilken stemmemagnet hun var. Da skulle det heller ikke være noe problem nå.

«Kom igjen nå, Merete, si hva du skal.» Sekretæren hennes la hodet på skakke. «Hva heter han?»

Merete smilte behersket og smekket igjen døren. Det var på høy tid å skifte ut Marianne Koch.

3

2007

SJEFEN FOR DRAPSAVDELINGEN, Marcus Jacobsen, var et rotehode, uten at det bekymret ham nevneverdig. Rotet var jo bare et ytre fenomen. Innvendig følte han seg ytterst strukturert. I den drevne hjernen hans lå sakene sirlig ordnet. Detaljene slapp aldri taket i ham. Selv ti år etter var de like knivskarpe.

Det var bare i situasjoner som nå nettopp, da kontoret hans hadde vært overfylt av nære og voldsomt aktpågivende medarbeidere som måtte trippe rundt slitne rullebord og hauger av saksmateriale, at han betraktet kaoset rundt seg med en viss ergrelse.

Han løftet den sprukne Sherlock Holmes-koppen og tok en dyp slurk av den kalde kaffen, mens han for tiende gang denne morgenen tenkte på den halve røykpakken i jakkelommen. Nå kunne ikke en stakkar ta seg en røykepause nede på gårdsplassen engang lenger. Helvetes direktiver.

«Hør her!» Marcus Jacobsen snudde seg mot sin nestkommanderende, Lars Bjørn, som han hadde bedt bli igjen på kontoret etter fellesbriefingen. «Dette syklistmordet i Valbyparken tapper oss hvis vi ikke passer på,» sa han.

Lars Bjørn nikket. «Og det er jo som faen at Carl Mørck skulle komme tilbake akkurat nå og legge beslag på fire av de aller beste etterforskerne våre. Folk klager over ham, og hvem er det som får høre det?» Han pekte på sin egen brystkasse, som om han var den eneste som måtte høre på folks dritt.

«Han kommer for sent,» fortsatte han, «herser med fol-

14

kene sine, roter rundt i sakene, svarer ikke på telefon, konto-
ret hans er et eneste kaos, og av alle ting så ringte de fra retts-
medisinsk og klaget på ham etter å ha snakket med ham på
telefon. Gutta på rettsmedisinsk, tenk deg det. Det skal faen
meg litt til. Uansett hva Carl har gått igjennom, så må vi se å
få gjort noe med det, Marcus. Ellers vet jeg ikke hvordan det
skal gå med denne avdelingen.»

Marcus hevet øyenbrynene. Han så Carl for seg. Egentlig
hadde han stor sans for ham, men de evig skulende øynene
og bitende kommentarene kunne terge vettet av hvem som
helst, det var han fullt klar over. «Du sier noe. Det var nok
bare Hardy og Anker som orket å jobbe sammen med ham.
Men så var de jo noe for seg selv, de også.»

«Marcus. Folk sier det ikke direkte, men mannen er rett og
slett en pest, og det har han alltid vært. Han egner seg ikke til
å jobbe her inne, vi er for avhengige av hverandre. Carl har
vært håpløs som kollega fra dag én. Hvorfor tok du ham i det
hele tatt inn fra Bellahøj?»

Marcus Jacobsen satte øynene i sin nestkommanderende.
«Han var og er en fantastisk etterforsker, Lars. Derfor.»

«Ja, ja. Jeg vet at vi ikke bare kan hive ham på dør, og spe-
sielt ikke i denne situasjonen, men vi er nødt til å finne på
noe, Marcus.»

«Han har bare vært her en uke etter sykepermisjonen, og
vi må gi ham en sjanse. Kanskje vi skulle prøve å skåne ham
litt?»

«Mener du det? I de siste ukene har vi fått inn mange flere
saker enn vi kan få unna. Og mange av dem er store saker,
det vet du. Brannen ute på Amerikavei, er det mordbrann
eller hva? Ranet på Tomsgårdsvei der en bankkunde ble drept.
Voldtekten i Tårnby der jenta døde, knivdrapet i gjengmil-
jøet i Sydhavnen, syklistmordet i Valbyparken. Trenger jeg å si
mer? Og i tillegg kommer alle de gamle sakene. Flere av dem
har vi ikke engang fått hull på. Og så har vi en teamleder som
Mørck. Giddaløs, sur og tverr, kverulantisk, ufin mot kolle-

gene så teamet holder på å sprekke opp. Han er en prøvelse for oss alle sammen, Marcus. Få Carl til helvete ut herfra og la oss få noe nytt blod. Jeg vet at det er tøft, men det er faktisk min ærlige mening.»

Sjefen nikket. Han hadde lagt merke til folkene på fellesbriefingen nettopp. Tause og sammenbitte og trette. Selvfølgelig ville de ikke bli pisset på.

Nestkommanderende sto ved vinduet og så over på bygningen på den andre siden. «Jeg tror jeg har et forslag til en løsning. Kanskje blir det bråk med forbundet, men jeg tror det ikke.»

«Faen heller, Lars. Jeg orker ikke å legge meg ut med forbundet. Hvis du tenker på å gi ham dårligere betingelser, så er de der med én gang.»

«Vi sparker ham oppover!»

«Jaha?» Her var det best å skjerpe seg. Nestkommanderende var en meget god etterforsker med tonnevis av erfaring og oppklarte saker bak seg, men som personalleder hadde han fortsatt mye å lære. Her i huset var det ikke bare å sparke folk etter forgodtbefinnende, det være seg nedover eller oppover. «Du vil sparke ham oppover, sier du? Hvordan skulle det foregå? Hvem hadde du tenkt skulle vike plassen for ham?»

«Jeg vet du har vært oppe mesteparten av natten og jobbet med det fordømte Valbymordet, så du har kanskje ikke fått med deg nyhetene. Du har ikke hørt hva som har skjedd på Christiansborg nå i formiddag?»

Sjefen for drapsavdelingen ristet på hodet. Det var riktig at han hadde hatt for mye på tallerkenen etter at saken med sýklistmordet i Valbyparken tok en ny vending. Helt til i går kveld hadde de hatt et godt vitne, et pålitelig vitne, og hun hadde mer å fortelle, det var ganske opplagt. De var sikre på at de sto foran et snarlig gjennombrudd. Men så klappet vitnet plutselig igjen som en østers. Noen av hennes nærmeste hadde mottatt en trussel, det var temmelig opplagt. De hadde avhørt henne til hun var helt mør, de hadde snakket med døtrene og moren hennes, men ingen hadde noe å komme med. Menneskene var ganske enkelt redde. Nei, Marcus hadde ikke sovet mye. Så bortsett fra overskriftene i morgenavisene var han helt blank.

«Er det Danmarkspartiet nå igjen?» spurte han.

«Ja visst. Den justispolitiske talsmannen deres har fremmet forslaget på nytt i forlengelse av politiforliket, og denne gangen blir det flertall for det. Det kommer til å bli vedtatt, Marcus. Piv Vestergård får viljen sin.»

«Det er ikke sant!»

«Hun dundret løs fra talerstolen i tyve minutter, og regjeringspartiene støttet henne selvfølgelig, selv om Høyre vred seg i vånde.»

«Og så?»

«Ja, hva tror du? Hun kom med fire eksempler på stygge saker som var blitt henlagt, og som offentligheten ikke kunne leve med forble uoppklart, som hun sa. Og det var bare begynnelsen.»

«Men for helvete. Tror hun politiet henlegger saker for moro skyld?»

«Hun antydet faktisk at det kunne være tilfellet i visse typer saker.»

«For noe vås! Hva slags saker?»

«Hun nevnte blant annet saker hvor medlemmer av Danmarkspartiet eller De Liberale hadde vært utsatt for en forbrytelse. Vi snakker om landsdekkende saker.»

«Kjerringa er jo ikke riktig klok!»

Nestkommanderende ristet på hodet. «Du mener det? Og enda var det bare begynnelsen. Etterpå nevnte hun selvfølgelig også saker hvor barn var forsvunnet, hvor politiske organisasjoner hadde blitt utsatt for terrorlignende angrep, saker av særlig bestialsk karakter.»

«Ja, ja, hun vet å fiske i rørt vann.»

«Ja, gjett om. Men de fisker alle sammen, akkurat nå sitter alle partiene i forhandlinger i Justisministeriet. Og derfra går saken rett til Finansutvalget. Vi kommer til å ha en avgjørelse innen fjorten dager, spør du meg.»

«Og hva kommer den til å gå ut på da, nærmere bestemt?»

«At det skal opprettes en ny avdeling innenfor kriminal- politiet. Hun foreslo selv at den skulle hete Q etter Danmarks- partiet. Jeg vet ikke om det var en spøk, men slik kommer det til å bli.» Han lo syrlig.

«Og hensikten? Den samme gamle?»

«Ja, den eneste hensikten er å behandle det de kaller 'saker av spesiell alvorlighetsgrad'.»

«Behandle saker av spesiell alvorlighetsgrad.» Han nikket. «Ja, der har du et vaskeekte Piv Vestergård-uttrykk, snakker om svada! Og hvem skal bedømme hvilke saker som kvalifi- serer til betegnelsen? Sa hun noe om det?»

Nestkommanderende trakk på skuldrene.

«Ja vel, så hun pålegger oss å gjøre det vi allerede gjør fra før. Okay, hva så? Hva raker det oss?»

«Avdelingen er en oppgave for Rikspolitiet, men den skal etter alt å dømme sortere under Københavnpolitiets drapsav- deling rent administrativt.»

Nå datt haken ned på drapsavdelingens sjef. «Nå spøker du. Hva mener du med rent administrativt?»

«Tja, vi setter opp budsjett og leverer regnskap. Vi stiller kontorpersonale til rådighet. Ja, og lokaler.»

«Jeg begriper det ikke. Skal Københavnpolitiet plutselig få ansvaret for å oppklare eldgamle saker i Hjørring politidistrikt? Det kommer distriktene aldri til å gå med på. De vil forlange representanter i avdelingen.»

«Det er det ikke lagt opp til. De kommer til å presentere det som en avlastning for distriktene. Ikke en ekstraoppgave.»

«Så det betyr at vi skal ha et eget reiseteam for håpløse til- feller her hos oss? Bestående av mine medarbeidere? Aldri i verden! Det kan de bare glemme.»

«Marcus, hør nå. Det blir bare snakk om noen timer i ny og ne for noen ganske få medarbeidere. Det er ingenting.»

«Ingenting? Det høres ikke sånn ut, spør du meg.»

«Okay, skal jeg fortelle deg akkurat hvordan jeg ser det?»

Drapssjefen gned seg i pannen. Hadde han noe valg?

«Marcus, det følger med penger.» Han stanset og så intenst på sjefen. «Ikke så mye, men nok til å holde en mann beskjeftiget og samtidig pumpe et par millioner inn i vår egen avdeling. Det er en ekstrabevilgning som ikke skal fortrenge noe annet.»

«Ja vel! Et par millioner?» Han nikket oppmerksomt. «Jaha, okay!»

«Genialt, hva? Vi oppretter avdelingen fort som lynet, Marcus. De regner med at vi kommer til å stritte imot, men det gjør vi ikke. Vi stiller oss imøtekommende og leverer et budsjett hvor vi unngår en spesifikk øremerking av midlene. Og så setter vi Carl Mørck til å lede den nye avdelingen. Det blir bare ikke så mye å lede, for han kommer til å være alene der. Og på trygg avstand fra alle de andre, det kan jeg love deg.»

«Carl Mørck som leder av Avdeling Q!» Drapssjefen kunne se det for seg. En slik avdeling kunne fint klare seg med et budsjett på under en million i året. Reiser og laboratorieundersøkelser og alt inkludert. Hvis de krevde fem millioner i året for tjenesten, hadde han fort et par etterforskningsteam ekstra i drapsavdelingen. Disse kunne da fortrinnsvis jobbe med eldre saker. Kanskje ikke Avdeling Q-saker, men noe i samme retning. Utflytende grenser, det var nøkkelen. Genialt, ja visst. Verken mer eller mindre.

4

2007

Hardy Henningsen var den høyeste medarbeideren som noen gang hadde jobbet på Politihuset. Sesjonspapirene hans sa to null syv, men det var ikke hele sannheten. Når de innbrakte folk, var det alltid Hardy som førte ordet, slik at de måtte legge hodet bakover når de fikk lest opp rettighetene. Slikt gjorde et varig inntrykk på de fleste.

Akkurat nå var ikke høyden hans noen fordel. Så vidt Carl kunne forstå, kunne han umulig få strukket ut de lange bena. Carl hadde foreslått for sykepleieren å sage av fotgjerdet, men det gikk visst langt utenfor hennes kompetanseområde, så det ut til.

Hardy svarte ikke på noen ting. TV'en hans sto og blafret døgnet rundt og folk fór inn og ut av rommet, men han reagerte ikke. Han bare lå der ute i Hornbæk på Klinikk for Ryggmargsskader og forsøkte å leve. Tygge maten, rugge litt på skulderen, som var det eneste sør for halsen han hadde kontroll over, og for øvrig la hjelpepleierne herje rundt med den lamme, uhåndterlige kroppen. Han kikket bare opp i taket når de vasket ham i skrittet, stakk kanylene i ham, tømte avføringsposene. Nei, det var ikke mye snakk i Hardy lenger.

«Jeg er tilbake på jobb igjen, Hardy,» sa Carl og rettet på dynen hans. «De har fullt trøkk på saken. De har ikke funnet noe ennå, men det er helt sikkert bare et tidsspørsmål før de har dem som skjøt oss.»

Hardys tunge øyelokk leet seg ikke. Han verdiget verken Carl eller TV2 News' anmassende reportasje fra evakuerin-

20

gen av Ungdomshuset et blikk. Han var tilsynelatende like-glad med alt. Ikke engang sinnet var igjen. Carl skjønte ham bare så altfor godt. Selv om han ikke viste Hardy det, ga han jevnt faen i hele greia. Hvem som skjøt dem kunne være det samme. Hvilken forskjell gjorde det? Var det ikke den ene, så var det den andre. Det var nok av slikt søppel ute blant folk.

Han nikket kort til sykepleieren som kom inn med et nytt drypp. Forrige gang hadde hun bedt ham gå ut mens hun stelte Hardy. Det hadde hun ikke kommet særlig langt med, og det var tydelig at hun ikke hadde glemt det.

«Er De her nå igjen?» sa hun surt og så på klokken.

«Det passer meg best før jeg går på jobben. Er det et problem?»

Hun kikket på klokken igjen. Ja, han møtte senere på jobb enn de fleste.

Sykepleieren tok armen til Hardy og undersøkte drypp-kanylen på håndbaken hans. Så gikk døren til korridoren opp, og den første fysioterapeuten kom inn. Hardt arbeid ventet henne.

Han klappet på lakenet der konturen av Hardys arm avteg-net seg. «Disse meggene vil gjerne ha deg litt for seg selv, så jeg stikker nå, Hardy. Jeg kommer litt tidligere i morgen, så tar vi en prat. Ha det så lenge.»

Eimen av medisin fulgte ham ut på gangen, og han stilte seg inntil veggen. Skjorten klistret seg til ryggen, og fuktflekkene under armene este utover i stoffet. Etter skyteepisoden skulle det ingenting til.

HARDY OG CARL og Anker hadde som vanlig vært først på pletten på åstedet og sto allerede ferdig oppdresset med hvite engangsoveraller, munnbind, hansker og hårnett, slik prose-dyrene foreskrev. Det var bare en halvtimes tid siden mannen var blitt funnet med spikeren i hodet. Turen fra Politihuset var ingenting å snakke om.

Den dagen hadde de god tid før likskuet. Så vidt de visste

var drapssjefen i et eller annet reformstrukturmøte med politi-direktøren, men de tvilte ikke på at han ville dukke opp temmelig snart sammen med vakthavende lege. Ingen kontorsysler kunne holde Marcus Jacobsen borte fra et åsted.

«Her rundt huset er det ikke mye å hente for teknikerne,» sa Anker og stakk skotuppen i jorden som var våt og sugende etter nattens regn.

Carl så seg om. Bortsett fra treskoene til naboen var det ikke mange fotavtrykk å se rundt brakkebygningen, som var av den typen forsvaret hadde solgt ut en del av på sekstitallet. Den gangen var husene sikkert fine, men denne rønna var i hvert fall langt forbi det stadiet. Taksperrene hadde sunket, pappen var gjennomvevd av sprekker, det fantes ikke to hele panelbord i fasaden, og fukten hadde gjort sitt. Selv navneskiltet hvor det sto skrevet Georg Madsen med svart sprittusj, var halvråttent. Og så var det stanken fra den døde som sivet ut gjennom alle sprekker. Alt i alt var det et ordentlig møkkahus.

«Jeg tar en prat med naboen,» sa Anker og snudde seg mot mannen som hadde stått og ventet i en halvtime. Det var toppen fem meter bort til verandaen på den lille kåken hans. Når militærbrakka var jevnet med jorden, ville utsikten der borte-fra bli radikalt forbedret.

Hardy var seig til å tåle stanken av lik. Kanskje fordi han var så høy at han raget over det verste, eller kanskje luktesansen hans bare var dårligere enn normalt. Denne gangen var det ekstra ille.

«Fy faen, som det stinker,» gryntet Carl da de sto i gangen og kippet på seg de blå plastslippersene.

«Jeg åpner et vindu,» sa Hardy og gikk inn i rommet ved siden av den klaustrofobiske entreen.

Carl gikk frem i døråpningen til den lille dagligstuen. Det slapp ikke mye lys forbi den nedtrukne rullegardinen, men det var nok til å få øye på skikkelsen som satt borte i kroken med grågrønn hud og dype revner i blemmene som dekket det meste av ansiktet. Fra nesen sivet en tynn, rødlig væske,

skjorteknappene var under press fra den oppsvulmede over-
kroppen. Øynene lignet størknet stearin.

«Spikeren i hodet er skutt inn med en gassdrevet Paslode
spikerpistol,» sa Hardy i bakgrunnen mens han trakk på seg
bomullshanskene. «Den ligger på bordet i rommet ved siden
av. Det er en batteridrevet drill der også, som det fortsatt er
strøm på. Minn meg på at vi sjekker hvor lenge den kan ligge
uten å lades opp.»

De hadde bare stått der en liten stund da Anker kom inn
til dem.

«Naboen har bodd her siden 16. januar,» sa han. «Altså i
ti dager nå, og han har ikke sett snurten av den døde i peri-
oden.» Han pekte på liket og så seg om i rommet. «Han hadde
satt seg ut på verandaen for å nyte den globale oppvarmingen,
det var da han la merke til stanken. Han er temmelig rystet,
stakkars mann. Kanskje vi burde la legen ta en kikk på ham
etter likskuet.»

Det som skjedde fra nå av, kunne Carl i ettertid bare gjøre
nokså svevende rede for, og det hadde man slått seg til ro med.
Etter de flestes mening hadde han jo ikke vært ved bevissthet
engang. Men det stemte ikke. Han husket bare så altfor godt.
Han hadde bare ikke lyst til å gå i detaljer.

Han hadde hørt noen komme inn gjennom kjøkkendøren,
men hadde ikke reagert på det. Kanskje var det stanken, kan-
skje hadde han trodd at det var teknikerne som var kommet.

Sekunder senere så han en skikkelse i rødrutet skjorte
komme byksende inn i synsfeltet. Han tenkte at han skulle
trekke pistolen, men gjorde det ikke. Refleksene var lammet.
Til gjengjeld kjente han sjokkbølgene da det første skuddet
traff Hardy i ryggen så han falt og rev Carl over ende og
låste ham fast under seg. Den voldsomme vekten av Hardys
gjennomborede kropp vred Carls ryggrad kraftig til siden og
fikk det til å knase i kneet hans.

Så kom skuddene som traff Anker i brystkassen og Carl i
tinningen. Han husket tindrende klart hvordan han lå med

en hyperventilerende Hardy over seg, og hvordan kollegaens blod sivet gjennom overallen og blandet seg med hans eget på gulvet under dem. Og mens gjerningsmennenes føtter beveget seg forbi ham, tenkte han hele tiden på at han måtte få tak i pistolen.

Bak ham lå Anker på gulvet og forsøkte å vri seg rundt mens gjerningsmennene snakket sammen i det lille rommet på den andre siden av gangen. Det gikk bare noen sekunder, så var de inne i stuen igjen. Carl hørte at Anker kommanderte dem til å stanse. Senere fikk han vite at Anker hadde trukket pistolen.

Svaret på kommandoen ble enda et skudd som fikk gulvet til å riste og traff Anker rett i hjertet.

Så var det ikke mer. Forbryterne hadde forsvunnet ut gjennom kjøkkendøren, og Carl rørte seg ikke. Han lå helt stille. Ikke engang da politilegen kom, ga han livstegn fra seg. Senere sa både politilegen og drapssjefen at de først trodde at Carl var død.

Carl lå lenge som besvimt med hodet fullt av desperate tanker. De tok pulsen hans og kjørte av gårde med dem alle tre. Først på sykehuset åpnet han øynene. Blikket hans hadde vært som dødt, sa de.

De trodde det var av sjokk, men det var av skam.

«KAN JEG HJELPE deg med noe?» sa en fyr i hvit frakk, øyensynlig en lege midt i tredveårene.

Carl skjøv seg ut fra veggen. «Jeg har nettopp vært inne hos Hardy Henningsen.»

«Hardy, ja. Er du pårørende?»

«Nei, jeg er en kollega. Hardy jobbet i mitt team på drapsavdelingen.»

«Jaså!»

«Hvordan er prognosen hans? Kommer han til å gå igjen?»

Den unge legen trakk seg litt tilbake. Svaret lå tykt utenpå ham. Det var ikke Carls business hvordan det gikk med hans pasient. «Jeg kan dessverre ikke gi noen opplysninger til andre enn de nærmeste pårørende. Det forstår du sikkert.»

Carl grep legen i frakkeermet. «Jeg var sammen med ham da det skjedde, forstår du det? Jeg ble også skutt. En av kollegene våre ble drept. Vi var sammen om det, så derfor vil jeg gjerne vite det. Kommer han til å gå igjen? Kan du si meg det?»

«Beklager.» Han gjorde armen sin fri. «Du kan sikkert få rede på Hardy Henningsens tilstand gjennom jobben din, men jeg kan ikke si noe om det. Vi har begge en jobb å gjøre og spilleregler å følge.»

Den lille klangen av tillært legeautoritet, de hevede øyenbrynene og den avmålte arrogansen var vel ikke mer enn man kunne vente, men virket likevel som bensin på Carls selvantennende raseri. Han kunne ha gitt fyren en på trynet, men foretrakk i stedet å gripe ham i frakkekragen og gå helt opp i ansiktet på ham. «En jobb å gjøre,» spyttet han. «Tørk av deg den klysetonen før du snakker til meg, gett!» Han knuget sammen halslinningen så legen begynte å bli hektisk. «Når datteren din ikke er kommet hjem klokka ti som hun skal, er det vi som rykker ut og leter etter henne, og når kona di er blitt voldtatt eller den beige møkka-BMW'en din ikke står på parkeringsplassen, så er det oss igjen. Vi stiller opp og trøster deg, til og med, skjønner du det, din pissemaur. Så derfor spør jeg deg en gang til, kommer Hardy til å gå igjen?»

Legen trakk pusten støtvis da Carl slapp taket. «Jeg kjører Mercedes og jeg er ikke gift.» Mannen svulmet i legefrakken. Han hadde hevet seg over det planet han mente Carl befant seg på. Sikkert noe han hadde lært på et eller annet psykologikurs midt oppe i alle anatomiforelesningene. Humor virker avvæpnende, hadde han tydeligvis lært, men det bet ikke på Carl.

«Gå til helseministeren så kan du se hva arroganse er, din lille dritt,» sa Carl og dyttet mannen unna. «Du har ennå litt igjen å lære.»

DE VENTET PÅ ham på kontoret hans, både drapssjefen og lille Lars Bjørn. Et foruroligende tegn på at legens nødskrik allerede hadde forplantet seg utenfor klinikkens tykke murer. Han mønstret dem et øyeblikk. Nei, det virket mer som om et eller annet tåpelig innfall hadde invadert byråkrathjernene deres. Han forsøkte å tyde de interne blikkvekslingene. Smakte det snarere av krisehjelp? Ville de legge ham inn igjen og tvinge ham til å prate med en psykolog om hvordan posttraumer kunne forstås og bekjempes? Måtte han belage seg på enda en mann med dype øyne som gjerne ville trenge inn i Carls mørke krinkelkroker for å avdekke hva som var fortalt og ufortalt? Det kunne de spare seg, for Carl visste bedre. Problemet hans var ikke av den typen det gikk an å snakke seg fra. Det hadde vært underveis lenge, men episoden ute på Amager hadde skjøvet ham utfor kanten.

De kunne kysse seg i ræva hele gjengen.

«Ja, Carl,» sa drapssjefen og nikket mot den tomme stolen hans. «Lars og jeg har drøftet situasjonen, og på mange måter synes vi at du er kommet til en skillevei.»

Nå hørtes det ut som en oppsigelse. Carl begynte å tromme med neglene mot bordkanten og kikket over hodet på sjefen sin. Ville de sparke ham? Da skulle de faen meg få brynt seg.

Carl snudde hodet og så ut over Tivoli, hvor skyene trakk seg truende sammen over byen. Hvis de sparket ham, ville han forlate kontoret uten noen form for munnhuggeri. Og ikke noe løping rundt på huset etter tillitsmannen. Han ville gå sporenstreks ned på forbundet i H.C. Andersens Boulevard. Sparke en god tjenestemann bare en uke etter at han var tilbake fra sykeperm, og bare to måneder etter at han var blitt skutt og hadde mistet to gode kolleger, det kunne de bare glemme. Da fikk verdens eldste politiforbund vær så god vise seg alderen verdig.

«Jeg skjønner at det kommer litt bardus på deg, Carl. Men vi har kommet til at du vil ha godt av litt luftforandring, og da på en måte som gjør at vi kan få enda bedre nytte av dine fremragende evner som etterforsker. Vi har rett og slett bestemt oss for å forfremme deg til avdelingssjef for en ny avdeling, Avdeling Q. Formålet med den er å etterforske henlagte saker av spesiell samfunnsmessig betydning. Saker av en spesiell alvorlighetsgrad, kan man si.»

Det var som faen, tenkte Carl og trakk seg bakover på stolen.

«Vel, du kommer til å drive avdelingen alene, men hvem skulle være bedre kvalifisert til det enn deg?»

«Hvem som helst!» svarte han og stirret i veggen.

«Hør her, Carl. Du har vært gjennom en tøff periode, og denne jobben er som skapt for deg,» sa nestkommanderende.

Hva faen vet du om det, din dott, tenkte Carl.

«Du blir hundre prosent din egen herre. Vi velger ut en del saker i samråd med politidirektørene i distriktene, og så prioriterer du selv rekkefølgen og arbeidsgangen. Du får et reisebudsjett, og det eneste vi trenger, er en månedlig rapport,» supplerte sjefen.

Carl rynket brynene. «Politidirektørene, var det det du sa?»

«Ja, dette er landsdekkende. Derfor kommer du heller ikke til å sitte sammen med de gamle kollegene lenger. Vi har opprettet en ny avdeling her på huset, men adskilt fra oss. Det nye kontoret ditt er under innredning akkurat nå.»

Smart trekk, så slipper de mer bråk fra min side, tenkte Carl.

«Jaha, og hvor ligger dette kontoret da, om jeg tør spørre? Er det mulig å se på det?»

Sjefens smil visnet litt, ble forlegent. «Hvor kontoret ligger? Vel, foreløpig ligger det i kjelleren, men det kan vi kanskje gjøre noe med etter hvert. Først får vi se hvordan det hele forløper. Hvis oppklaringsprosenten blir sånn noenlunde, er det ikke godt å vite hvordan det utvikler seg.»

Carl kikket ut på skyene enda en gang. I kjelleren, ja visst. Da var det vel planen at han skulle settes til veggs. De ville parkere ham, fryse ham ut, isolere ham og gjøre ham deprimert. Som om det gjorde noen forskjell om det foregikk her oppe eller der nede. Han gjorde hva han ville uansett, og helst absolutt ingenting, så sant det var mulig.

«Hvordan går det med Hardy, forresten?» spurte sjefen etter en passe lang pause.

Carl fikserte ham. Det var første gangen han hadde spurt på hele denne tiden.

5

2002

OM KVELDEN VAR Merete Lynggaard seg selv. For hver midtstripe som suste innunder bilen på veien hjem, etterlot hun elementer av seg selv som ikke gikk sammen med livet bak bartrærne i Magleby. I det øyeblikket hun svingte av mot Stevns slumrende vidder og passerte broen over Tryggevælde Å, følte hun seg forvandlet.

UFFE SATT SOM alltid med den kalde tekoppen ytterst på salongbordet, badet i lyset fra fjernsynet og med lyden på full styrke. Når hun hadde parkert bilen i garasjen og gikk rundt til bakdøren, så hun ham tydelig gjennom vinduene fra gårdsplassen. Alltid den samme Uffe. Stille og ubevegelig.

Hun sparket av seg de høyhælte ute i grovkjøkkenet og lempet vesken opp på fyren, hengte frakken i entreen og la papirene inn på kontoret sitt. Så tok hun av seg buksedrakten fra Filippa K og la den på stolen ved vaskemaskinen, hektet slåbroken ned fra knaggen og kippet på seg hjemmetøflene. Det var akkurat slik det skulle være. Hun var ikke typen som måtte skylle av seg dagen under dusjen straks hun var innenfor dørene.

Hun rotet gjennom handleposen og fant Hopjes-dropsene på bunnen. Først når dropset lå på tungen og blodsukkeret var på vei oppover, var hun klar til å vende blikket mot stuen.

Det var alltid først da hun ropte: «Hei, Uffe, nå er jeg hjemme!» Alltid det samme ritualet. Hun visste at Uffe hadde sett lyset fra bilen allerede da hun svingte opp bakken, men ingen av dem hadde behov for kontakt før tiden var moden.

Hun satte seg foran ham og prøvde å fange blikket hans. «Hei du, mister, sitter du her og ser på TV-avisen og beundrer Trine Sick?»

Han knep ansiktet sammen så smilerynkene nådde hårfestet, men øynene vek ikke fra skjermen.

«Ja, du er en fin en.» Så tok hun hånden hans. Den var varm og myk som alltid. «Men du liker visst Lotte Mejlhede enda bedre, tror du ikke jeg vet det?» Nå så hun leppene hans gli langsomt til side i et smil. Kontakten var etablert. Jo, Uffe var den samme, gamle der inne. Og Uffe visste akkurat hva han begjærte her i livet.

Hun snudde seg mot skjermen og fulgte med på TV-avisens to siste innslag. Det ene handlet om Ernæringsrådets utspill om forbud mot industrielt fremstilte fettsyrer, og det andre om en håpløs markedsføringskampanje som Dansk Slaktefjærkre hadde kjørt med statsstøtte. Hun kjente sakene bedre enn godt. De hadde til nå resultert i to arbeidskrevende netter.

Hun snudde seg mot Uffe og rusket ham i håret så det lange arret i hodebunnen kom til syne. «Kom nå, din lathans, så skal du få litt mat.» Hun tok en av sofaputene med den ledige hånden og dunket den i nakken på ham til han begynte å hvine av fryd og fekte med armer og ben. Så slapp hun taket i håret hans og hoppet som en fjellgeit over sofaen og gjennom stuen og ut i gangen. Det slo aldri feil. Hoiende og kaklende av livslyst og innestengt energi fulgte han etter henne hakk i hæl. Som to togvogner med stålfjærer mellom seg dundret de opp trappen til annen etasje og ned igjen, ut foran garasjen, inn i stuen igjen og så ut på kjøkkenet. Snart ville de spise maten som hjemmehjelpen hadde tilberedt, foran TV'en. I går hadde de sett Mr. Bean. I forgårs Chaplin. Nå skulle de se Mr. Bean igjen. Uffe og Meretes videosamling inneholdt utelukkende ting som Uffe elsket å se på. Som regel holdt han en halvtimes tid før han falt i søvn. Da la hun et teppe over ham og lot ham sove i sofaen til han våknet en gang utpå natten og fant veien opp til soveværelset på egen hånd. Der ville han ta hånden hennes og grynte litt før han sovnet igjen i dobbeltsengen ved siden av henne. Når han endelig sov fast med små hvislelyder, ville hun tenne lyset og begynne å forberede seg til neste dag.

Slik gikk kveldene og nettene. For slik elsket Uffe at det skulle være – den søte, uskyldige lillebroren hennes. Snille, tause Uffe.

6

2007

DET SATT RIKTIGNOK et messingskilt på døren som det
sto Avdeling Q på, men døren var hektet av hengslene og sto
lent opp mot bunten av varmerør som strakte seg gjennom de
lange kjellergangene. Ti halvfulle spann med maling sto fort-
satt og stinket på gulvet i det som skulle forestille kontoret
hans. I taket hang det fire lysstoffrør av den typen som etter
en viss tid utløser dundrende hodepine. Men veggene var fine
– bortsett fra fargen. Assosiasjoner om østeuropeiske sykehus
var ikke til å unngå.

«Lenge leve Marcus Jacobsen,» brummet Carl og forsøkte
å få et overblikk over situasjonen.

De siste hundre meterne gjennom kjellergangen hadde han
ikke sett en sjel. I hans ende av kjelleren fantes det verken
mennesker, dagslys, luft eller noe som helst annet som kunne
avlede følelsen av Gulag. Det var som å være relegert fra nivå
én til bunnen av fjerde divisjon.

Han så ned på de to splitter nye datamaskinene og bun-
ten av ledninger de hadde presset inn i dem. Det virket som
om de hadde splittet informasjonsveiene slik at intranettet var
koblet på den ene maskinen og resten av verden på den andre.
Han klappet på maskin nummer to. Her kunne han altså sitte
i timevis og surfe på nettet som han ville. Ingen forstyrrende
regler om sikker surfing og beskyttelse av de sentrale serverne,
det var da alltids noe. Han så seg om etter noe han kunne bruke
som askebeger og banket en grønn Cecil ut av esken. 'Røy-
king er ytterst skadelig for dine omgivelser', sto det på pakken.

De få veggdyrene som kunne finne seg til rette her nede, tålte nok dette også. Han tente sigaretten og tok et dypt drag. Men det var jo noe å være sjef for sin egen avdeling.

«Vi sender sakene ned til deg,» hadde Marcus Jacobsen sagt, men det lå ikke så mye som et A5-ark på bordet eller i de gapende tomme hyllene. De hadde vel tenkt at han skulle få innrette seg litt i lokalet først. Men Carl var likeglad, han ville ikke innrette noe som helst før han eventuelt fikk ånden over seg.

Han skjøv kontorstolen sidelengs inn mot skrivebordet og lempet bena opp på bordplaten. Slik hadde han sittet mesteparten av sykepermisjonen hjemme hos seg selv. De første ukene hadde han bare stirret tomt ut i luften. Røykt sigarettene sine og forsøkt å la være å tenke på vekten av Hardys tunge, lammede kropp og Ankers ralling i sekundene før han døde. Siden hadde han streifet rundt på nettet. Formålsløst, planløst, bedøvende. Det aktet han å gjøre nå også. Han så på klokken. Han hadde temmelig nøyaktig fem timer å slå i hjel før han kunne dra hjem.

CARL BODDE I Allerød, og det var kona hans som hadde bestemt det. De flyttet ut dit et par år før hun forlot ham for å slå seg ned i et kolonihagehus i Islev. Hun hadde tatt for seg et kart over Sjælland og raskt kommet frem til at hvis man skulle bo bra, måtte man enten ha ræva full av penger, eller så måtte man flytte til Allerød. Fin liten by, S-tog, marker hele veien rundt, skog innenfor såkalt gangavstand, mange hyggelige forretninger, kino, teater, foreningsliv, og på toppen av det hele Rønneholtparken. Kona hadde vært i fyr og flamme. Her kunne de kjøpe et rekkehus i lettbetong for en rimelig penge, med god plass til dem selv og sønnen hennes, og på toppen av det hele få bruksrett til tennisbaner, svømmehall og forsamlingshus, pluss nærhet til kornåkrer og våtmarker og en helvetes masse gode naboer. For i Rønneholtparken brydde alle seg om hverandre, hadde hun lest. Den gangen hadde det ikke vært noen plussfaktor for Carl. Hvem faen tror på den slags svada? Men med tiden hadde han endret oppfatning. Uten vennene i Rønneholtparken hadde Carl klappet sammen. Både i overført betydning og rent bokstavelig. Først reiste kona. Så ville hun ikke skilles likevel, men ble værende i kolonihagen. Og holdt seg med en hel gjeng yngre elskere som hun hadde den stygge uvanen med å fortelle *ham* om i telefonen. Så nektet sønnen å bo i kolonihagen lenger sammen med henne og flyttet tilbake til Carl midt i den verste pubertetsperioden. Og sist men ikke minst var det skuddramaet på Amager som hadde rasert Carls faste holdepunkter i tilværelsen: de daglige rutinene og et par gode kolleger som ikke brydde seg om hvilket ben han hadde slengt først ut av sengen om morgenen. Nei, hadde det ikke vært for Rønneholtparken og folkene der, hadde han sant å si vært helt på dunken.

DA CARL VAR vel hjemme, satte han sykkelen opp mot skuret utenfor kjøkkenet og konstaterte at husets to øvrige beboere også var til stede. Som vanlig kjørte leieboeren hans, Morten Holland, operamusikk for full guffe nede i kjelleren, mens stesønnens nedlastede skjærebrennerrock dundret ut av vinduene i annen etasje. En mer infernalsk lydkonstellasjon var det vanskelig å forestille seg.

Han gikk inn i infernoet og trampet et par ganger i gulvet, og Rigolettoen i kjelleren roet seg øyeblikkelig. Verre var det med guttungen ovenpå. Han tok trappen i tre byks og tok seg ikke bryet med å banke på.

«Jesper, for svarte, svingende ...! Lydbølgene har sprengt to vinduer nede på Pinjevangen. Du får punge ut selv,» skrek han så høyt han kunne.

Den hadde han hørt før, så den krumbøyde gutteryggen over tastaturet rikket seg ikke en millimeter.

«Hei!» skrek Carl inn i øret på ham. «Skru ned, eller så kapper jeg ADSL-ledningen.»

Det hjalp litt.

Nede på kjøkkenet hadde Morten Holland allerede rukket å dekke bordet. En nabo hadde kalt ham 'surrogathusmoren i nummer 73', men det stemte ikke. Morten var ikke noe surrogat, han var den beste og mest skikkelige husmoren som noen gang hadde vært i nærheten av Carl. Innkjøp, klesvask, matlaging og rengjøring – alt gikk unna mens operaariene trillet ut over de følsomme leppene hans. Og så betalte han husleie.

«Har du vært på universitetet i dag, Morten?» spurte han og visste svaret på forhånd. Treogtredve år var han blitt, og de siste tretten av dem hadde han lest seg maurflittig opp på det ene emnet etter det andre, bare ikke dem som til enhver tid hadde noe med studiene hans å gjøre. Resultatet var overlegne kunnskaper om alt annet enn det som han hadde fått stipend for å studere, og som ideelt sett skulle danne basis for et fremtidig levebrød.

Morten snudde den brede, valkete ryggen mot ham og nistirret ned i den putrende gryta. «Jeg har bestemt meg for å begynne å studere statsvitenskap.»

Han hadde snakket om det før, det var bare et spørsmål om tid. «Herregud, Morten, skal du ikke gjøre deg ferdig med sosiologistudiet først?» sa Carl likevel, for ordens skyld.

Morten drysset salt i gryta og rørte rundt. «De fleste på sosiologi stemmer på regjeringspartiene, det er ikke meg i det hele tatt.»

«Hva faen vet du om det? Du er jo aldri der inne.»

«Jeg var der i går. Jeg fortalte dem på gruppeundervisningen en vits om Karina Jensen.»

«En vits om en politiker som starter på ytterste venstrefløy og havner hos De Liberale. Det burde ikke være så vanskelig.»

«Hun er et eksempel på at det kan ligge en flatpanne gjemt bak en høy panne, sa jeg. Og ingen av dem lo.»

Morten var spesiell. En forvokst, studentikos, androgyn jomfru, hvis sosiale relasjoner stort sett besto i utvekslinger med tilfeldige dagligvarekunder om innkjøpene. En liten prat over frysedisken om spinaten burde være med eller uten fløte-stuing.

«Nei vel, Morten, de lo ikke, men det kan det jo være flere grunner til. Jeg lo heller ikke, og jeg stemmer ikke på regjeringspartiene hvis du lurte på det.» Han ristet på hodet. Det var dødfødt. Så lenge Morten tjente til livets opphold i videosjappa, kunne det være ett fett hva han leste eller ikke leste. «Statsvitenskap, sier du. Høres ut som tygd grøt, spør du meg.»

Morten trakk på skuldrene og kappet opp et par gulrøtter som han sopte ned i gryta. Han var taus en liten stund, påfallende til ham å være. Da visste Carl hva som kom.

«Forresten – Vigga ringte,» sa han endelig med en viss bekymring i stemmen og trakk seg litt unna. Han pleide gjerne å følge opp med: «Don't shoot me, I'm only the piano player.» Men han sto over det denne gangen.

Carl kommenterte det ikke. Hvis Vigga ville ham noe, kunne hun vente med å ringe til han var kommet hjem.

«Jeg tror hun fryser ute i kolonihuset,» dristet Morten seg til å utdype mens han rørte energisk rundt i gryta.

Carl snudde seg mot ham. Det luktet forbannet godt av den gryta. Det var lenge siden han hadde hatt slik matlyst. «Fryser hun? Da får hun stappe en av disse energibuntene som hun driver og knuller i kakkelovnen.»

«Hva snakker dere om?» kom det fra døren. Bak Jesper dirret veggene av kakofonien som igjen drønnet ut av rommet hans.

Det var et mirakel at de i det hele tatt kunne høre hverandre.

DA CARL HADDE sittet i tre dager og glodd skiftevis på Google og på veggen i kjelleren og kjente veien til det kummerlige toalettet inntil hudløshet og ellers følte seg mer utsovet enn noen gang, gikk han de fire hundre og toogfemti skrittene opp til drapsavdelingen i tredje etasje hvor de gamle kollegene hans huserte. Han ville forlange at oppussingsarbeidene i kjelleren nå ble ferdigstilt og at døren ble hektet på, slik at han i hvert fall kunne smelle med den hvis han fant det for godt. Og så ville han minne dem forsiktig om at han ennå ikke hadde fått saksmappene sine. Ikke fordi det hastet, men han ville jo ikke så å si miste jobben før han hadde fått den.

Kanskje hadde han regnet med at de gamle kollegene ville kikke nysgjerrig på ham når han kom anstigende. Hvordan tok han det? Var han på sammenbruddets rand? Var han blitt grå i trynet av oppholdet i det evige mørke? Han hadde ventet seg både nysgjerrige og hånlige blikk, men ikke at alle skulle fordufte inn på kontorene sine med en så velkoordinert slamring med dører som tilfellet var.

«Hva er det som skjer her?» spurte han en fyr han aldri hadde sett før, som sto og pakket ut av en flyttekasse på det første kontoret.

Fyren rakte frem hånden. «Peter Vestervig, jeg kommer fra Stasjon City. Jeg skal være i Viggos team.»

«I Viggos team? Viggo Brink?» spurte han. Teamleder? Viggo? Han måtte ha blitt utnevnt i går.

«Ja. Og du er?» Mannen fikk tak i Carls hånd.

Carl trykket den kort og så seg om i lokalet uten å svare. Det var enda to ansikter han ikke kjente. «Også i Viggos team?»

«Ikke han ved vinduet.»

«Og nye møbler, ser jeg.»

«Ja, de ble akkurat båret opp. Er ikke du Carl Mørck?»

«Jeg var Carl Mørck,» sa han og gikk de siste skrittene bort til Marcus Jacobsens kontor.

Døren sto åpen, men om den hadde vært lukket, ville han ha brast rett inn for det. «Har dere fått inn nye folk på avdelingen, Marcus?» spurte han uten innledning og avbrøt et møte.

Drapssjefen så oppgitt på sin nestkommanderende og en av de kvinnelige sekretærene. «Okay, Carl Mørck har steget opp fra dypet. Vi fortsetter om en halv time,» sa han og sopte papirene sammen i en bunke.

Carl smilte surt til nestkommanderende idet han gikk ut av

døren, og det han fikk i retur, lå ikke noe tilbake. Visekriminalinspektør Lars Bjørn hadde alltid passet på å holde de kalde følelsene mellom dem varme.

«Nå, hvordan går det der nede, Carl? Begynner du å få orden på prioriteringen av sakene?»

«Det kan du i og for seg godt si. I hvert fall dem jeg har fått så langt.» Han pekte bak seg. «Hva er det som foregår der ute?»

«Ja, det kan du spørre om.» Han hevet øyenbrynene og rettet på Det skjeve tårn i Pisa, som vittige hoder kalte bunken av nyinnkomne saker på skrivebordet hans. «Den store saksmengden har gjort det påkrevd å opprette ytterligere to etterforskningsteam.»

«Til erstatning for mitt?» Han smilte skjevt.

«Ja, og altså to team i tillegg til det.»

Carl rynket brynene. «Tre team. Hvordan i huleste finansierer dere det?»

«Særbevilgning. Justering i forhold til reformen, du vet.»

«Vet jeg det? Det var som faen.»

«Var det noe spesielt du ville, Carl?»

«Ja, men det kan vente. Jeg må undersøke noe først, når jeg tenker meg om. Jeg kommer tilbake senere.»

DET VAR EN kjent sak at partiet Høyre disponerte over mange folk fra næringslivet som hygget seg sammen i dannede former og gjorde det som næringslivsorganisasjonene ba dem om å gjøre. Men dette mest velpolerte av landets partier hadde også alltid tiltrukket seg folk fra politiets og forsvarets rekker, gudene måtte vite hvorfor. For tiden visste han at det satt minst to av denne kategorien i Folketinget inne på Christiansborg. Den ene var en strebertype som bare brukte politietaten som springbrett for å komme seg fortest mulig ut av den og til værs, mens den andre var en hyggelig, gammel visekriminalkommissær som Carl kjente fra tiden i Randers. Han var ikke særlig konservativ av legning, men han var født og oppvokst i valgkretsen, og jobben var sikkert godt betalt. Så Kurt Hansen fra Randers var folketingsmedlem for Høyre og medlem av justiskomiteen og dessuten Carls beste kilde til opplysninger av politisk karakter. Kurt sa ikke alt, men han var lett å tenne hvis saken var interessant. Hvorvidt denne kunne regnes til kategorien, var Carl usikker på.

«Herr visekommissær Kurt Hansen, formoder jeg?» sa han da stemmen svarte i telefonen.

Det hørtes en dyp og mild latter. «Jøss, Carl, det var lenge siden. Herlig å høre stemmen din. Du ble jo skutt, går det rykter om.»

«Ja, ja, det er nå så. Jeg er okay, Kurt.»

«Det gikk hardt ut over to av kollegene dine. Er de kommet noen vei med saken?»

«Det går fremover.»

«Det er godt å høre. Vi jobber med et lovforslag nå om å øke strafferammen for vold mot tjenestemann med femti prosent. Det vil nok hjelpe. Vi må jo backe dere opp, dere som står ute på barrikadene.»

«Høres bra ut, Kurt. Dere har støttet drapsavdelingen i København med en særbevilgning også, hører jeg.»

«Å? Nei, det tror jeg ikke vi har.»

«Kanskje ikke til drapsavdelingen, men i hvert fall et eller annet her inne på Politihuset, det er vel ingen hemmelighet?»

«Har vi hemmeligheter her inne når det gjelder bevilgningsspørsmål?» kontret Kurt og lo så hjertelig som bare en mann med en gullkantet pensjonsavtale kan.

«Så hva har dere gitt bevilgning til, om jeg tør spørre? Er det under Rikspolitiet?»

«Ja, avdelingen hører vel egentlig under Nasjonalt Etterforskningssenters saksområde, men for at det ikke skal bli de samme folkene som etterforsker sakene på nytt igjen, så har man valgt å opprette en selvstendig avdeling administrert av drapsavdelingen. Den skal ta seg av saker av en spesiell alvorlighetsgrad, men det vet du vel.»

«Avdeling Q, mener du?»

«Er det det dere kaller den? Ja, ja, navnet skjemmer ingen.»

«Hvor mye er bevilgningen på?»

«Helt nøyaktig kan jeg ikke si i farten, men det er i størrelsesorden seks til åtte millioner årlig i en tiårsperiode.»

Carl så seg rundt i det lysegrønne kjellerrommet. Ja vel. Da forsto han hvorfor Marcus Jacobsen og Bjørn absolutt ville ha ham plassert her nede i ingenmannsland. Mellom seks og åtte millioner! Rett i lommene på drapsavdelingen!

Helvete heller, om de skulle slippe gratis fra dette.

DRAPSSJEFEN SÅ PÅ ham enda en gang før han tok av seg halvbrillene. Akkurat slik pleide han å se ut i ansiktet når han sto og betraktet et gjerningssted hvor sporene var ubestemmelige. «Du vil ha egen tjenestebil, sier du? Trenger jeg å minne deg om at vi ikke har personlige kjøretøyer i Københavns politi? Når du trenger en bil, må du henvende deg til vognkontoret og få utlevert en i hvert enkelt tilfelle. Akkurat som alle vi andre, Carl, sånn er det.»

«Jeg jobber ikke i Københavns politi, jeg er bare pro forma underlagt dere.»

«Carl, du vet like godt som meg at folkene her oppe kommer til å lage et ramaskrik over en slik form for særbehandling. Og seks mann i Avdeling Q! Si meg, er du fra vettet?»

«Jeg prøver bare å bygge opp Avdeling Q slik at den kan fungere etter hensikten. Er ikke det min jobb, da? Det er et stort revir å skulle dekke hele Danmark, skjønner du vel. Så du vil ikke gi meg seks mann?»

«Nei, så faen.»

«Fire, da? Tre?»

Drapssjefen ristet på hodet.

«Så det er jeg som skal gjøre alt sammen alene?»

Han nikket.

«Da skjønner du vel at jeg ikke kan klare meg uten en permanent tjenestebil. Tenk når jeg skal til Aalborg eller Næstved?

Jeg er en travel mann. Tenk hvor mange saker som kommer til å ligge på mitt bord?» Han satte seg ned rett overfor sjefen og skjenket kaffe i koppen som nestkommanderende hadde satt igjen. «Men uansett er jeg nødt til å ha en altmuligmann der nede. En som har førerkort og som kan ordne ting for meg. Sende fakser og slike ting. Gjøre rent. Jeg har for mye å gjøre, Marcus. Vi må jo ha resultater. Folketinget vil ha valuta for pengene, ikke sant? Åtte millioner, var det ikke? Herregud, det er mye penger.»

2002

INGEN KALENDER VAR stor nok for nestlederen i Demo-
kratenes folketingsgruppe. I tidsrommet fra klokken syv mor-
gen til sytten ettermiddag hadde Merete Lynggaard fjorten
møter med interesseorganisasjoner. Minst førti nye ansikter
ville bli presentert for henne i egenskap av helsepolitisk tals-
mann, og de aller fleste ville forvente at hun kjente til bakgrun-
nen og virksomheten deres, fremtidsvisjonene og det viten-
skapelige bakteppet. Hadde hun fortsatt hatt Marianne til å
bakke seg opp, ville hun hatt en rimelig sjanse, men den nye
sekretæren, Søs Norup, var ikke like skarp. Til gjengjeld var
hun diskré. Ikke en eneste gang i løpet av den måneden hun
hadde vært på Meretes kontor hadde hun kommet inn på noe
som helst av privat karakter. Hun var som en maskin, selv om
det skortet litt på ram-minnet.

Organisasjonen som satt foran Merete, hadde vært hele run-
den hos regjeringspartiene, og nå var det det største oppo-
sisjonspartiets og dermed Merete Lynggaards tur. De virket
rimelig desperate, og med rette, for ikke mange i regjeringen
bekymret seg for annet enn skandalen i Farum og kommune-
ledelsens utfall mot flere ministre.

Delegasjonen gjorde alt for å sette Merete grundig inn i
nanopartiklers mulige negative bivirkninger, magnetisk sty-
ring av transport av partikler i kroppen, immunforsvar, gjen-
kjennelsesmolekyler og morkakeundersøkelser. Spesielt det
siste var deres merkesak.

«Vi er fullstendig klar over de etiske spørsmålene som vil

reise seg,» sa delegasjonslederen. «Vi vet at spesielt regjerings-partiene representerer befolkningsgrupper som vil motsette seg generell innsamling av morkaker, men likevel er det nød-vendig å få saken opp på den politiske dagsordenen.» Lederen var en elegant mann i førtiårene som for lengst hadde tjent millioner på området. Han var grunnleggeren av den mye omtalte medisinalvirksomheten BasicGen, som først og fremst leverte grunnforskning til andre og større legemiddelfirmaer. Hver gang han fikk en ny idé, troppet han opp på kontorene til helsepolitikerne. Resten av flokken kjente hun ikke, men bak lederen sto en yngre mann og stirret på henne, merket hun. Han bidro ikke med noe særlig i form av praktiske opp-lysninger eller innspill, kanskje han bare var med for å obser-vere.

«Dette er Daniel Hale, vår viktigste samarbeidspartner på laboratoriefronten. Det lyder engelsk, men Daniel er pære dansk,» presenterte delegasjonslederen ham etterpå, da hun hilste på hver enkelt.

Hun rakte ham hånden, og merket umiddelbart hvor glød-ende varm den var.

«Daniel Hale, var det det?» spurte hun.

Han smilte. Et øyeblikk flakket blikket hennes. Pinlig!

Hun kikket bort på sekretæren sin, et av kontorets nøytrale holdepunkter. Hadde det vært Marianne, ville hun ha skjult det skjeve smilet sitt bak papirene hun alltid sto med. Denne sekretæren smilte ikke.

«Du jobber på et laboratorium?» spurte hun. I det samme brøt delegasjonslederen inn. Han måtte utnytte de dyrebare sekundene. Neste delegasjon sto allerede og trippet utenfor Merete Lynggaards dør. Når neste sjanse kom, kunne man aldri vite. Det handlet om penger og dyrt investert tid.

«Daniel eier det fineste, lille laboratoriet i hele Skandinavia. Ja, lite er det vel ikke lenger, forresten, etter at du fikk de nye bygningene?» sa han henvendt til mannen, som ristet smilende på hodet. Det var et vakkert smil. «Vi vil gjerne få overrekke deg denne rapporten,» sa lederen. «Kanskje vil Demokratenes helsepolitiske talsmann lese den nøye når anledningen byr seg. Det er utrolig viktig for våre etterkommere at problemstillingen blir tatt på dypeste alvor allerede nå.»

HUN HADDE IKKE regnet med å se igjen Daniel Hale nede i Snapstinget, og at han tilsynelatende satt og ventet på henne. Alle andre ukedager spiste hun oppe på kontoret, men hver fredag det siste året hadde hun sittet sammen med de helsepolitiske talsmennene for Sosialistene og Radikalt Sentrum. Tre sterke kvinner som kunne få folkene fra Danmarkspartiet til å se rødt. Bare det at de dyrket kaffeklubben sin i full åpenhet, var en torn i øyet på mange.

Han satt der alene halvt skjult bak en søyle, ytterst på Kasper Salto-stolen med en kopp kaffe foran seg. Blikkene deres møttes med det samme hun kom inn gjennom glassdørene, og hun tenkte ikke på annet så lenge hun var der.

Da kvinnene reiste seg etter praten, kom han bort til henne. Hun så hoder bli stukket sammen og følte seg fanget av blikket hans.

2007

CARL VAR RIMELIG fornøyd. Håndverkerne hadde hatt det travelt hele formiddagen inne i kjellerrommet. Selv hadde han stått på gangen og traktet kaffe ved et av rullebordene, og tallrike sigaretter hadde funnet veien ut av pakken. Nå var gulvet inne på den såkalte Avdeling Q dekket med et teppe, malerbøttene og alt det andre rasket var forsvunnet ned i kjempestore plastsekker, døren var hektet på plass, det var montert en flatskjerm-TV, et whiteboard og en oppslagstavle, og bokhyllen var fylt med det gamle lovstoffet hans, som andre tydeligvis hadde trodd de kunne ta i besittelse. I lommen hadde han nøklene til en mørkeblå Peugeot 607 som Politiets Etterretningstjeneste nettopp hadde skiftet ut. Der i gården var det ikke snakk om å la livvaktene kjøre etter Dronningens representasjonskjøretøyer med riper i lakken. Den hadde gått bare femogførti tusen kilometer og tilhørte ene og alene Avdeling Q. Gjett om den kom til å pynte opp på parkeringsplassen hjemme på Magnoliavangen! Bare tyve meter fra soveromsvinduet hans.

Om et par dager ville han få assistenten sin, hadde de lovt ham, og Carl fikk dem til å tømme et rom tvers over gangen, som hadde vært brukt til å lagre beredskapsavdelingens defekte visirer og skjold etter bråket rundt Ungdomshuset. Nå innredet de det med bord og stol og bøtteskap, og ikke minst alle lysstoffrørene som Carl hadde fått pælmet ut av sitt eget kontor. Marcus Jacobsen hadde tatt Carl på ordet og ansatt en mann som rengjøringsassistent og altmuligmann, men krevde til gjengjeld at han måtte gjøre rent i resten av kjellerseksjonen også. Det skulle nok Carl få forandret på ved neste korsvei, noe Marcus Jacobsen sikkert også var klar over. Det hele var bare et spill for å bestemme hvilke kort det kunne forhandles med, og spesielt når. Det var tross alt han som satt nede i kjellermørket og ruget mens de andre satt der oppe med utsikten til Tivoli. Noe for noe, balansen var gjenopprettet.

KLOKKEN ETT DEN DAGEN kom endelig to av sekretærene fra administrasjonen med saksmappene. De sa at dette var hovedaktene i sakene, og hvis han trengte mer utførlige bakgrunnsdokumenter, måtte han rekvirere det gjennom dem. Da hadde han i hvert fall disse to som en kommunikasjonskanal inn i den gamle avdelingen. Særlig den ene av dem, Lis – en varm, lyshåret kvinne med sjarmerende, lett kryssende fortenner – kunne han godt tenke seg å utveksle mer enn bare ord med.

Han ba dem plassere sakene i to bunker på hver sin side av skrivebordet. «Ser jeg et forførerisk glimt i øyet, eller er du bare naturlig uimotståelig, Lis?» sa han til den lyse.

Den mørkhårede sendte kollegaen et blikk som kunne fått Einstein til å føle seg dum. Det var sikkert lenge siden hun hadde vært målskive for en slik bemerkning.

«Carl, vennen min,» sukket Lis som alltid. «Glimtene mine er forbeholdt min mann og mine barn. Når skal du lære det?»

«Jeg lærer det den dagen lyset forsvinner og det evige mørke oppsluker meg og hele verden,» svarte han. Så hadde han i hvert fall ikke sagt for lite.

Den mørkhårede stakk hodet borti kollegaen og slapp forargelsen løs allerede før de hadde rundet hjørnet mot trappen.

HAN SÅ IKKE på sakene de første par timene. Derimot tok han seg på tak til å telle mappene, det var jo også et slags arbeid. Minst førti stykker var det, men han åpnet ingen av dem. Det er nok av tid, minst tyve år til pensjonen, tenkte han og la et par edderkoppkabaler til. Når den neste gikk opp, ville han vurdere å ta en titt på den øverste mappen til høyre.

Cirka tyve kabaler senere ringte telefonen. Han kikket på displayet og dro ikke kjensel på nummeret. 3545 et eller annet. Det var et københavnnummer.

«Ja,» sa han og ventet å høre Viggas eksalterte stemme. Hun fant alltid en eller annen behjelpelig sjel som var villig til å låne henne en telefon. «Skaff deg en mobil da vel, mor,» sa Jesper alltid. «Jævla irriterende å måtte ringe til en nabo for å få tak i deg.»

«Ja, god dag,» sa stemmen, som ikke minnet mye om Vigga. «De snakker med Birte Martinsen, jeg er psykolog på Klinikk for Ryggmargsskader. Hardy Henningsen prøvde i dag morges å suge et glass vann som sykepleieren hadde gitt ham, rett ned i lungene. Han er okay, men langt nede, og har spurt etter Dem. Kanskje De ville ta en tur innom? Jeg tror det ville hjelpe ham.»

HAN FIKK LOV til å være alene med Hardy, selv om psykologen tydeligvis fryktelig gjerne ville være til stede og observere.

«Er du lei av hele dritten, gamle venn?» sa han og tok Hardys hånd. Det var litt liv i den. Det hadde Carl merket før også. Nå bøyde de to ytterste leddene på peke- og langfingeren seg som om de ville dra Carl til seg.

«Ja, Hardy?» sa han og la hodet ned mot hans.

«Drep meg, Carl,» hvisket han.

Carl trakk hodet til seg og så ham rett i øynene. Den lange mannen hadde verdens blåeste øyne, og nå var de fulle av sorg og tvil og inntrengende bønn.

«Men for faen, Hardy,» hvisket han. «Det kan jeg jo ikke. Du skal komme deg på beina igjen. Du skal opp og gå. Og du har en sønn som vil ha faren sin hjem igjen, eller hva, Hardy?»

«Han er tyve år, han klarer seg,» hvisket Hardy.

Han var seg selv lik. Han var helt klar i hodet. Han mente det.

«Jeg kan ikke, Hardy. Du må holde ut. Du blir bra igjen.»

«Jeg er lam, og kommer til å være det for alltid. De har avsagt dommen i dag. Uhelbredelig, faen ta det.»

«JEG KAN TENKE meg at Hardy Henningsen ba Dem om hjelp til å ta livet av seg,» sa psykologen og innbød til fortrolighet. Det profesjonelle blikket hennes krevde ikke noe svar. Hun var sikker i sin sak, hun hadde sett det før.

«Langt ifra! Det gjorde han ikke.»

«Jaså? Det var overraskende.»

«Hardy!? Nei, det var noe annet.»

«Jeg ville sette pris på å få høre hva han sa til Dem.»

«Det ville De nok.» Han spisset munnen og så ut på Havneveien. Ikke en sjel. Pussig.

«Men De vil ikke si det?»

«De ville rødme hvis De fikk høre det. Jeg kan ikke si noe sånt til en dame.»

«De kunne jo prøve.»

«Det tror jeg neppe.»

9

2002

MERETE HADDE OFTE hørt om den lille kafeen med de merkelige, utstoppede dyrene i Nansens gate, men hun hadde aldri vært der før den kvelden.

Midt i summingen på Bankerott ble hun mottatt av varme øyne og et glass iskald hvitvin, og kvelden lovet godt.

Hun hadde akkurat rukket å fortelle at hun skulle til Berlin neste helg sammen med broren sin. At de pleide å ta denne weekendturen sammen en gang i året, og at de skulle bo like ved Zoologisk hage.

Så ringte mobilen. Uffe var dårlig, sa hjemmehjelpen.

Et øyeblikk måtte hun sitte med lukkede øyne for å svelge den bitre pillen. Det var ikke ofte hun tok seg friheten å si ja til en invitasjon. Hvorfor måtte han ødelegge det også?

TROSS SØLETE VEIER var hun hjemme på under en time.

Uffe hadde hatt skjelvinger og grått det meste av kvelden. Sånn var det en sjelden gang når Merete ikke kom hjem slik hun pleide. Uffe kommuniserte ikke med ord, så det kunne være vanskelig å lese ham, ja, noen ganger virket han totalt fraværende. Men det var han jo ikke i det hele tatt. Uffe var til stede i aller høyeste grad.

Hjemmehjelpen hadde nok vært temmelig oppskaket, det var tydelig. Så henne kunne Merete neppe regne med en annen gang.

Først da hun fikk Uffe opp på soverommet og han fikk på seg den elskede baseballcapsen, sluttet han å gråte, men uroen satt fortsatt i ham. Øynene virket utrygge. Hun prøvde å dysse ham enda mer til ro ved å fortelle om alle gjestene på restauranten og beskrive de rare dyrene. Hun oppsummerte opplevelsene og tankene sine og så hvordan ordene fikk ham til å slappe av. Slik hadde hun gjort i lignende situasjoner siden han var ti-elleve år gammel. Når Uffe gråt, kom det dypt nede fra det ubevisste i ham. I de øyeblikkene ble fortid og nåtid hektet sammen i Uffe. Som om han erindret det som hadde skjedd i livet hans før ulykken. Den gangen hadde han vært en helt normal gutt. Nei, ikke det. Ikke normal. Den gangen hadde han vært en helt unik gutt med et kreativt hode som myldret av ideer og innfall. Han hadde vært en fantastisk gutt. Og så skjedde ulykken.

DE NESTE DAGENE hadde Merete tusen ting å gjøre. Og selv om tankene hennes hadde det med å streife sine egne veier en stor del av tiden, var det jo ingen andre som gjorde jobben for henne. Inn på kontoret klokken seks om morgenen, og så etter en hard dag full fart på motorveien for å rekke hjem til klokken seks. Det var ikke mye tid til å summe seg og få sammenheng i tilværelsen.

Det hjalp heller ikke på konsentrasjonen da det en dag sto en stor blomsterbukett på bordet hennes.

Sekretæren var synlig irritert. Hun kom fra DJØF, og der praktiserte de kanskje et strengere skille mellom jobb og privatliv. Hadde det vært Marianne, ville hun blitt helt over seg og puslet og stelt med disse blomstene som om de var kronjuveler.

Nei, det var ikke mye støtte å hente fra den nye sekretæren i private anliggender, og det var kanskje like greit.

TRE DAGER ETTER mottok hun et valentintelegram fra TelegramsOnline. Det var det første valentinkortet hun hadde fått i hele sitt liv, og det føltes litt merkelig, siden det var nesten to uker etter den 14. februar. På forsiden var det trykt to lepper og teksten 'Love & Kisses for Merete', og sekretæren så forbitret ut da hun overrakte det.

I telegrammet sto det: «Må snakke med deg!»

Hun satt litt og ristet på hodet mens hun så på de to leppene. Så gled tankene tilbake til kvelden på Bankerott. Selv om det ga henne en deilig følelse, var hele greia likevel noe rot. Best å få satt en stopper for det før det utviklet seg til noe mer.

Hun formulerte noen ganger for seg selv hva hun ville si, tastet inn nummeret på telefonen og ventet til mobilsvareren koblet seg inn.

«Hei, det er Merete,» sa hun vennlig. «Jeg har tenkt mye på det, men det går ikke. Jobben og broren min krever altfor mye av meg. Og slik kommer det nok til å være i overskuelig fremtid. Jeg er oppriktig lei for det, men sånn er det. Beklager!»

Så tok hun møtekalenderen på skrivebordet og strøk ut nummeret fra telefonlisten.

Sekretæren hennes kom inn i det samme og stanset brått foran skrivebordet.

Da Merete løftet hodet mot henne, smilte hun på en måte som Merete aldri hadde sett før.

HAN STO UTE på trappen foran Riksdagsbygningen uten yttertøy og ventet. Det var bitende kaldt, og ansiktsfargen hans var ikke god. Tross drivhuseffekten bød ikke februar på oppholdsvær. Han så bedende på henne og enset ikke pressefotografen som kom inn gjennom porten fra Slottsplassen i det samme.

Hun forsøkte å dra ham tilbake mot inngangsdøren, men han var for stor og desperat.

«Merete,» sa han stille og la hendene på skuldrene hennes. «La ikke dette skje. Jeg er helt desperat.»

«Jeg beklager,» sa hun og ristet på hodet. Hun så forandringen i blikket hans. Plutselig var det der igjen, dette dype, underforståtte i øynene hans som gjorde henne urolig.

Bak ham løftet pressefotografen kameraet mot kinnet, faen

også. Det siste hun ønsket seg akkurat nå var å bli knipset av en eller annen ukebladfotograf.

«Jeg kan dessverre ikke hjelpe deg,» ropte hun og løp ned mot bilen sin. «Det går bare ikke.»

UFFE HADDE SETT på henne med forundring da hun begynte å gråte mens de spiste, men han tok seg ikke nær av det. Han løftet skjeen like langsomt som alltid, smilte for hver gang han svelget, fokuserte på leppene hennes og var langt borte.

«Helvete også,» hulket hun, slo neven i bordet og så på Uffe med sinne og frustrasjon langt inn i sjelen. Det kom dessverre over henne oftere og oftere.

HUN VÅKNET MED drømmen smeltet inn i bevisstheten. Så levende, så dyrebar og så grusom.

Det hadde vært en vidunderlig morgen den dagen. Noen få kuldegrader og litt snø, nok til å fortette høytidsstemningen. Alle var så fulle av liv. Merete seksten år, Uffe tretten. Faren og moren hadde hatt en natt som fikk dem til å smile drømmende til hverandre fra de lesset bilen full av pakker til øyeblikket da alt var over. Julaftens morgen, for et underlig sammensatt og frydefullt ord. Det var så fylt av løfter. Uffe hadde snakket om en cd-spiller, og det ble det siste ønsket han fikk gitt uttrykk for her i livet.

Så hadde de kjørt. De var glade, Uffe og hun lo. Dit de skulle, var de ventet.

Uffe hadde dyttet til henne i baksetet. Tyve kilo lettere enn henne, men anmassende som en liten hundevalp som kastet seg inn i flokken for å die. Og Merete dyttet igjen, tok av seg perulua og dasket ham i hodet. Det var da det begynte å bli voldsomt.

I en sving gjennom skogen slo Uffe igjen, og Merete tok tak i ham og tvang ham ned i setet. Han sparket og hylte og skrek av latter, og Merete moste ham enda hardere. Da faren med et smil strakte armen bakover, så både Merete og Uffe opp. De var midt i en forbikjøring. Ford Sierraen skrått til siden for dem var rød og grå av veisalt på sidedørene. Et par i førtiårene satt i forsetet og stirret stivt forover. I baksetet satt en gutt og en pike, akkurat som dem selv, og Uffe og Merete lo mot dem. Gutten var kanskje et par år yngre enn Merete og hadde kort hår. Han møtte det sprelske blikket hennes da hun slo bort armen til faren, og hun lo mot ham igjen og merket først at faren hadde mistet kontrollen da guttens ansiktsuttrykk plutselig forandret seg i det pulserende lyset gjennom grantrærne. I et sekund var de redselslagne, blå øynene hans naglet fast i hennes, så var de borte.

Lyden av metall som kvernes mot metall falt sammen med at sidevinduene i den andre bilen ble knust. Barna i baksetet der inne veltet til side, samtidig braste Uffe inn i siden på henne. Bak henne singlet det i glass, og foran henne ble frontruten dekket av figurer som slo inn i hverandre. Om det var bilen deres eller de andres som fikk trærne langs veikanten til å knekke, registrerte hun ikke, men Uffes kropp var på dette tidspunktet vridd rundt, og han var i ferd med å bli kvalt av sikkerhetsselen. Så kom det et øredøvende brak, først fra den andre bilen og så fra deres egen. Blodet på setetrekkene og frontruten ble blandet med jord og snø fra skogbunnen, og Merete fikk den første grenen gjennom leggen. En spjæret trestamme dundret inn i bunnen på bilen og kastet den til værs. Braket da de landet med fronten først i veibanen blandet seg med den skjærende lyden fra Ford Sierraen som rev et tre over ende. Så tippet bilen deres over med et rykk og rutsjet videre på den siden hvor Uffe var, inn i treklyngen på motsatt side. Armen hans stakk i været og bena var presset inn over morens sete, som nå var vrengt opp fra gulvet. Hun så verken moren eller faren på noe tidspunkt av hendelsesforløpet. Hun så bare Uffe.

Hun våknet av at hjertet hamret så hardt i brystet på henne at det gjorde vondt. Hun var iskald og klam av svette.

«Stopp, Merete!» sa hun høyt til seg selv og pustet så dypt hun bare kunne. Hun tok seg til brystet og forsøkte å gni synet av seg. Bare når hun drømte, så hun detaljene så rystende klart. Den gangen det skjedde, oppfattet hun dem ikke – bare helheten. Lys, skrik, blod, mørke, og så lys igjen.

Hun pustet dypt inn enda en gang og slo blikket ned. I sengen ved siden av henne lå Uffe og trakk pusten med pipende lyder. Ansiktet hans var rolig, og utenfor rislet regnet stille i takrennene.

Hun strøk ham forsiktig over håret og vrengte munnvikene ned mens hun kjente gråten presse på.

Gudskjelov var det år og dag siden sist hun hadde hatt denne drømmen.

10

2007

«GOD DAG, JEG heter Assad,» sa han og rakte frem en hårete neve som hadde vært borti litt av hvert.

Carl var ikke helt på det rene med hvor han var med det samme, eller hvem som snakket til ham. Det hadde jo ikke hendt noen sinnsopprivende ting heller, denne morgenen. Faktisk hadde han sittet stille og rolig og duppet med bena på bordkanten, sudokuheftet på magen og haken godt ned i skjortebrystet. De ellers så skarpe buksepressene lignet en graf av hjerterytmer. Han dro de bortdovnede bena ned fra bordet og stirret på den korte, mørkhudete fyren som sto foran ham. Han var definitivt eldre enn Carl. Og definitivt ikke rekruttert fra det samme bondelandet som han selv hadde kommet fra.

«Assad, ja vel,» svarte Carl sløvt. Hva raket det ham?

«Du er Carl Mørck, som det står på døren. Jeg skal komme og hjelpe deg, sier de. Stemmer det?»

Carl knep øynene litt sammen og smakte på setningens fasetter. Hjelpe ham?

«Det får vi da inderlig håpe,» svarte Carl til slutt.

HAN HADDE SELV bedt om det, og nå var han fanget av sine egne lite gjennomtenkte krav. Dessverre var det ikke til å komme forbi at tilstedeværelsen av den lille knotten på kontoret tvers overfor ham forpliktet, først nå gikk det opp for ham. Dels måtte mannen sysselsettes, dels måtte han i en viss utstrekning sysselsette seg selv. Nei, det var ikke gjennomtenkt. Carl kunne ikke sitte og sløve bort dagene som hittil så lenge denne fyren satt der og stirret på ham. Og han som hadde forestilt seg at alt ville gå lekende lett med en håndlanger. At denne mannen ville få nok å styre med mens han selv kunne samle seg om sudokuen og telle timene i halvsøvne. Det skulle jo vaskes gulv og det skulle lages kaffe og settes på plass og legges i mapper. Det kommer til å være mer enn nok å gjøre, hadde han ment bare noen timer før. Men nå satt fyren der bare etter et par timer og så på ham med store øyne, alt var gjort, blåst og ferdig. Selv bokhyllen bak Carl var nå fylt med faglitteratur i alfabetisk orden, og alle mappene var nummerert i ryggen og klare til bruk. Etter to og en halv time hadde mannen utført oppgavene sine, og det var det.

For Carls del kunne han gjerne ta kvelden.

«Har du førerkort?» spurte han, og håpet at Marcus Jacobsen hadde glemt den detaljen, slik at hele ansettelsesforholdet måtte tas opp til ny vurdering.

«Jeg kjører taxi og personbilen og lastebilen og T-55 og T-62-tanken og pansret kjøretøy og motorsykkelen med og uten sidevognen.»

Carl nikket og foreslo at han satte seg helt rolig ned et par timer og bare leste i noen av bøkene som sto i hyllen bak ham. Han snudde seg og grep den første og beste. Kriminalteknisk håndbok av politiinspektør A. Haslund, ja, hvorfor ikke? «Legg spesielt merke til setningsbygningen når du leser, Assad. Det kan du lære mye av. Har du lest mye på dansk?»

«Jeg har lest alle avisene og grunnlovene, og alt det andre.»

«Alt det andre?» sa Carl. Dette kom ikke til å bli enkelt.

«Kanskje du kan løse litt sudoku også?» spurte han og rakte ham heftet sitt.

DEN ETTERMIDDAGEN FIKK han vondt i ryggen av å sitte rett opp og ned. Assads kaffe var en rystende sterk opplevelse, og søvnbehovet var torpedert av koffein og en irriterende følelse av blod som raste rundt i årene. Det var derfor han begynte å bla litt i mappene.

Et par av sakene kjente han fra før inntil det kjedsommelige, men de aller fleste var fra andre politidistrikter, og et par av dem fra før hans tid i kriminalpolitiet. Felles for dem alle var at de hadde vært mannskapskrevende, fått stor medieoppmerksomhet, at flere av dem hadde involvert offentlig kjente personer, og at de var havnet på det stadiet i etterforskningsarbeidet hvor alle spor endte blindt.

Hvis han skulle sortere dem grovt, fordelte de seg i tre kategorier.

Den første og største kategorien var regulære mordsaker av alle typer, hvor man i og for seg kunne peke på plausible motiver, men ikke på en gjerningsmann.

Kategori to var også mordsaker, men av en mer kompleks karakter. Motivet kunne være vanskelig å finne. Det kunne være flere ofre involvert. Det kunne være domfellelser av impliserte, men ikke av hovedmennene, det kunne være en viss tilfeldighet forbundet med selve mordet, og av og til kunne motivet være å finne i en eller annen affekthandling. I denne typen saker kunne tilfeldigheter ofte spille en rolle for oppklaringen. Vitner som tilfeldigvis dukket opp, kjøretøyer som ble brukt til annen type kriminalitet, angiveri på grunn av utenforliggende omstendigheter og slike ting. Saker som ville være vanskelige å løse uten en viss slump hell.

Og så var det den tredje kategorien, som var et sammensurium av drapssaker eller antatte drapssaker i forbindelse med kidnapping, voldtekt, mordbrann, væpnede ran med døden til følge, elementer av økonomisk kriminalitet og av og til også politiske undertoner. Det var saker hvor politiet hadde kommet til kort, og i visse tilfeller også saker som krenket folks rettsbevissthet. Et barn som forsvant fra barnevognen, en trygdeleilighetsbeboer i De gamles by som ble funnet kvalt i leiligheten. En fabrikkeier som ble funnet drept på en kirkegård i Karup, eller saken om diplomatkvinnen i Zoologisk hage. Dypt motstrebende måtte Carl innrømme at Piv Vestergårds populistiske vulgærpropaganda hadde en kjerne av sannhet i seg. For ingen av disse sakene kunne unngå å nage en vaskeekte politimann dypt inn i sjelen.

Han tente enda en røyk og kikket bort på Assad på skrå over gangen. En rolig type, tenkte han. Hvis han bare kunne aktivisere seg selv som han gjorde nå, kunne dette kanskje gå bra likevel.

Han la de tre bunkene foran seg på skrivebordet og så på klokken. Bare en halvtime til med armene over kors og lukkede øyne. Så kunne de dra hjem.

«HVA ER DET for slags saker som du har der?»

Carl myste opp på Assads mørke øyenbryn gjennom to sprekker som nektet å utvide seg. Den tettvokste fyren sto bøyd over skrivebordet med Kriminalteknisk håndbok i den ene hånden. En finger mellom sidene antydet at han hadde kommet et godt stykke allerede. Kanskje han bare så på bilder, det var mange som gjorde det.

«Døh, Assad, nå avbrøt du meg midt i en tankerekke.» Han kvalte et gjesp. «Men når skaden først er skjedd, så er dette altså sakene vi skal jobbe med. Gamle saker som andre har gitt opp å komme videre med, skjønner du?»

Assad hevet øyenbrynene. «Det er veldig interessant,» sa han og holdt opp den øverste mappen. «Ingen aner hvem som har gjort hva og sånn?»

Carl strakte hals og så på klokken. Den var ikke engang tre. Så tok han mappen og så på den. «Jeg kjenner ikke noe særlig til denne her. Det er noe med utgravningene på Sprogø da de bygde Storebæltsbroen. De fant et lik, og så mye lenger kom de ikke. Det var politiet i Slagelse som hadde den saken. Suppehuer.»

«Suppehuer?» Assad nikket. «Og den er den første for deg?»

Carl så uforstående på ham. «Om det er den første saken vi går i gang med, mener du?»

«Ja, er det det?»

Carl rynket brynene. Det var altfor mange spørsmål på én

58

gang. «Først må jeg kikke grundig på dem i tur og orden, så bestemmer jeg meg senere.»

«Er det veldig hemmelige papirer?» Assad la mappen forsiktig tilbake i bunken.

«Saksdokumentene? Ja, det står nok mye her som ikke er beregnet på andre.»

Den mørkhudete mannen ble stående taus, som en guttunge som hadde fått nei til en is, men visste at bare han sto lenge nok, så ville det sikkert by seg en ny sjanse. De så på hverandre helt til det begynte å gå rundt for Carl.

«Ja?» spurte han. «Var det noe spesielt?»

«Når jeg er først her nede og lover at jeg er taus som grav og aldri sladrer om noen ting, kan jeg også få lov å lese i mappene da?»

«Det er jo ikke jobben din, Assad.»

«Nei, men hva er jobben min akkurat nå? Jeg har kommet til side førtifem i boken, og nå hodet mitt vil noe annet.»

«Ja vel.» Han så seg om for å finne en utfordring, om ikke til Assads hode, så til de velproporsjonerte overarmene hans. Det var ikke mye å gjøre her for Assad, det måtte han bare innrømme. «Okay, da. Hvis du sverger ved alt som er hellig på at du ikke snakker med en levende sjel om det du leser bortsett fra meg, så vær så god.» Han skjøv den ytterste bunken et par millimeter mot ham. «Det er tre bunker, og du må ikke rote rundt i dem. Det er et svært omhyggelig system jeg har laget, som jeg har brukt mye tid på. Og husk: Ikke et ord til andre enn meg, Assad.» Han snudde seg mot dataskjermen. «Og en ting til, Assad. Det er mine saker, og jeg har det jævlig travelt, du ser jo selv hvor mange det er. Så ikke regn med at jeg har tid til å diskutere dem med deg. Du er ansatt for å gjøre rent og lage kaffe og kjøre for meg. Hvis du ikke har noe å gjøre, er det greit for meg at du leser. Men det har ikke noe med jobben din å gjøre, okay?»

«Ja, okay.» Han sto et øyeblikk og så på den midterste bunken. «Det er spesielle saker som ligger for seg selv, jeg forstår.

Jeg tar de tre øverste. Jeg roter ikke med alle sammen. Jeg holder dem for seg selv i mappene inne hos meg. Når du skal bruke dem, du bare roper, så kommer jeg med dem.»

Carl fulgte ham med øynene. Tre mapper under armen og Kriminalteknisk håndbok i beredskap. Det så ikke bra ut.

DET GIKK IKKE mer enn en time før Assad sto inne hos ham igjen. I mellomtiden hadde Carl tenkt på Hardy. Stakkars Hardy som ville at Carl skulle ta livet av ham. Hvordan kunne han tenke slik? Det var ikke mye konstruktivt.

Assad la en av mappene foran ham. «Her er den eneste saken som jeg husker selv. Den hendte akkurat da jeg gikk på danskkurset, vi leste om den i aviser. Den var veldig interessant jeg syntes den gangen. Og nå også.»

Han rakte mappen til Carl, som kastet et blikk på den. «Så du kom til Danmark i 2002?»

«Nei, i '98. Men jeg gikk på danskkurs i 2002. Var du med på den saken?»

«Nei, det var en sak for reiseteamet, før omstruktureringen.»

«Og reiseteamet gjorde den fordi den skjedde ute på vannet?»

«Nei, det var …» Han betraktet Assads oppmerksomme øyne og dansende øyenbryn. «Ja, det stemmer,» korrigerte han. Hvorfor belemre Assad med politiets prosedyrer når han hadde null forkunnskaper på området.

«Hun var en flott jente, Merete Lynggaard, synes jeg.» Assad smilte skjevt.

«Flott?» Han så for seg den vakre, vitale kvinnen. «Ja, det var hun definitivt.»

11

2002

DET GIKK NOEN dager hvor beskjedene hopet seg opp. Meretes sekretær forsøkte å skjule hvor irritert hun var og spilte vennlig. Flere ganger satt hun lenge og stirret på Merete når hun trodde seg usett. Én gang spurte hun om Merete hadde lyst til å bli med og spille squash, men Merete avviste henne. Hun ville ikke ha noen privat omgang med de ansatte.

Så falt sekretæren tilbake til sitt vanlige mutte og avmålte jeg.

Merete tok de siste beskjedene som sekretæren hadde lagt på skrivebordet hennes med seg hjem om fredagen og dumpet dem i søppelposen etter å ha lest dem flere ganger. Etterpå knyttet hun posen igjen og gikk ut og slapp den i søppelkassen. Like godt å gjøre det ordentlig.

Hun følte seg elendig og feig.

HJEMMEHJELPEN HADDE SATT en grateng på bordet. Den var fortsatt lunken da hun og Uffe var ferdige med å rase rundt i huset. Ved siden av det ildfaste fatet lå en liten lapp oppå en konvolutt.

Å, nei, nå sier hun opp, tenkte Merete og leste lappen:

«En mann var her og leverte denne konvolutten. Det var visst noe med departementet.»

Merete tok konvolutten og rev den opp.

«God tur til Berlin,» sto det bare.

Ved siden av henne satt Uffe med tom tallerken og smilte forventningsfullt med vibrerende nesebor i den deilige duften.

Hun knep munnen sammen og øste opp til ham mens hun forsøkte å la være å gråte.

DEN ØSTLIGE VINDEN suste kraftigere enn før og grov opp sjøen så skumsprøyten sto halvveis oppover skipssidene. Uffe elsket å stå ute på soldekket og se på kjølvannsstripen som formet seg, og måkene som hvilte på vingene over dem. Og Merete elsket at Uffe var glad. Hun gledet seg nå. Det var bra at de reiste likevel. Berlin var jo en slik vidunderlig by.

Lenger fremme på dekket sto et eldre par og så på dem, og bak dem satt en familie ved et av bordene nær skorsteinen med termokanner og medbrakte smørbrød. Barna var allerede ferdige, og Merete smilte til dem. Faren så på klokken og sa noe til kona. Så begynte de å pakke sammen.

Hun husket slike utflukter sammen med foreldrene. Det var veldig lenge siden. Hun snudde seg. Folk hadde allerede begynt å bevege seg ned til bildekket. De var snart inne på havnen i Puttgarden, ti minutter til, så var de ved kai, men det var ikke alle som hadde det travelt. Nede ved panoramavinduene over stavnen sto et par fyrer med hakene begravd i halstørklærne og så rolig utover havet. Den ene virket nokså mager og avkreftet. Det var et par meter mellom dem, og Merete antok at de ikke var sammen.

På en plutselig innskytelse tok hun brevet opp av lommen og så på de fire ordene enda en gang. Så la hun brevet tilbake i konvolutten og holdt den opp i været, lot den blafre i vinden et øyeblikk og slapp. Den gjorde et kast oppover før den hvirvlet ned og inn i en åpning i skipssiden under soldekket. Et øyeblikk trodde hun at de måtte gå ned og ta den opp, men så danset den plutselig frem igjen og ut over bølgene, gjorde et par omdreininger før den forsvant i det hvite skummet. Uffe lo. Han hadde fulgt konvolutten med øynene hele veien. Så satte han i et hvin, rev basketcapsen av seg og slengte den samme veien som brevet.

«Stopp!» var alt hun rakk å rope før lua forsvant i havet.

Han hadde fått den til jul og elsket den. I samme øyeblikk som den var borte, angret han. Det var tydelig at han tenkte på å hoppe ut for å forsøke få den igjen.

«Nei, Uffe,» ropte hun. «Det går ikke, den er borte!» Men Uffe hadde allerede satt den ene foten på et av de langsgående metallrørene i relingen og lente seg brølende utover trerekkverket med tyngdepunktet altfor høyt oppe.

«Hold opp, Uffe, det går ikke,» ropte hun igjen, men Uffe var sterk, mye sterkere enn henne, og han var langt borte. Bevisstheten hans befant seg nede i bølgene hos en basketcaps som han hadde fått til jul. En relikvie i hans enkle, gudløse liv.

Plutselig slo hun ham hardt i ansiktet. Hun hadde aldri gjort det før og trakk øyeblikkelig hånden forskrekket til seg. Uffe forsto ikke. Han glemte lua og tok seg til kinnet. Han var i sjokk. Det var år og dag siden han hadde kjent en slik smerte som dette. Han forsto det ikke. Stirret på henne og slo igjen. Slo henne som aldri før.

12

2007

HELLER IKKE DENNE natten hadde drapssjef Marcus Jacobsen fått sove særlig mye.

Vitnet i mordsaken i Valbyparken hadde prøvd å ta en overdose sovepiller. Hva i huleste som kunne drive henne til noe slikt, forsto han ikke. Hun hadde jo både barn og en mor som elsket henne. Hvem kunne terrorisere en kvinne til slike ytterligheter? De hadde tilbudt henne vitnebeskyttelse og hele pakken. Hun var overvåket dag og natt. Hvor hadde hun i det hele tatt fått de pillene fra?»

«Du burde dra hjem og få deg litt søvn,» sa nestkommanderende da Marcus Jacobsen kom tilbake fra sitt vanlige fredagsmorgenmøte med overinspektøren i politidirektørens parolesal.

Han nikket. «Tja, kanskje et par timer. Så får *du* dra på Rikshospitalet sammen med Bak og se om du får noe ut kvinnen. Og sørg for å få med dere moren og barna hennes, slik at hun får se dem. Vi må prøve å få henne tilbake til virkeligheten.»

«Ja, eller vekk fra den,» sa Lars Bjørn.

Telefonen var omkoblet, likevel ringte den. «Jeg vil ikke ha andre enn Dronningen og Prins Henrik på denne linjen,» hadde han innprentet sekretæren. Det var sikkert kona. «Ja,» sa han, og følte seg plutselig enda trettere da han hørte stemmen.

«Det er politidirektøren,» hvisket Lars Bjørn med hånden over røret.

Han ga røret videre til Marcus og listet seg ut av rommet.

«God dag, Marcus,» lød politidirektørens karakteristiske stemme. «Jeg ringer for å fortelle at justisministeren og utvalgene har arbeidet fort. Så nå er ekstrabevilgningen banket igjennom.»

«Det var godt å høre,» sa Marcus og forsøkte å forestille seg hvordan budsjettet kunne splittes opp.

«Ja, du kjenner jo kommandolinjene. I dag har Piv Vestergård og rettsutvalget i Danmarkspartiet vært i møte i Justisministeriet, og dermed er hele mølla i gang. Sjefen for Politikontoret har bedt Rikspolitisjefen be meg spørre deg om du har sjekk på den nye avdelingen?» sa hun.

«Jo, det vil jeg da absolutt si,» sa han med rynkede bryn og så for seg Carls slitne ansikt.

«Det er bra, da lar jeg det gå videre. Og hvilken sak har dere tenkt å gå i gang med først?»

Det var ikke akkurat et spørsmål som var egnet til å kvikke ham opp.

* * *

CARL HADDE AKKURAT belaget seg på å ta kvelden. Klokken på veggen viste 16.36, men den indre klokken hans var adskillig lenger fremskreden. Derfor var det unektelig en strek i regningen da Marcus Jacobsen ringte og sa at han ville komme innom en liten tur nå med det samme. «Jeg må kunne rapportere videre hva du jobber med.»

Carl så oppgitt på den tomme oppslagstavlen og rekken av brukte kaffekopper som sto på det lille konferansebordet hans. «Gi meg tyve minutter, Marcus, så kan du komme. Vi har det fordømt travelt akkurat nå.»

Han la på røret og blåste opp kinnene. Så slapp han luften langsomt ut mens han reiste seg og gikk over gangen. Der inne hadde Assad funnet seg til rette.

På det bitte lille skrivebordet hans sto det to innrammede fotografier med et utall mennesker på. Over skrivebordet hang det en plakat med arabiske bokstaver og et nydelig bilde av en eksotisk bygning som Carl ikke dro kjensel på uten videre. På knaggen ved døren hang en brun lagerfrakk av den typen som hadde forsvunnet ut av sortimentet sammen med fotvarmerne. Redskapene sine hadde han stilt opp på rekke og rad langs kortveggen: bøtte, langkost, støvsuger og et hav av flasker med sinte rengjøringsmidler. På hyllene lå det gummihansker, en liten transistorradio med kassettbåndopptaker som svært dempet sendte ut lyder som hensatte en til basaren i Sousse, og pent ved siden av lå blokk og blyant, Koranen og et lite utvalg tidsskrifter med arabisk skrift. Foran hyllen lå et spraglete bønneteppe som neppe kunne være stort nok til å ramme inn den knelende kroppen hans. Alt i alt var det ganske malerisk.

«Assad,» sa han, «vi har det travelt. Drapssjefen kommer ned her om tyve minutter, og vi har en del å få på plass først. Når han kommer, ser jeg gjerne at du vasker gulvet i den andre enden av korridoren. Det blir kanskje litt overtid, men det håper jeg går greit.»

«DET MÅ JEG si, Carl,» sa Marcus Jacobsen og nikket mot oppslagstavlen hans med trette øyne. «Du har virkelig fått skikk på stedet her. Du begynner å komme ovenpå igjen?»

«Ovenpå? Vel, jeg gjør så godt jeg kan. Men du må regne med at det tar en stund ennå før jeg er tilbake for fullt.»

«Du må for all del si fra hvis du vil ha en prat med krisepsykologen igjen. Du skal ikke undervurdere traumene som slike opplevelser kan gi.»

«Det tror jeg neppe blir nødvendig.»

«Okay, Carl, men husk å si fra.» Han snudde seg mot kortveggen. «Du har fått satt opp flatskjermen din,» sa han og stirret på et førtitommers bilde av TV2 News.

«Ja, vi må jo følge med på hva som rører seg i verden.» Han sendte en vennlig tanke til Assad. Mannen hadde koblet opp hele stasen på fem minutter. Så det kunne han også.

«De sa forresten nå nettopp at vitnet i syklistmordsaken hadde forsøkt å begå selvmord,» fortsatte Carl.

«Hva! Faen også, er det ute allerede?» utbrøt drapssjefen og så enda mer utbombet ut.

Carl trakk på skuldrene. Etter ti år som sjef for drapsavdelingen måtte han da ha lært seg å tåle såpass. «Jeg har delt opp sakene i tre kategorier,» sa han og pekte på bunkene. Det er tunge og heftige saker. Jeg har brukt dagevis på å sette meg inn i dem. Dette kommer til å ta masse tid, Marcus.»

Drapssjefen tok blikket vekk fra skjermen. «Det får ta den tiden det tar, Carl. Bare vi kan presentere resultater innimellom. Si for all del fra hvis vi der oppe kan hjelpe deg på noen måte.» Han forsøkte å smile.

«Hvilken sak har du tenkt å gå løs på først?» fortsatte han.

«Nja, jeg er i gang med flere på et mer grunnleggende plan. Men Merete Lynggaard-saken blir nok den første.»

Drapssjefen livnet til. «Ja, det var en underlig sak. Å bare forsvinne på Rødby–Puttgarden-fergen i løpet av et par minutter. Uten vitner.»

«Det var mange merkelige omstendigheter i den saken,» sa Carl og forsøkte å huske bare én.

«Broren hennes ble anklaget for å ha dyttet henne på havet, husker jeg, men siktelsen ble senere frafalt. Er det et spor du vil ta opp?»

«Kanskje. Jeg vet ikke hvor han er nå, så jeg må få sporet ham opp først. Men det er også andre momenter som peker seg ut.»

«Jeg mener å huske det står i dokumentene at han ble plassert på en institusjon på Nordsjælland,» sa drapssjefen.

«Jo, jo. Men det er ikke sikkert han er der lenger nå.» Carl forsøkte å se ettertenksom ut. Kom deg nå opp på kontoret ditt igjen, drapssjef, tenkte han. Alle disse spørsmålene, og så hadde han ikke rukket å bla i rapporten i mer enn fem minutter.

«Han er på noe som heter Egely. I Fredrikssund by.» Stemmen kom fra døråpningen, hvor Assad sto og lente seg på langkosten. Han så ut som om han kom fra en annen planet med elfenbenssmilet og de grønne gummihanskene og frakken som rakk ham til anklene.

Drapssjefen så forvirret på den eksotiske fremtoningen.

«Hafez al-Assad,» sa han og rakte frem en gummihanske.

«Marcus Jacobsen,» sa drapssjefen og trykket ham i hånden. Så vendte han seg spørrende mot Carl.

«Dette er vår nye medhjelper i avdelingen. Assad har hørt meg snakke om saken,» sa Carl og sendte Assad et blikk som åpenbart prellet av.

«Nå,» sa drapssjefen.

«Ja, min visepolitikommissær Mørck han virkelig jobber hardt. Jeg bare hjelper litt her og litt der som det faller.» Han smilte bredt. «Det jeg ikke skjønner, er at Merete Lynggaard ble aldri funnet i vannet. I Syria hvor jeg kommer fra, er det masse hai i vannet som spiser de døde likene. Men hvis det ikke er så mange haier i vannet i Danmark, man vil finne dem før eller siden. Likene blir jo som ballonger med alt det råtne inni som utvider seg.»

Drapssjefen forsøkte å smile. «Jo da. Men havene rundt Danmark er dype og store. Det hender ikke så rent sjelden at vi ikke finner folk som har druknet. Det har faktisk skjedd flere ganger at folk har falt over bord fra passasjerferger i området der nede og aldri blitt funnet.»

«Assad,» sa Carl og så på klokken. «Du kan gå hjem nå. Vi ses i morgen.»

Han nikket kort og tok opp vaskebøtta. Etter litt skramling fra den andre siden av gangen, dukket ansiktet hans opp i døråpningen og sa ha det.

«Litt av en type, denne Hafez al-Assad,» sa drapssjefen da lyden av fottrinnene var forstummet.

13

2007

ETTER WEEKENDEN LÅ det et notat fra nestkommande-rende i Carls mailboks:

«Jeg har informert Bak om at du er i gang med Merete Lynggaard-saken. Bak var på saken med reiseteamet i avslut-ningsfasen, så han vet noe. For øyeblikket holder han på med syklistmordet, men er innstilt på å snakke med deg, helst så snart som mulig.»

Undertegnet Lars Bjørn.

Carl fnøs. «Helst så snart som mulig.» Hva innbilte Bak seg, den blæra? Selvrettferdig, selvhøytidelig, selvhevdende. Tørr-pinn og streber i ett. Kona måtte nok levere søknadsskjema i tre eksemplarer for å kunne gjøre seg håp om eksotiske kjær-tegn under beltestedet.

Men Bak hadde altså etterforsket en sak som *ikke* var blitt oppklart. Strålende. Det var nesten så en kunne få lyst til å nøste opp trådene selv.

Han tok saksmappen og ba Assad lage en kopp kaffe. «Ikke så sterk som i går, Assad,» ba han og tenkte på avstanden bort til toalettene.

LYNGGAARDSAKEN VAR NOK den mest sammensatte og mangslungne Carl hadde vært borte i så langt. Mappen inne-holdt alt mulig, fra kopier av rapporter om broren Uffes til-stand til utskrifter av avhør, klipp fra aviser og sladreblader, et par videobånd med intervjuer av Merete Lynggaard og detal-jerte utskrifter av vitneforklaringer fra kolleger og fergepassasjerer som hadde sett søskenparet sammen på soldekket. Det var fotografier av soldekket og av relingen og avstanden ned til vannet. Det var fingeravtrykksanalyser fra der hvor hun hadde forsvunnet. Det var adresser på utallige passasjerer som hadde tatt bilder om bord på Scandlines-fergen, ja det var til og med en kopi av skipets logg hvor det fremgikk hvordan kapteinen hadde reagert på saken. Det eneste som manglet var noe som kunne bringe Carl videre.

Jeg må se på de videoene, tenkte han etter en stund og kikket oppgitt på dvd-spilleren sin.

«Jeg har en oppgave til deg, Assad,» sa han da mannen kom tilbake med den dampende kaffen. «Gå opp til draps-avdelingen i tredje etasje og inn gjennom de grønne dørene og bortover den røde gangen til du kommer til en utposning, hvor ...»

Assad rakte ham kaffekruset som duftet alvorlige magepro-blemer lang vei. «Utposning?» sa han med rynkede bryn.

«Ja, du vet. Der hvor den røde gangen vider seg ut. Så går du bort til den lyshårede kvinnen. Hun heter Lis. Hun er hyg-gelig. Si til henne at du skal ha en videospiller til Carl Mørck. Vi er gode busser, hun og jeg.» Han blunket til Assad, som blunket igjen.»

«Men hvis det er en mørkhåret kvinne som sitter der, går du bare ned igjen.»

Assad nikket.

«Og husk å få med deg scartkabel,» ropte han etter man-nen, der han tøflet bortover den neonopplyste kjellergangen.

«DET VAR DEN mørkhårede som var der,» sa han da han kom tilbake. «Hun ga meg to videospillere og sa at de skulle ikke ha dem tilbake.» Han smilte bredt. «Hun var også søt.»

Carl ristet på hodet. De måtte ha fått en ny der oppe.

Den første videoen var fra TV-Avisen 20. desember 2001, hvor Merete Lynggaard kommenterte en uformell helse- og klimakonferanse i London som hun hadde deltatt på. Intervjuet handlet først og fremst om drøftelsene hennes med en senator Bruce Jansen om amerikanernes holdning til WHOs arbeid og Kyotoprotokollen, noe som etter hennes mening skapte stor optimisme for fremtiden. Kanskje hun var lett å tvinne rundt fingeren, tenkte han. Men bortsett fra denne sikkert ungdommelig betingede naiviteten, fremsto Merete Lynggaard som nøktern, saklig og presis, og overstrålte til de grader den nyutnevnte innenriks- og helseministeren som sto ved siden av henne og så ut som en parodi på en gymnaslektor fra en sekstitallsfilm.

«Veldig fin, søt dame,» kommenterte Assad fra døråpningen.

Den andre videoen var fra 21. februar 2002, hvor Merete Lynggaard på vegne av sitt partis miljøpolitiske talsmann kommenterte den selvnytende miljøskeptikeren Bjarke Ørnfelts anmeldelse til Utvalgene vedrørende vitenskapelig uredelighet.

For et navn å gi et utvalg, tenkte Carl. At noe i Danmark kunne lyde så Kafka'sk!

Denne gangen var det en helt annen Merete Lynggaard som sto frem på skjermen. Mer nærværende, mindre politiker.

«Hun er virkelig, virkelig pen hun der,» sa Assad.

Betydningen av en kvinnes utseende var tydeligvis et spesielt viktig parameter i den lille mannens tilværelse. Men han måtte gi Assad rett. Det lå en egen aura rundt henne under dette intervjuet. Bøttevis av den utrolig sterke utstrålingen som nesten alle kvinner er i stand til å bølge ut når de er i sitt ess. Uttrykkssterkt, men også forvirrende.

«Var hun gravid?» spurte Assad. Å dømme ut fra mengden av familiemedlemmer på fotografiene hans, var det en kvinnelig tilstand han måtte ha rimelig mye erfaring med.

Carl tok en røyk og bladde gjennom mappen en gang til. Av gode grunner kunne ikke en obduksjonsrapport gi ham svaret på det spørsmålet, siden liket aldri var blitt funnet. Og når han skummet artiklene i sladrebladene, ble det også mer enn antydet at hun ikke var interessert i menn, selv om det i og for seg selvfølgelig ikke utelukket at hun kunne bli gravid. Ja, når han så nærmere etter, var hun visst ikke blitt sett i nærkontakt med noen som helst, verken menn eller kvinner.

«Hun var bare forelsket, kanskje,» konkluderte Assad. Han viftet sigarettrøyken unna og var nå så tett innpå at han nesten krøp inn i skjermen. «En liten, rød flekk på kinnet der, bare se!»

Carl ristet på hodet. «Jeg tipper at det kanskje var to varmegrader den dagen. Intervjuer i friluft får gjerne politikerne til å se sunnere ut, Assad, hvorfor skulle de ellers finne seg i det?»

Men Assad hadde rett. Forskjellen på det foregående intervjuet og dette var påfallende. Det hadde skjedd et eller annet i mellomtiden. Saken om Bjarke Ørnfelt, en tåpelig yrkeslobbyist med spesiale i å spalte fakta om naturkatastrofer ned til ugjenkjennelige atomer, kunne da umulig få henne til å gløde så uimotståelig.

Han stirret tomt ut i luften et øyeblikk. Man kom alltid til et punkt i en etterforskning der man virkelig skulle ønske at man hadde truffet offeret i levende live. Denne gangen kom det tidligere enn normalt.

«Assad. Ring til denne institusjonen Egely hvor Merete Lynggaards bror er plassert, og avtal et møte på vegne av visekriminalkommissær Mørck, er du snill.»

«Visekriminalkommissær Mørck, hvem er det?»

Carl banket seg i tinningen. Var mannen dum? «Hvem tror du?»

Assad ristet på hodet. «I hodet mitt jeg trodde du var visepolitikommissær. Heter det ikke det etter den nye politireform?»

Carl trakk pusten dypt. Den elendige politireformen. Ingenting kunne interessere ham mindre.

FORSTANDEREN PÅ EGELY ringte tilbake etter ti minutter og prøvde ikke å skjule sin forvirring med hensyn til hva saken dreide seg om. Det var mulig at Assad hadde stilt seg litt fritt i forhold til oppgaven, men hva kunne man vente av en mann med doktorgrad i gummihansker og plastbøtte? Alle måtte krype før de kunne lære å gå.

Han så bort på hjelperen og ga ham et oppmuntrende nikk da han gløttet opp fra sudokuen.

I løpet av et halvt minutt satte Carl forstanderen inn i saken, og svaret ble kort og konsist. Uffe Lynggaard snakket overhodet ikke, ergo hadde visekriminalkommissæren heller ikke noe å snakke med ham om. Dessuten var det slik at selv om Uffe Lynggaard var stum og vanskelig å nå, så var han ikke umyndiggjort. Og da Uffe Lynggaard ikke hadde gitt sin aksept til at folk på institusjonen kunne uttale seg på hans vegne, kunne heller ikke *de* si noe. Han minnet om en hund som løp i ring etter sin egen hale.

«Jeg kjenner prosedyrene. Selvfølgelig er jeg ikke ute etter å krenke noens taushetsplikt. Men jeg etterforsker jo søsterens forsvinning, så jeg tror at Uffe kan ha stor glede av å snakke med meg.»

«Han snakker ikke, jeg trodde jeg hadde gjort det klart.»

«Det er det faktisk mange av dem vi avhører som ikke gjør, men vi klarer oss for det. Vi er gode til å oppfatte uuttalte signaler her på Avdeling Q.»

«Avdeling Q?»

«Ja, vi er eliteavdelingen her på huset. Når kan jeg komme?»

Det hørtes et sukk. Mannen var ikke dum. Han kjente igjen en bulldogg når han sto overfor en.

«Jeg skal se hva jeg kan gjøre. De skal få beskjed,» sa han.

«Hva sa du egentlig til mannen da du ringte ham opp, Assad?» ropte han da han hadde lagt på røret.

«Til mannen? Jeg sa bare jeg vil snakke med sjefen, ikke en forstander.»

«Forstanderen *er* sjefen, Assad.»

Carl trakk pusten dypt, reiste seg og gikk over gangen og så ham dypt inn i øynene. «Du kjenner ordet formann. En forstander er en slags formann.» De nikket til hverandre, så var i hvert fall det på det rene. «Assad, i morgen henter du meg ute i Allerød, der jeg bor. Vi skal ut og kjøre, okay?»

Han trakk på skuldrene.

«Og det blir ikke noe problem med det der når vi er ute på oppdrag?» Han pekte på bønneteppet.

«Det kan rulles sammen.»

«Hm. Og hvordan vet du om det peker mot Mekka?»

Assad pekte på hodet sitt, som om han hadde en GPS operert inn i tinninglappen. «Og hvis jeg er usikker og vet ikke akkurat hvor, så har jeg denne her.» Han løftet på et av tidsskriftene på hyllen og åpenbarte et kompass.

«Ja vel?» Carl stirret på de voldsomme buntene av metallrør som gikk langs taket. «Du kan ikke bruke kompass her nede.»

Assad pekte på hodet sitt igjen.

«Okay, du har det på følelsen. Det er ikke så nøye, med andre ord?»

«Allah er stor. Han har brede skuldre.»

Carl skjøt underleppen frem. Selvfølgelig. Klart Allah hadde det. Hva tenkte han på?

FIRE PAR ØYNE med blåsvarte ringer rundt rettet seg mot Carl på teamleder Baks kontor. Ingen tvil om at gruppen var under voldsomt press. På veggen hang et stort kart over Valbyparken, hvor alle vesentlige momenter i saken var plottet inn: mordstedet, stedet hvor de hadde funnet drapsvåpenet – en gammeldags barberkniv – stedet hvor vitnet hadde sett offeret og den antatte gjerningsmannen sammen, og endelig vitnets rute gjennom hele parken. Alt var utmålt og gjennomanalysert, og ingenting hang på greip.

«Den samtalen må vente til senere, Carl,» sa Bak og trakk i ermet på den svarte skinnjakken sin, som han hadde arvet etter den gamle sjefen for drapsavdelingen. Jakken var klenodiet hans, selve beviset på at han var unik og fantastisk, og han sov sikkert i den om natten. Radiatorene buldret minst førti grader varm luft ut i rommet, men pytt, pytt. Han regnet vel med å måtte løpe hvert øyeblikk.

Carl så på fotografiene som var stiftet opp på tavlen bak dem, det var ikke noe oppmuntrende syn. Det lot til at liket var blitt skamfert etter døden. Dype flenger i brystet, halvparten av det ene øret skåret av. På den hvite skjorten var det malt et kryss med mannens eget blod. Carl gikk ut fra at det halve øret hadde vært penselen. Det rimete gresset rundt sykkelen var tråkket flatt, og sykkelen var trampet på slik at eikene på forhjulet var klemt inn. Vesken hans var åpen, og bøkene fra handelsskolen lå strødd utover gresset.

«Samtalen må vente, sier du? Okay. Men kan du ikke stå opp fra de hjernedøde bare et lite øyeblikk og fortelle meg hva kronvitnet ditt sier om personen hun så snakke med offeret rett før mordet?»

De fire mennene skulte på ham som om han hadde forstyrret en likvake.

Baks øyne så dødt på ham. «Det er ikke din sak, Carl. Vi snakker sammen senere. Tro det eller ikke, men vi har det faktisk travelt her oppe.»

Han nikket. «Ja, ja. Det lyser jo lang vei av de apatiske fjesene deres. Da har dere sikkert også sendt folk for å ransake vitnets bopel etter at hun ble innlagt, kan jeg tenke meg.»

De så på hverandre. Irritert, men også spørrende.

Det hadde de tydeligvis ikke. Fett nok.

MARCUS JACOBSEN HADDE satt seg inne på kontoret sitt rett før Carl kom. Som vanlig så han uklanderlig ut. Knivskarp skill i håret, blikket årvåkent og nærværende.

«Marcus, har dere ransaket vitnets bopel etter selvmordsforsøket?» spurte Carl og pekte på saksmappen som lå midt på skrivebordet foran drapssjefen.

«Hva mener du?»

«Dere har ikke funnet det halve, avskårne øret, har dere vel?»

«Nei, ikke så langt. Og du antyder at det kan befinne seg hjemme hos vitnet?»

«Jeg ville lett etter det der hvis jeg var dere, sjef.»

«Hvis hun har fått det, vil hun vel ha kvittet seg med det også.»

«Let i søppelkassene nede i gården. Og se godt etter i toalettet.»

«Da er det vel skylt ned, Carl.»

«Har du hørt historien om dritten som fløt opp og fløt opp samme hvor mange ganger de trakk ned?»

«Ja, ja, Carl. Vi sjekker det, okay.»

«Avdelingens stolthet, herr Sherlock Bak nekter å snakke med meg.»

«Så får du vente, da, Carl. De gamle sakene dine går vel ikke sin vei.»

«Nei, men bare så du er orientert. Det hindrer meg i å gjøre jobben min.»

«Da foreslår jeg at du kikker på en annen sak i mellomtiden.» Han tok en kulepenn og trommet et par takter på bordkanten. «Og hva med kameraten der nede? Du involverer ham vel ikke i etterforskningen, håper jeg?»

«Vet du hva, i den enorme avdelingen min er det ikke mye sjanser for at han kan rekke å få med seg stort av hva som foregår.»

Drapssjefen kastet fra seg kulepennen på en av papirbunkene. «Carl, du har taushetsplikt, og mannen er ikke politimann. Husk det.»

Carl nikket. Han skulle nok ta regi på hva som skulle sies og hvor. «Hvor fant dere Assad, forresten? På Arbeidsformidlingen?»

«Aner ikke. Spør Lars Bjørn. Eller spør mannen selv.»

Carl rakte opp hånden. «Forresten vil jeg gjerne ha en plantegning over kjelleren med målestokk og koordinater.»

Marcus Jacobsen så en anelse trett ut igjen. Det var ikke mange som dristet seg til å plage ham med den slags merkelige oppgaver. «Du kan bare printe ut planen fra nettet, Carl. Peace of cake!»

«HER,» SA CARL og banket pekefingeren på plantegningen som lå foran Assad. «Her ser du veggen, og her er bønneteppet ditt. Og her ser du pilen mot nord. Nå kan du plassere bønneteppet ditt helt nøyaktig.»

Det lyste respekt av øynene som ble rettet mot ham. De kunne nok bli et bra team.

«Det er to som har ringt med telefonen etter deg. Jeg sa til begge to at du vil gjerne ringe tilbake en annen gang.»

«Ja vel?»

«Denne forstanderen i Frederikssund, og så en dame som snakket som en maskin som skjærer i metall.»

Han sukket dypt. «Vigga, det er kona mi.» Hun hadde altså fått tak i det nye internnummeret. Da var det slutt på freden.

«Kona? Har du kone?»

«Å, Assad. Det er vanskelig å forklare. La oss bli litt mer kjent med hverandre først.»

Assad knep munnen sammen og nikket. Et streif av medlidenhet gikk over det alvorstunge ansiktet.

«Assad, hvordan fikk du egentlig denne jobben?»

«Jeg kjenner Lars Bjørn.»

«Kjenner du ham?»

Han smilte. «Ja da. Jeg gikk på kontoret hans hver dag i en hel måned for å få jobb.»

«Du plaget Lars Bjørn til å gi deg en jobb?»

«Ja da. Jeg elsker politi.»

HAN RINGTE VIGGA først da han sto i dagligstuen i Rønneholtparken og snuste på retten som Morten under følelsesladde operaarier hadde mikset sammen av det som en gang hadde vært en vaskekte parmaskinke fra SuperBest.

Vigga var grei nok bare man selv kunne dosere henne. Gjennom årene hadde det vært problematisk, men nå da hun hadde droppet ham, gjaldt det visse spilleregler.

«Vigga, for helvete,» sa han. «Du skal ikke ringe meg på jobben, du vet jo at vi har det fordømt travelt.»

«Carl, elskling. Har ikke Morten sagt at jeg fryser?»

«Ja, men kjære deg, menneske. Det er jo en kolonihytte, Vigga, smokket opp av drittmaterialer, gamle bord og kasser som var skrotet allerede i nitten femogførti. Du må bare flytte.»

«Jeg flytter ikke hjem til deg, Carl.»

Han trakk pusten dypt. «Det håper jeg da virkelig ikke. Det blir vanskelig å stue deg og samlebåndskonfirmantene dine inn i badstua nede hos Morten. Det finnes da vel for helvete andre hus og leiligheter *med* varme.»

«Vet du, jeg har funnet alle tiders løsning.»

Uansett hva hun brygget på, hørtes det dyrt ut. «En alle tiders løsning heter skilsmisse, Vigga.» Før eller siden måtte det jo komme. Da ville hun forlange halvparten av verdien av huset, og det hadde steget til sinnssyke høyder de siste par årene til tross for bølgebevegelsene i boligmarkedet. Han skulle forlangt skilsmisse den gangen huset kostet bare halvparten. Men nå var det for sent, og flytte ville han i hvert fall ikke. Han så opp i taket som formelig dirret under Jespers rom. Selv om han måtte ta opp lån til skilsmissen, kunne det umulig koste ham mer enn dette, tenkte han, vel vitende om at hun i så fall selv måtte påta seg ansvaret for sin egen sønn. Ingen hadde høyere strømregninger enn han på denne siden av byen, det var helt sikkert. Jesper var strømleverandørens elitekunde i særklasse.

«Skilsmisse? Jeg skal i hvert fall ikke skilles, Carl. Det har jeg prøvd før, og det var ikke morsomt, det vet du godt.»

Han ristet på hodet. Hva kalte hun da situasjonen de befant seg i på andre året nå?

«Jeg har lyst på et galleri, Carl. Mitt eget lille galleri.»

Akkurat. Her kom det. Han så for seg Viggas meterhøye, lyserøde og gullbronseaktige smørerier. Et galleri? God idé hvis hun ville rydde seg bedre plass i kolonihytta.

«Et galleri, sier du? Med en kjempestor varmeovn da, kan jeg tenke meg. Så kan du sitte der og fyre og kose deg mens millionene raser inn.» Hele ideen var til å le seg i hjel av.

«Ja, spydig har du alltid vært.» Hun lo. Det var den latteren som alltid fikk ham til å krympe seg. Den satans deilige latteren. «Men det *er* en fantastisk idé, Carl. Mulighetene er enorme når man har sitt eget galleri. Kan du ikke se det for deg? Og så kunne Jesper kanskje få en berømt mor, hadde ikke det vært noe?»

Beryktet heter det, Vigga, tenkte han. «Og du har allerede funnet et lokale, kjenner jeg deg rett?» sa han i stedet.

«Carl, du aner ikke, det er så nydelig. Og Hugin har allerede snakket med eieren.»

«Hugin?»

«Ja, Hugin. Han er en kjempetalentfull maler.»

«Det er vel mer på lakenene enn på lerretene, kan jeg tenke meg.»

«Åhh, Carl.» Hun lo igjen. «Nå er du ekkel.»

14

2002

MERETE HADDE STÅTT på restaurantdekket og ventet. Hun hadde sagt til Uffe at han måtte skynde seg idet døren til herretoalettet slo igjen bak ham. I kafeteriaen i den andre enden var bare serveringspersonalet tilbake, alle passasjerene hadde gått ned til bilene. Uffe må få opp farten, selv om Audien står bakerst i rekken der nede, hadde hun tenkt.

Og det var det siste hun hadde rukket å tenke i sitt gamle liv.

Angrepet kom bakfra, og så overraskende at hun ikke rakk å skrike. Men hun rakk å registrere tydelig både kluten og hånden som presset med voldsom kraft over munnen og nesen, og så, mer uklart, at noen trykket på den svarte døråpneren til trappen ned til bildekket. Til slutt var det bare fjerne lyder og stålveggene i trappegangen som hvirvlet rundt, før alt ble svart.

BETONGGULVET HUN VÅKNET på var kaldt, kaldt. Hun løftet hodet og kjente en dyp banking i hodet. Bena føltes tunge, og skuldrene formelig klebet til gulvet. Hun tvang seg opp i sittende stilling og forsøkte å orientere seg i det buldrende mørket. Tenkte på å rope, men torde ikke, og trakk i stedet pusten lydløst og dypt. Så strakte hun forsiktig armene ut foran seg for å kjenne etter om det sto noen i nærheten. Men det var ingenting.

Hun satt lenge før hun tok sjansen på å reise seg, langsomt og årvåkent. Hver minste lille lyd som måtte komme, ville hun slå etter. Hun ville slå så hardt hun kunne. Slå og sparke. Det føltes som om hun var alene, men hun kunne ta feil.

Etter en stund følte hun seg klarere i hodet, og da kom angsten snikende som en infeksjon. Hun ble varm, hjertet banket hardere og raskere. Det døde blikket hennes flakket rundt i det svarte. Hun hadde jo lest og sett så mye forferdelig.

Om kvinner som forsvant.

Så tok hun et famlende skritt med armene utstrakt foran seg. Det kunne være et hull i gulvet, en avgrunn som bare ventet på sluke henne. Det kunne være skarpe gjenstander og glass. Men foten fant gulvet, og fortsatt var det ingenting foran henne. Plutselig stanset hun og ble stående urørlig.

Uffe, tenkte hun, og kjente underkjeven dirre. Han var om bord på fergen da det skjedde.

DET GIKK KANSKJE et par timer før hun hadde risset opp en plantegning over rommet for sitt indre blikk. Det måtte være rektangulært. Kanskje syv-åtte meter langt og minst fem meter bredt. Hun hadde famlet over de kalde veggene, og i hodehøyde på en av dem hadde hun funnet et par glassruter som kjentes ut som to enorme koøyer. Hun hadde banket hardt på dem med skoen og bøyd seg vekk da slagene falt. Men glasset ga ikke etter. Senere hadde hun oppdaget omrisset av noe som kunne vært en oval dør innfelt i veggen, men som kanskje ikke var det likevel, for det var ikke noe håndtak. Hun hadde famlet langs veggen hele veien rundt i håp om å finne et dørhåndtak eller kanskje en lysbryter et eller annet sted. Men veggen var bare helt glatt og kald.

Så gjennomtrålte hun hele rommet systematisk. Trippet fra den ene kortveggen over til den andre i rett linje, snudde seg, flyttet seg et par skritt til siden og gjentok øvelsen. Da hun var ferdig, tydet alt på at det bare var henne og den tørre luften som befant seg i rommet.

Jeg må vente borte ved det som ligner på en dør, tenkte hun. Hun ville sitte på gulvet, slik at hun ikke var synlig fra glassrutene. Og når det kom noen inn, ville hun kaste seg rundt bena og velte vedkommende over ende. Hun ville forsøke å sparke mot hodet, hardt og mange ganger.

Musklene strammet seg og huden ble fuktig. Kanskje fikk hun bare den ene sjansen.

Da hun hadde sittet der så lenge at kroppen stivnet og sansene begynte å sløves, reiste hun seg og gikk bort i det motsatte hjørnet og satte seg på huk og tisset. Det gjaldt å huske at det var dette hjørnet hun hadde brukt. Ett hjørne som toalett. Ett hvor hun satt på lur og ventet ved døren, og ett til å sove i. Urinlukten ble sterk i det tomme buret, men så hadde hun heller ikke drukket noe siden hun satt i kafeteriaen, og det kunne godt være mange, mange timer siden. Selvfølgelig kunne det godt hende at hun bare hadde vært bevisstløs i et par timer, men det kunne også være et døgn eller mer. Hun hadde ingen anelse. Hun visste bare at hun ikke var sulten, bare tørst.

Hun reiste seg og dro på seg buksene og forsøkte å huske.

Uffe og hun hadde vært de siste utenfor toalettene. De hadde sannsynligvis også vært de siste ute på soldekket. Mennene ved panoramavinduet var i hvert fall forsvunnet da de gikk den veien rundt. Hun hadde nikket til en servitrise som kom ut fra kafeteriaen, og hun hadde sett to barn stå og daske på døråpneren før de forvant ned. Det var det hele. Hun hadde ikke merket at noen hadde kommet tett innpå henne. Hun hadde bare tenkt på at Uffe måtte se å bli ferdig på do.

Herregud, Uffe! Hva var skjedd med ham? Han hadde vært så ute av seg etter at han hadde slått henne. Og så fortvilt over at baseballcapsen var borte. De røde plettene var fortsatt på kinnene hans da han gikk på toalettet. Hvordan måtte han ikke ha det nå!

Over henne hørtes et klikk, og hun fór sammen. Famlet seg raskt bort til den ovale døren og huket seg ned. Hun måtte være klar hvis noen kom inn. Enda et klikk hørtes, og hjertet hennes holdt på å hamre seg ut av kroppen. Først da viften over henne startet opp, skjønte hun at hun kunne slappe av. Klikket måtte ha kommet fra et eller annet kontrollpanel.

Hun strakte seg mot den milde luften, den var livgivende. Hva annet hadde hun å klynge seg til?

Og slik ble hun stående helt til viften slo seg av igjen og etterlot henne med en følelse av at denne luften kanskje var den eneste kontakten hun hadde med omverdenen. Hun knep øynene hardt sammen og forsøkte å tenke for å avlede gråten som presset på.

Tanken var grusom. Kanskje var det slik det var. Kanskje var hun etterlatt her for tid og evighet. Gjemt bort for å dø. Og ingen visste hvor hun var, hun visste det ikke selv engang. Hun kunne være hvor som helst. Flere timers biltur fra fergen. I Danmark eller Tyskland, hvor som helst. Kanskje var hun enda lenger borte.

Og med døden som en mer og mer sannsynlig utgang på det hele, forestilte hun seg våpenet som tørsten og sulten ville rette mot henne. Den langsomme døden hvor kroppen lar seg kortslutte punkt for punkt, hvor selvoppholdelsens kontroller slukner én etter én. Den apatiske, ultimate søvnen som ville befri henne helt til slutt.

Det er ikke mange som kommer til å savne meg, tenkte hun. Jo, Uffe. Han ville sikkert savne henne. Stakkars, stakkars Uffe. Men hun hadde aldri sluppet andre enn ham tett innpå seg. Hun hadde stengt alle andre ute og buret seg selv inne.

Hun forsøkte intenst å holde tårene tilbake, uten å lykkes. Var det virkelig *dette* livet hadde hatt i beredskap for henne? Skulle det slutte nå? Uten barn, uten lykke, uten at hun hadde fått realisert særlig mye av det hun hadde drømt om i disse årene da hun hadde vært alene med Uffe? Uten å kunne leve opp til forpliktelsen hun hadde følt helt siden foreldrene døde?

Følelsen var bitter og trist og uendelig ensom. Derfor hørte hun nå seg selv hulke stille.

En lang stund sto bevisstheten om dette og tanken på Uffe

som var alene i verden, for henne som det verste som kunne ha rammet henne. En lang stund fylte det henne helt. Hun skulle dø alene, som et dyr. Uregistrert og lydløst, og Uffe og alle andre måtte leve videre uten å vite. Og da hun ikke orket å gråte over det lenger, gikk det opp for henne at dette kanskje ikke var slutten likevel. At det kunne bli mye verre. At døden kunne bli grusom. At hun kanskje var utvalgt til en skjebne så forferdelig at døden ville komme som en befrielse. At det først kunne komme uendelig smerte og bestialitet. Sånt hadde man jo hørt om. Utnyttelse, voldtekt og tortur. Kanskje hvilte et par øyne på henne i dette øyeblikk. Kameraer med infra-røde sensorer som fulgte henne gjennom glasset. Øyne som ville henne vondt. Ører som lyttet.

Hun så mot glassrutene og forsøkte å se rolig ut.

«Vær så snill, ha medlidenhet med meg,» hvisket hun ut i mørket.

15

2007

EN PEUGEOT 607 går for å være et rimelig lydløst kjøretøy, men det var det ikke da Assad kom drønnende og parkerte med et skrik på veien rett utenfor Carls soveromsvindu.

«Heftig,» gryntet Jesper mens han stirret ut av vinduet. Carl kunne ikke huske sist stesønnen hadde uttalt et så langt ord så tidlig på morgenen. Men det var faktisk dekkende.

«Jeg la inn en lapp til deg fra Vigga,» var det siste Morten Holland sa før Carl gikk ut av døren. Han hadde ikke tenkt å lese noen lapp fra Vigga. En invitasjon til galleribesiktigelse i selskap med en utvilsomt smalhoftet klattmaler ved navn Hugin var ikke det han hadde mest lyst til akkurat nå.

«Hallo,» hilste Assad der han sto lent opp mot bildøren. På hodet hadde han en kamelullue av ukjent opprinnelse, og han så ut som alt annet enn en privatsjåfør i kriminalpolitiet, hvis en slik tittel hadde eksistert. Carl så opp i himmelen. Den var klar og lyseblå, og temperaturen var absolutt utholdelig.

«Jeg vet akkurat hvor Egely er,» sa Assad og pekte på GPS'en da Carl dumpet inn på passasjersetet. Carl så trett på displayet. Krysset sto avmerket på en vei som lå akkurat så nær Roskilde Fjord at pleiehjemsbeboerne ikke uten videre falt uti, men nær nok til at forstanderen kunne skue utover de fleste av Nordsjællands herligheter fra kontorvinduet, bare han orket å løfte blikket. Forbausende mange institusjoner for mentalt forstyrrede lå plassert på den måten. Gadd vite av hensyn til hvem?

Assad startet bilen, satte den i revers, freste baklengs ut av

Magnoliavangen og stanset ikke før bakparten sto godt inne på plenstripen på den andre siden av Rønneholt Parkvei. Før Carl rakk å tvinge en reaksjon ut av kroppen, hadde Assad røsket seg gjennom girene og lå nå i over nitti i femtisonen.

«Stopp da, for huleste,» skrek Carl like før de braste inn i midtrabatten i rundkjøringen der veien munnet ut. Men Assad så bare listig på ham som en taxisjåfør i Beirut, vrengte rattet hardt mot høyre og var allerede på full fart ut mot motorveien.

«Rask bil,» ropte Assad og ga på bortover innkjøringsfeltet.

Kanskje han ville jekke seg ned et par hakk hvis Carl tok og dro lua ned over det henførte fjeset hans.

EGELY VAR EN hvitkalket bygning som på en forbilledlig måte uttrykte sitt formål. Her hadde ingen gått inn frivillig, og her kom heller ingen ut igjen uten videre. Det var tydelig at dette ikke var et sted for fingermaling og gitarspill. Det var folk med penger og posisjon som anbrakte sine svake individer her.

Privat omsorg. Helt i regjeringens ånd.

Forstanderens kontor sto i stil med det øvrige, og forstanderen selv, en dyster, benete, gusten person, var som arkitekttegnet til interiøret.

«Uffe Lynggaards opphold hos oss finansieres gjennom avkastningen av midlene som er plassert i Lynggaardfondet,» svarte forstanderen på Carls spørsmål.

Carl kikket bort i hyllene hans. Det var temmelig mange ringpermer som det sto noe med fond på. «Ja vel. Og dette fondet er blitt til på hvilken måte?»

«Arv fra foreldrene, som begge omkom i bilulykken som også invalidiserte Uffe Lynggaard. Og arven fra søsteren, naturligvis.»

«Hun var folketingspolitiker, det kunne vel ikke være all verden etter henne?»

«Nei, men salget av huset innbrakte to millioner da det gud skje lov ble avsagt dødsformodningsdom for ikke så lenge siden. Det står nå i alt cirka toogtyve millioner i fondet, men det vet De vel?»

Han plystret svakt. Det visste han ikke. «Toogtyve millioner, fem prosent rente. Ja, det burde kunne dekke Uffes opphold.»

«Jo, det stemmer sånn noenlunde når skatten er trukket fra.»

Carl så skjevt på ham. «Og Uffe har ikke sagt noe om søsterens forsvinning siden han kom hit?»

«Nei, han har overhodet ikke sagt et ord etter ulykken, så vidt meg bekjent.»

«Gjøres det noe for å hjelpe ham litt på glid?»

Her tok forstanderen av seg brillene og så på ham under buskete bryn. Seriøsitetens fane var heist til værs. «Lynggaard er blitt undersøkt på kryss og tvers. Han har arrvev etter blødninger i hjernens talesenter, hvilket i og for seg er forklaring god nok på hans stumhet, men i tillegg kommer dype traumer fra ulykken. Foreldrenes død, kvestelsene. Han var svært medtatt, som De kanskje vet?»

«Vel, jeg har lest rapporten.» Det var løgn, men Assad hadde lest den, og munnen hadde ikke stått stille på ham under villmannsferden langs de nordsjællandske landeveiene. «Han lå fem måneder på sykehus med store indre blødninger i lever, milt og lungevev, foruten synsforstyrrelser.»

Forstanderen nikket lett. «Det er korrekt. Det står i journalen at Uffe Lynggaard ikke kunne se på flere uker. Blødningene i netthinnene var massive.»

«Og nå, da? Fungerer han som han skal rent fysiologisk?»

«Alt tyder på det. Han er en sterk ung mann.»

«Fireogtredve år. Han har altså befunnet seg i denne tilstanden i enogtyve år.»

Den gustenbleke mannen nikket igjen. «Så da skjønner De sikkert at De ikke har noe å hente her hos oss.»

«Og jeg kan ikke ta en prat med ham?»

«Jeg kan ikke se at det skulle ha noe for seg.»

«Han er den siste som så Merete Lynggaard i live. Jeg vil gjerne se ham.»

Forstanderen rettet seg opp. Nå så han utover fjorden, som Carl hadde forutsett. «Det synes jeg ikke De skal.»

Typer som han her fortjente å bli badet i korrekturlakk. «De stoler ikke på at jeg kan holde meg i skinnet, men det burde De.»

«Hvorfor det?»

«Har De kjennskap til politiet?»

Mannen snudde seg mot Carl, ansiktet var askegrått, pannen full av rynker. Mange år bak et skrivebord hadde tæret på ham, men hodet virket fremdeles. Han visste ikke hvor Carl ville hen med spørsmålet, bare at taushet neppe ville duge som respons.

«Hva mener De egentlig med det?»

«Vi politifolk er så nysgjerrige. Av og til verker vi med spørsmål som vi bare må ha svar på. Og her ligger det et åpent i dagen.»

«Og det er?»

«Hva får pasientene for pengene sine? Fem prosent av toogtyve millioner er jo en bra slump, selv når skatten er trukket fra. Får pasientene full valuta, eller er prisen for høy – dere har vel statstilskudd også i tillegg?» Han nikket for seg selv og sugde til seg lyset over fjorden. «Det melder seg alltid nye spørsmål når man ikke får svar på det man kommer etter. Sånn er det med politifolk. Vi kan bare ikke la være. Kanskje det er en sykdom, men hvem kan vi gå til med slike plager, kan De si meg det?»

Kanskje var det kommet en antydning til farge i ansiktet på mannen. «Jeg synes ikke at vi nærmer oss hverandre på denne måten.»

«Så la meg møte Uffe Lynggaard. Ærlig talt, hvilken skade skulle det gjøre? Dere har da vel for helvete ikke satt mannen i bur, eller hva?»

BILDENE I MERETE Lynggaard-mappen ytte ikke Uffe Lynggaard full rettferdighet. Politiets fotografier, tegningene fra rettssalen og et par av pressebildene hadde vist en sammensunket, ung mann. En blek skikkelse som så ut som det han naturligvis var: et følelsesmessig retardert, passivt og tilbakestående menneske. Men virkeligheten viste noe annet.

Han satt i et nydelig værelse med bilder på veggene og en utsikt som ikke sto noe tilbake for forstanderens. Sengen var nyoppredd, skoene nypusset, klærne var rene og bar ikke det minste preg av institusjon. Han hadde sterke armer med lange, lyse hår, han var bredskuldret og sannsynligvis ganske høy også. Mange ville si at han var pen. Det var ikke noe siklende eller ynkelig over Uffe Lynggaard.

Forstanderen og oversøsteren holdt øye med Carl fra døren mens han beveget seg rundt i rommet, men ingen kunne ha noe å utsette på oppførselen hans. Han ville komme igjen om ikke lenge, selv om tanken bød ham imot. Bedre forberedt. Og da ville han snakke med Uffe. Men det kunne vente litt. I mellomtiden var det andre ting å konsentrere seg om i rommet. Bildet av søsteren som smilte mot dem. Foreldrene som holdt rundt hverandre mens de lo mot fotografen. Tegningene på veggen, som langt fra minnet om de typiske barnetegningene man vanligvis så på slike vegger. Glade tegninger. Ingen spor av det forferdelige som hadde tatt fra ham talens bruk.

«Er det flere tegninger enn dette? Ligger det noen i skuffen?» spurte han og pekte på skapet og kommoden.

«Nei,» svarte oversykepleieren. «Nei, Uffe har ikke tegnet noe siden han ble innlagt her. Disse tegningene stammer fra barndomshjemmet.»

«Hva gjør Uffe om dagene, da?»

Hun smilte. «Litt av hvert. Går turer med personalet, løper litt rundt i parken. Ser på TV. Det elsker han.» Hun virket vennlig. Altså var det henne han måtte satse på neste gang.

«Hva ser han på?»

«Det som er.»

«Reagerer han på det?»

«Noen ganger. Han kan le.» Hun ristet litt på hodet og smilet ble bredere.

«Ler han?»

«Ja, slik spedbarn ler. Ureflektert.»

Carl så på forstanderen som sto der som en isblokk, og deretter på Uffe. Øynene til Meretes bror hadde hvilt på ham siden han kom inn. Slikt merket man. Den unge mannen var observerende, men når man så nærmere etter, virket han ganske riktig ureflektert. Blikket var ikke dødt, men det han så, lot ikke til å trenge særlig dypt inn i ham. Carl kunne ha lyst til å gi ham en støkk for å se hvordan han reagerte, men det kunne også vente.

Han stilte seg foran vinduet og forsøkte å fange Uffes lett flakkende blikk. Øynene syntes å oppfatte, men ikke forstå, det var ganske tydelig. Det *var* noe der, og samtidig ikke.

«SETT DEG PÅ den andre siden, Assad,» sa han til assistenten, som hadde sittet og ventet bak rattet.

På den andre siden? Vil du ikke jeg skal kjøre mer?» spurte han.

«Jeg vil gjerne beholde bilen en stund til, Assad. Den har ABS-bremser og servostyring, og det vil jeg gjerne at den skal fortsette å ha.»

«Ja. Men hva betyr det som du sier?»

«At du skal sitte og følge nøye med på hvordan jeg vil at du skal kjøre. *Hvis* jeg i det hele tatt lar deg kjøre igjen.»

Han tastet inn det neste bestemmelsesstedet på GPSen og ignorerte den arabiske ordflommen som Assad lot velte ut mens han trasket rundt til passasjersiden.

«Har du i det hele tatt kjørt bil i Danmark før?» spurte han da de var kommet et godt stykke på vei mot Stevns.

Tausheten var svar nok.

DE FANT HUSET i Magleby ved en sidevei helt ut mot markene. Ikke en husmannsplass eller en restaurert bondegård som de fleste, men et gedigent mursteinshus fra den tiden da fasaden speilte husets sjel. Barlinden var tett og fyldig, men huset kneiste over dem. Hvis det huset hadde gått for to millioner, så hadde noen gjort en god handel. Og noen var blitt grundig snytt. Peter & Erling Møller-Hansen, Antikvitetshandel, sto det på messingskiltet, men den av husets eiere som åpnet døren så mer ut som en von Rosenstjert. Tynn hud, dype, blå øyne og velduftende kremer rikelig smurt inn over hele kroppen.

Mannen var imøtekommende og utadvendt. Han tok vennlig imot Assads lue og viste dem begge inn i en entré som var full av empiremøbler og nips.

Nei, de hadde ikke kjent Merete Lynggaard og broren hennes. Ikke personlig, rettere sagt, for de fleste av tingene deres hadde jo fulgt med ved salget av huset, det hadde ikke vært noe av verdi uansett.

Han serverte grønn te i papirtynne porselenskopper og satte seg på kanten av sofaen med knærne samlet og bena skrått ut til siden, klar til å yte sin samfunnsplikt så godt han bare kunne.

«Det var grusomt at hun druknet på den måten. En forferdelig måte å dø på, tror jeg. Min mann holdt på å gå under i en foss i Jugoslavia en gang, og det var en totalt rystende opplevelse, dere aner ikke.»

Carl oppfattet Assads forvirrede ansiktsuttrykk da mannen refererte til «min mann», men et blikk var nok til å viske det ut. Han hadde tydeligvis ennå noe å lære om de danske samlivsformenes mangfold.

«Politiet la jo beslag på Lynggaard-søsknenes papirer,» sa Carl. «Men har dere funnet ting i ettertid som kan kaste nytt lys over saken, jeg tenker på dagbøker, brev, kanskje fakser eller bare telefonbeskjeder?»

Han ristet på hodet. «Alt var borte.» Han gjorde en feiende håndbevegelse mot stuen. «Det sto igjen noen møbler, ingenting spesielt, og heller ikke noe i skuffene annet enn kontormateriell og noen få minner. Glansbildealbum, litt fotografier og sånt. De var ganske vanlige mennesker, tror jeg.»

«Hva med naboene, kjente de søsknene?»

«Naboene har vi ikke mye kontakt med, må jeg innrømme, men de har ikke bodd her så lenge heller. Det er noe med at de er kommet tilbake fra utlandet. Men nei, jeg tror ikke Lynggaard-søsknene hadde mye kontakt med folk her ute. Mange ante ikke at hun hadde en bror engang.»

«Så dere har ikke støtt på noen i området som kjente dem?»

«Jo da. Helle Andersen. Hun passet broren.»

«Det var hjemmehjelpen,» sa Assad. «Politiet avhørte henne, og hun visste ikke noe. Men det kom et brev. Til Merete Lynggaard, altså. Dagen før hun druknet. Hjemmehjelpen tok imot brevet.»

Carl hevet øyenbrynene. Han måtte se å få lest disse forbaskede sakspapirene ordentlig.

«Fant politiet brevet, Assad?»

Han ristet på hodet.

Carl snudde seg mot verten i huset. «Bor denne Helle Andersen her ute?»

«Nei, i Holtug på den andre siden av Gjorslev. Men hun kommer hit om ti minutter.»

«Hit?»

«Ja, min mann er syk.» Han så ned i gulvet. «Svært syk. Så hun kommer nå og da for å hjelpe til.»

Lykken er tydeligvis bedre enn forstanden, tenkte Carl, og spurte om det var mulig å gå en runde og se seg om.

Huset var en odyssé i eksklusive møbler og malerier i tunge gullrammer. All slags kram som passerte under hammeren i auksjonsforretningene. Bortsett fra det var kjøkkenet nytt, veggene malt og gulvene slipt. Hvis det overhodet var noe igjen fra Merete Lynggaards tid, måtte det være billene som krabbet rundt på det mørke badegulvet.

«UFFE, JA, HAN var så søt, så.» Et firskårent ansikt med sørgerender under øynene og trivelige, rødmussete kinn var Helle Andersens varemerke. Resten av henne var dekket av et lyseblått vaskeforkle i en størrelse som neppe var å oppdrive i nærmeste konfeksjonsbutikk. «Det var helt tullete å tro at han hadde gjort søsteren noe, og det sa jeg til politiet også. At der var de *helt* på villspor.»

«Men det var jo vitner som hadde sett at han slo henne,» sa Carl.

«Han kunne bli litt vill av seg til tider. Men det var aldri noe ondt i ham.»

«Han er jo stor og sterk, så han kunne kanskje kommet i skade for å dytte henne over bord ved et uhell.»

Helle Andersen himlet med øynene. «Å, langt ifra. Uffe var så snill som dagen var lang. Han kunne bli lei seg, så en annen òg kunne bli helt ulykkelig, men det var ikke ofte.»

«Du laget mat til ham?»

«Jeg gjorde alt mulig. Slik at det var i orden når Merete kom hjem.»

«Og henne traff du ikke så ofte?»

«Å, det forekom da.»

«Men ikke de siste dagene før hun døde?»

«Jo, det var en kveld jeg skulle passe Uffe. Men så ble han ute av seg, som jeg sa, og så ringte jeg til Merete og sa at hun måtte komme hjem, og det gjorde hun da. Det var nå spesielt ille også, den dagen.»

«Skjedde det noe spesielt den kvelden?»

«Ikke annet enn at Merete ikke kom hjem klokken seks som hun pleide, og det likte ikke Uffe. Han skjønte ikke at det var noe vi hadde avtalt.»

«Hun var jo folketingspolitiker. Det må ha skjedd ganske ofte?»

«Å, nei. Bare en sjelden gang hvis hun var ute og reiste. Og da var det bare snakk om en natt eller toppen to.»

«Så hun var på reise den kvelden?»

Her ristet Assad på hodet. Jævla irriterende så mye han visste.

«Nei, hun var ute og spiste.»

«Ja vel. Med hvem da, vet du det?»

«Nei, det er det ingen som vet.»

«Det står kanskje også i rapporten, Assad?»

Han nikket. «Søs Norup, den nye sekretæren, har sett henne skrive navnet på restauranten i syvende sans. Og noen på restauranten husker de har sett henne, men ikke med hvem.»

Det var tydeligvis mye i den rapporten som Carl måtte se å få oversikt over.

«Hva het restauranten, Assad?»

«Jeg tror Café Bankerott. Kan det stemme?»

Carl snudde seg mot hjemmehjelpen. «Var det en kavaler, vet du det? Var det en kjæreste?»

Et tommedypt smilehull åpenbarte seg i det ene kinnet hennes. «Det kan det vel sikkert ha vært. Det sa hun ikke noe om.»

«Og hun sa ikke noe da hun kom hjem heller? Etter at du hadde ringt, mener jeg?»

«Nei, jeg bare gikk. Uffe var jo så ute av seg.»

Det hørtes en klirring, og husets nåværende eier steg inn i rommet med en patos, som om tebrettet han bar på strake fingre inneholdt alle gastronomiens hemmeligheter på én gang. «Hjemmelagde,» var det eneste han sa da han plasserte noen små puddingaktige kaker på sølvfat foran dem.

Det vakte minner fra en svunnen barndom. Om ikke gode, så i hvert fall minner.

Verten fordelte kakene mellom dem, og Assad viste umiddelbart at han satte pris på serveringen.

«Helle, det står i rapporten at du tok imot et brev dagen før Merete Lynggaard forsvant. Kan du beskrive det litt nærmere?» Det sto sikkert i forhørsrapporten, men nå fikk hun si det en gang til.

«Det var en gul konvolutt, og litt sånn pergamentaktig.»

«Hvor stor?»

Hun viste med hendene. A5, altså.

«Sto det noe utenpå? Et stempel, et navn?»

«Nei, ingenting.»

«Og personen som kom med det. Kjente du vedkommende?»

«Nei, overhodet ikke. Det ringte bare på døren, og utenfor sto en mann, og han ga meg det.»

«Ganske merkelig, hva? Vanligvis kommer vel brevene med posten?»

Hun dultet lett og fortrolig til ham. «Ja, vi har selvfølgelig et postbud. Men dette var senere på dagen. Dette var midt i Radioavisen.»

«Klokken tolv?»

Hun nikket. «Han ga meg det bare, og så gikk han.»

«Sa han ikke noe?»

«Jo, han sa at det var til Merete Lynggaard, ikke noe mer.»

«Hvorfor puttet han det ikke i postkassen?»

«Jeg tror det hastet. Kanskje han var redd for at hun ikke skulle se det med en gang hun kom hjem.»

«Men Merete Lynggaard visste vel hvem som hadde kommet med det. Hva sa hun om det?»

«Jeg vet ikke. Jeg hadde jo gått da hun kom hjem.»

Her nikket Assad igjen. Det sto altså også i rapporten.

Carl ga ham det profesjonelle blikket sitt. «Standard prosedyre å spørre om slikt flere ganger,» sa det. Så kunne han tygge litt på det.

«Jeg trodde ikke at Uffe kunne være alene hjemme,» fortsatte han.

«Jo da,» svarte hun med glade øyne. «Bare ikke sent om kvelden.»

Carl ønsket seg plutselig tilbake til skrivebordsstolen nede i kjelleren. I årevis hadde det vært jobben hans å hale ting ut av folk, og nå begynte han å bli trett i armene. Et par spørsmål til, og så måtte de komme seg videre. Lynggaardsaken var selvfølgelig dødfødt fra første stund. Hun hadde ramlet på sjøen. Slikt skjedde jo.

«Og det kunne fort blitt for sent også hvis jeg ikke hadde lagt det til henne,» sa kvinnen.

Han så hvordan blikket hennes vek til siden et øyeblikk. Ikke mot de små puddingkakene, men vekk. «Hva mener du?»

«Nei, hun døde jo dagen etter, ikke sant?»

«Det var ikke det du tenkte på akkurat nå, var det vel?»

«Jo.»

Ved siden av ham hadde Assad satt kaken fra seg på bordet. Han hadde også oppdaget unnvikelsesmanøveren hennes, utrolig nok.

«Du tenkte på noe annet, jeg kan se det på deg. Hva mente du med at det kunne blitt for sent?»

«Bare det jeg sa, at hun døde dagen etter.»

Han så opp på den kakeglade huseieren. «Kan vi få et ord med Helle Andersen i enerom?»

Mannen så ikke glad ut, og det gjorde ikke Helle Andersen heller. Hun glattet over forkleet sitt, men skaden var allerede skjedd.

«Kom med det nå, Helle.» Han lente seg frem mot henne da antikvitetshandleren hadde trippet ut av rommet. «Hvis du vet noe som du har holdt for deg selv, så er det nå du skal komme med det, skjønner du?»

«Men det var ikke noe mer.»

«Har du barn?»

Hun vrengte munnvikene ned. Hva hadde det med saken å gjøre?

«Okay, du åpnet brevet, ikke sant?»

Hun trakk hodet forskrekket bakover. «Det gjorde jeg ikke.»

«Dette er jo falsk forklaring, Helle Andersen. Barna dine vil måtte klare seg selv en stund fremover.»

Til en litt tung landsens kvinne å være, reagerte hun forbløffende raskt. Hendene fór opp til munnen, bena innunder sofaen, mellomgulvet ble sugd inn for å få størst mulig avstand til dette farlige politidyret. «Jeg åpnet det ikke,» fløy det ut av henne. «Jeg bare holdt det opp mot lyset.»

«Hva sto det i det?»

Øyenbrynene hennes krysset nesten hverandre. «Det sto bare 'God tur til Berlin'. Ikke noe annet.»

«Vet du hva hun skulle i Berlin?»

«Bare en hyggetur sammen med Uffe. De hadde vært der et par ganger før også.»

«Hvorfor var det så viktig å ønske henne god tur?»

«Jeg aner ikke.»

«Hvem kunne vite noe om den turen, Helle? Merete levde jo et veldig tilbaketrukket liv sammen med Uffe, etter hva jeg forstår.»

Hun trakk på skuldrene. «Kanskje noen inne på Christiansborg, jeg vet ikke.»

«Ville det ikke ha holdt å bare skrive en e-mail?»

«Ja. Nei, jeg vet ikke, som sagt.» Hun følte seg tydelig presset. Kanskje hun løy. Kanskje var hun bare lett å presse. «Kanskje noen fra kommunen,» prøvde hun. Så var det sporet ved veis ende.

«'God tur til Berlin', altså. Og hva mer?»

«Ikke noe mer. Det sto bare det. Helt sant.»

«Ingen underskrift?»

«Nei. Bare det.»

«Og budbringeren, hvordan så han ut?»

Hun skjulte ansiktet halvveis i hendene. «Han hadde en pen frakk,» kom det nølende.

«Jaha. Og hva mer?»

«Han var høyere enn meg, selv om han sto nede på trinnet. Og så hadde han på seg et halstørkle som var grønt. Haken var ikke helt dekket, men mesteparten av munnen. Det regnet, så det var nok derfor. Han var litt forkjølet også, det hørtes i hvert fall sånn ut.»

«Nøs han?»

«Nei, han bare hørtes forkjølet ut. Snufset litt sånn.»

«Øynene, da? Blå eller brune?»

«Blå, tror jeg. Eller. De kan ha vært grå. Jeg tror jeg ville kjent dem igjen hvis jeg så dem.»

«Hvor gammel var han?»

«På min alder, tror jeg.»

Som om det var noe å bli klokere av.

«Og hvor gammel er du, Helle?»

Hun så litt støtt på ham. «Nesten femogtredve,» sa hun og
så ned i gulvet.

«Og hva slags bil kom han i?»

«Ikke noen bil etter hva jeg kunne se. Det sto ikke noen på
gårdsplassen, i hvert fall.»

«Han kunne da ikke ha *gått* hele veien ut hit?»

«Nei, det tenkte jeg også.»

«Men du så ikke etter?»

«Nei, jeg var midt i matlagingen. Uffe spiste alltid lunsj
mens jeg hørte Radioavisen.»

DE SNAKKET OM brevet mens de kjørte. Assad visste ikke
noe mer om det. Politietterforskningen hadde kjørt seg fast på
det punktet.

«Men hvorfor i helvete var det så viktig å få overlevert en så
innholdsløs melding? Hva var budskapet? Jeg kunne skjønne
det hvis det var fra en venninne, et parfymert brev i en blomst-
rete konvolutt. Men i en helt alminnelig konvolutt og uten
underskrift?»

«Jeg tror hun Helle vet ingenting,» sa Assad mens de rul-
let bortover Bjælkerupvei, hvor Stevn kommunes sosialkon-
tor befant seg.

Carl kikket bort på bygningene. Det hadde vært hendig
med en rettskjennelse i baklommen før dette besøket.

«Bli her,» sa han til Assad, som kunne styre sin begeistring,
så det ut til.

Han fant frem til lederens kontor etter et par forespørsler.

«Jo, Uffe Lynggaard har vært vår klient,» sa hun mens Carl
stakk politiskiltet tilbake i lommen. «Men vi henger litt etter
med arkiveringen av gamle saker for tiden. Kommunalrefor-
men, vet De.»

Kvinnen overfor ham var altså ikke inne i saken. Da var det bare å finne en annen. Noen måtte da for pokker kjenne til Uffe Lynggaard og søsteren hans. Bare en liten opplysning kunne være gull verdt. Kanskje hadde hjemmesykepleierne observert ting som kunne bringe ham videre.

«Kan jeg få snakke med personen som hadde ansvaret for hjemmebesøkene den gangen?»

«Dessverre, hun er gått av med pensjon.»

«Kan De si meg navnet hennes?»

«Nei, dessverre. Bare vi her på rådhuset kan uttale oss om gamle saker.»

«Men er det noen av de ansatte som vet noe om Uffe Lynggaard, da?»

«Jo, det er det sikkert. Men vi kan jo ikke uttale oss.»

«Hør her, jeg er fullstendig klar over at dere har taushetsplikt og at Uffe Lynggaard ikke er umyndiggjort. Men jeg kjører ikke hele veien ut hit uten å få med meg noe hjem igjen. Kan jeg få se journalen hans?»

«Det vet De godt at De ikke kan. Hvis De vil snakke med vår juridiske konsulent, er De hjertelig velkommen til det. Dessuten er ikke mappene tilgjengelige for øyeblikket. Uffe Lynggaard er ikke bosatt i kommunen lenger.»

«Så papirene hans er overført til Frederikssund?»

«Det kan jeg ikke uttale meg om.»

Nedlatende kjerring.

Han gikk ut av kontoret og ble stående litt på gangen og se seg om. «Unnskyld,» sa han til en kvinne som kom gående mot ham, og så ut til å være passe trett og uten ork til å sette seg på bakbena. Han dro frem politiskiltet og presenterte seg. «De kunne ikke tilfeldigvis si meg hvem som var ansvarlig for hjemmehjelpstjenesten i Magleby for ti år siden?»

«Spør der inne,» sa kvinnen og pekte på kontoret han nettopp hadde kommet ut fra.

Ja vel, så var det rettskjennelse, papirer, telefonsamtaler, ventetid og nye telefonsamtaler. Han orket ikke tanken.

«Det svaret skal jeg huske den dagen du har bruk for meg,» sa han og bukket lett.

SISTE STOPP PÅ turen var Klinikk for Ryggmargsskader i Hornbæk. «Jeg tar bilen opp dit, Assad. Kan du ta toget hjem? Jeg setter deg av i Køge. Det går direkte inn til Hovedbanegården uten bytte.» Assad nikket uten entusiasme. Carl visste strengt tatt ikke hvor han bodde heller. Han fikk spørre om det en annen gang.

Han så på den besynderlige makkeren sin. «I morgen går vi løs på en annen sak, Assad, denne her er dødfødt.» Heller ikke det fikk ansiktet hans til å gnistre av begeistring.

PÅ KLINIKKEN VAR Hardy flyttet inn på et annet rom, og han så ikke godt ut. Huden var fin, men inne bak de blå øynene lurte mørket.

Han la hånden på Hardys skulder. «Jeg har tenkt på det du sa forleden dag, Hardy. Men det går ikke. Jeg er virkelig lei for det, men jeg kan rett og slett ikke. Forstår du det?»

Hardy sa ingenting. Selvfølgelig forsto han, og selvfølgelig forsto han det ikke likevel.

«Enn om du hjalp meg litt med sakene mine, Hardy? Jeg setter deg inn i dem, og du tenker ordentlig gjennom tingene. Jeg trenger litt påfyll av energi, Hardy, skjønner du? Hele greia bryr meg midt i ryggen, men hvis du er med, kan vi i hvert fall ha noe å le av sammen.»

«Så du vil ha meg til å le, Carl?» sa han og snudde hodet bort.

Kort sagt, en drittdag fra ende til annen.

16

2002

I MØRKET FORSVANT tidsfornemmelsen, og med tids-
fornemmelsen kroppens rytme. Dag og natt smeltet sammen
som siamesiske tvillinger. Det var bare ett fast holdepunkt i
døgnet for Merete, og det var klikket fra den innfelte, ovale
døren.

FØRSTE GANGEN HUN hørte den forvrengte stemmen i
høyttaleren, var sjokket så overveldende at hun fremdeles skalv
da hun la seg til å sove.

Men hvis stemmen ikke hadde kommet, ville hun vært død
av tørst og sult, det visste hun. Spørsmålet var bare om det
ikke hadde vært bedre.

Hun hadde kjent hvordan tørsten og tørrheten i munnen
forsvant. Hun hadde kjent hvordan trettheten dempet sulten.
Hun hadde følt angsten bli erstattet av sorgen, og sorgen av
en nesten trygg erkjennelse av at døden var på vei. Og der-
for lå hun i ro og ventet på at kroppen skulle gi opp, da en
skrattende stemme avslørte at hun ikke var alene, og at hun
var underkastet andres vilje på nåde og unåde.

«Merete,» sa kvinnestemmen uten forvarsel. «Nå sender vi
en plastboks inn til deg. Du hører et klikk om et øyeblikk, så
åpner det seg en sluse borte i hjørnet. Vi har sett at du alle-
rede har funnet den.»

Kanskje hadde hun forestilt seg at lyset ville bli tent, for
hun knep øynene hardt sammen og forsøkte å få kontroll over
sjokkbølgen som herjet i nervefibrene. Men lyset ble ikke tent.

«Hører du meg?» ropte stemmen.

Hun nikket og pustet hardt ut. Nå kjente hun hvor kald hun var. Hvordan mangelen på næring hadde tæret ut kroppens fettdepoter, hvor sårbar hun var.

«Svar!»

«Ja, ja, jeg hører. Hvem er du?» Hun stirret ut i mørket.

«Når du hører klikket, går du rett bort til slusen. Ikke prøv å krype inn i den, det er umulig. Når du har tatt den første boksen, kommer det en til. Den ene er en dobøtte, der gjør du ditt fornødne, i den andre er det vann og mat. Hver dag åpner vi slusen, og så bytter vi ut de gamle med to nye, er det forstått?»

«Hva er dette for noe?» Hun lyttet til sitt eget ekko. «Er jeg kidnappet? Er det penger dere vil ha?»

«Her kommer den første.»

Det kom en skramling og en svak pipelyd nede i hjørnet. Hun krøp bort dit og kjente at den nederste delen av den innfelte, buete døren åpnet seg og skjøv ut en hard boks på størrelse med en papirkurv. Da hun trakk den til seg og satte den på gulvet, lukket slusen seg, for å åpne seg igjen ti sekunder senere, denne gangen med en litt høyere bøtte som antagelig skulle forestille et tørrklosett.

Hjertet pumpet. Når boksene kunne skiftes ut så fort, måtte det stå noen rett utenfor slusen på den andre siden. Et annet menneske så tett på.

«Kan dere fortelle meg hvor jeg er?» Hun krøp forover på knærne til hun satt rett under stedet hvor hun mente høyttaleren var. «Hvor lenge har jeg sittet her?» Stemmen hennes steg et lite hakk. «Hva vil dere meg?»

«Det ligger toalettpapir i matboksen. Du får én rull i uka. Når du skal vaske deg, tar du vann fra dunken du finner i dobøtta. Så husk å ta ut den først. Det er ikke noe avløp i rommet, så sørg for å vaske deg over bøtta.»

Senene på halsen strammet seg. Et streif av sinne kjempet med gråten, og leppene skalv. Det rant fra nesen hennes. «Skal jeg sitte her i mørket ... hele tiden?» hulket hun. «Kan dere ikke slå på lyset. Bare en liten stund. Vær så snill!»

Igjen hørtes det et klikk og en liten hvislelyd, og så var slusen lukket.

DET FULGTE EN lang rekke døgn hvor hun ikke hørte noe annet enn viften som fornyet luften en gang i uken, og den daglige skramlingen og hvislingen fra slusedøren. Noen ganger føltes intervallene som en evighet, andre ganger var det som om hun nettopp hadde lagt seg etter måltidet da neste porsjon dukket opp. Maten var det eneste fysiske lyspunktet hennes, selv om den var ensformig og nesten ikke smakte noe som helst. Litt poteter og utkokte grønnsaker og en anelse kjøtt. Det samme hver dag. Som om det var en uuttømmelig gryte som alltid sto og putret der ute i lyset i verden på den andre siden av den ugjennomtrengelige veggen.

Hun hadde trodd at hun før eller siden ville venne seg såpass mye til mørket at detaljene i rommet ville tre frem, men det skjedde aldri. Det var et evig, ugjenkallelig mørke, som om hun var blind. Bare tankene kunne sende lys inn i tilværelsen hennes, men det var også vanskelig nok.

Lenge var hun alvorlig redd for å bli gal. Redd for den dagen selvkontrollen ville glippe. Og hun diktet bilder av verden og lyset og livet der ute. Hun søkte inn i avkroker av hjernen som menneskers hvirvlende og hektiske tilværelse ellers grumser til. Og gamle erindringsbilder steg langsomt frem. Små øyeblikk med hender som holdt rundt henne. Ord som kjærtegnet og trøstet. Men også minner om ensomhet og savn og uendelig strev.

Så falt hun inn i en rytme hvor døgnet besto av lange søvnperioder, spising, meditasjon og løp på stedet. Hun kunne løpe til dunkene i gulvet begynte å smerte i ørene, eller til hun falt om av tretthet.

Hver femte dag fikk hun nytt undertøy og kastet det gamle i tørrklosettet. Tanken på at fremmede skulle røre ved det, virket frastøtende. Men resten av klærne hun hadde på seg, skiftet de ikke ut. Derfor passet hun godt på dem. Passet på når hun satte seg på bøtta. La seg forsiktig på gulvet når hun skulle sove. Børstet og glattet plaggene forsiktig hver gang hun skiftet undertøy og gned dem inn med rent vann på de stedene hvor hun syntes de var blitt fettete. Hun var glad for at hun hadde hatt godt med klær på seg den dagen de tok henne. En dunjakke, tørkle, bluse, undertrøye, bukser og tykke sokker. Men etter hvert som tiden gikk, hang buksene mer og mer på henne, og skosålene føltes tynnere. Jeg må løpe barbent, tenkte hun og ropte ut i mørket: «Kan dere skru opp varmen litt, vær så snill?» Men viften i taket hadde ikke gitt lyd fra seg på lang tid nå.

LYSET BLE SLÅTT på da bøttene var blitt skiftet ett hundre og nitten ganger. En eksplosjon av hvite soler smeltet ned over henne og fikk henne til å vakle bakover med sammenknepne øyne og tårene piplende ut av øyekrokene. Det var som om lyset bombet netthinnene og sendte smertebølger opp i hjernen. Hun kunne ikke annet enn synke ned på huk og holde seg for øynene.

I de neste timene slapp hun langsomt taket rundt ansiktet og åpnet øynene gradvis på klem. Fortsatt var lyset altfor overveldende. Angsten for allerede å ha mistet synet, eller eventuelt å miste det hvis hun gikk for fort frem, holdt henne tilbake. Og slik satt hun til høyttaleren med kvinnens stemme for annen gang sendte sjokkbølger gjennom henne. Hun reagerte som et måleinstrument med utslåtte reseptorer og sprengte skalaer. Hvert ord sendte et støt gjennom henne. Og ordene var grusomme.

«Gratulerer med dagen, Merete Lynggaard. Det er den sjette juli, og du fyller toogtredve år. Du har nå sittet her i ett hundre og seksogtyve dager, og bursdagsgaven vår er at vi lar lyset være på et helt år fra nå.»

«Åh gud, nei, dere kan ikke gjøre dette mot meg,» stønnet

hun. «Hvorfor gjør dere dette mot meg?» Hun reiste seg med hendene for øynene. «Hvis dere vil pine meg i hjel, så gjør det med en gang,» skrek hun.

Kvinnestemmen var iskald og litt dypere enn før: «Ta det rolig, Merete. Vi vil ikke pine deg. Tvert imot, vi vil gi deg en sjanse til å unngå at det skal bli verre for deg. Du skal selv få lov til å svare på det svært relevante spørsmålet ditt: Hvorfor lar vi deg gjennomgå dette? Hvorfor har vi satt deg i bur som et dyr? Svar på det selv, Merete.»

Hun la hodet bakover. Det var som en ond drøm. Kanskje hun bare burde holde munn. Sette seg i en krok og la dem snakke som de ville.

«Svar på det, Merete, ellers gjør du det bare verre for deg selv.»

«Jeg vet ikke hva dere vil at jeg skal svare! Er det noe politisk? Eller presser dere noen for penger? Jeg aner ikke. Si det!»

Stemmen i den skrattende høyttaleren ble kald: «Du klarte det ikke, Merete. Da får du ta straffen. Den er ikke så hard, du klarer det fint.»

«Åh gud, dette er ikke sant,» hulket Merete og sank på kne.

Hun hørte den velkjente hvislelyden fra slusen bli til et hardt sug. Hun kjente straks den varme luften fra omverdenen strømme inn i rommet. Det luktet korn, åkerjord og grønt gress. Skulle det være en straff?

«Vi øker lufttrykket i kammeret ditt til to atmosfærer. Så får vi se om du kan svare neste år. Vi vet ikke nøyaktig hvor høyt trykk den menneskelige organismen tåler, men det finner vi nok ut av med tid og stunder.»

«Kjære Gud,» hvisket Merete idet hun merket et press for ørene. «La ikke dette skje. Ikke la det skje.»

17

2007

LYDEN AV MUNTRE stemmer og klirrende flasker som hørtes tydelig fra parkeringsplassen, hadde advart Carl. Det var full rulle hjemme i rekkehuset.

Grillgjengen var en liten gruppe fanatikere som bodde i nabolaget, og som syntes at oksekjøtt smakte klart mye bedre når det hadde ligget og ruget på en forkokset rist til det verken smakte okse eller biff lenger. De møttes hele året rundt når anledningen bød seg, og gjerne på Carls terrasse. Han hadde stor sans for dem. De var muntre på en behersket måte og tok alltid tomflaskene sine med seg hjem.

Han fikk en klem av den faste grillmesteren Kenn, fikk en iskald boksøl stukket i neven, la en av de svartsvidde kjøttbitene på tallerkenen og gikk inn i stuen mens han kjente de velmenende øynene deres i nakken. De spurte aldri om noe hvis han var taus, det var en av de tingene som han virkelig likte ved dem. Når hjernen hans først tumlet med en sak, var det lettere å oppdrive en kompetent lokalpolitiker enn å få kontakt med ham, det var noe alle visste. Bare at denne gangen var det ikke en sak som romsterte i hodet til Carl. Det var Hardy som romsterte der inne og ingenting annet.

For Carl var virkelig i tvil.

Kanskje burde han vurdere situasjonen en gang til. Han kunne selvfølgelig finne en måte å ta Hardy av dage på som ingen ville stusse over etterpå. En luftboble i dryppet, en fast hånd over munnen. Det ville gå fort, for Hardy ville ikke stritte imot.

Men kunne han? Ville han? Det var et jævlig dilemma. Hjelpe eller ikke hjelpe? Og hva var en virkelig hjelp? Kanskje ville det være til større hjelp for Hardy om han tok seg sammen og gikk opp til Marcus og krevde å få tilbake den gamle saken. Når alt kom til alt interesserte det ham midt i ryggen hvem de satte ham til å jobbe sammen med, for ikke å snakke om hva *de* sa om det. Hvis det kunne hjelpe Hardy at han naglet djevlene som skjøt dem ute på Amager, så skulle han nok være mann for det. Personlig var han drittlei hele saken. Hvis han fant de svina, ville han knerte dem rett ned, og hvem ville det gavne? Ikke ham selv i hvert fall.

«Carl, har du en hundrings til meg?» Det var stesønnen Jesper som brøt seg inn i tankerekken hans. Han var tydeligvis på vei ut. Kompisene i Lynge visste at hvis de inviterte Jesper, fulgte det gjerne noen små, grønne med på kjøpet. Jesper hadde kjenninger i nabolaget som solgte kassevis av øl til ungdom under seksten. De kostet et par kroner mer, men hva gjorde det hvis man kunne få en stefar til å betale moroa?

«Er dette tredje gangen denne uka, Jesper?» sa han og fisket en seddel opp av lommeboken. «Bare husk at du skal på skolen i morgen tidlig samme hva, okay?»

«Okay,» svarte gutten.

«Og du har gjort leksene?»

«Jo'a.»

Så det hadde han heller ikke. Carl rynket brynene.

«Carl, slapp av. Jeg gidder ikke å gå tiende på Engholm. Jeg *skal* inn på AG, okay?»

En fattig trøst. Så skulle han springe etter gutten for å sjekke at han hang med på videregående også.»

«Ha det fint,» slapp gutten utav seg på vei ut i sykkelboden.

Det var lettere sagt enn gjort.

«ER DET LYNGGAARDSAKEN du grubler på, Carl?» Morten samlet sammen de siste flaskene. Han gikk aldri ned til seg selv før kjøkkenet var blåst og skinnende rent. Han kjente sine begrensninger. Neste morgen ville hodet hans være stort og overømfintlig som statsministerens ego. Hvis noe skulle ordnes, så var det her og nå.

«Jeg tenker mest på Hardy, ikke så mye på Lynggaardsaken. Sporene er blitt kalde, og det er ingen som interesserer seg for den lenger, meg selv inkludert.»

«Men er ikke Lynggaardsaken egentlig oppklart?» snøvlet Morten. «Hun druknet jo, er det noe mer å si om det?»

«Hmm, du mener det? Men hvorfor druknet hun, spør jeg meg selv. Det var ikke storm, ingen bølger, hun var frisk og rask etter alt å dømme. Hun hadde økonomien i orden, så godt ut, var på vei til å gjøre en stor karriere. Kanskje var hun litt ensom, men det ville hun også fått orden på før eller siden.»

Han ristet på hodet. Hvem prøvde han å lure? Selvfølgelig interesserte saken ham. Det gjorde alle saker der spørsmålene tårnet seg opp på denne måten.

Han tente en røyk og tok en boksøl som en av gjestene hadde klart å sprette opp, men ikke å helle i seg. Den var lunken og smakte dovent.

«Det som irriterer meg mest, er at hun var så intelligent. Det er alltid problematisk med ofre som er så intelligente som henne. Hun hadde jo ikke noen virkelig grunn til å begå selvmord, slik jeg ser det. Ingen opplagte fiender, broren elsket henne. Så hvorfor forsvant hun? Ville for eksempel du hoppet i havet på den bakgrunnen, Morten Holland?»

Han så på Carl med blodskutte øyne. «Det var et uhell, Carl. Har du aldri blitt svimmel når du har stått bøyd over relingen og sett ned i bølgene? Og hvis det nå var et mord, så var det enten broren eller noe politisk, spør du meg. Hallo, en kommende leder for Demokratene med *det* utseendet – skulle ikke hun ha fiender?» Han nikket tungt og fikk nesten ikke hodet opp igjen. «Alle hatet henne, ser du ikke det? Alle i hennes eget parti som hun parkerte i skyggen. Og regjeringspartiene. Tror du statsministeren og broilerne hans jublet når de så denne stjernen stå og folde seg ut på TV? Du sier det jo selv, hun var lynskærp.» Han vred opp kjøkkenkluten og slengte den over vannkranen.

«Alle visste at det var hun som kom til å fronte opposisjons-koalisjonen til neste valg. Hun var jo en stemmemagnet, for svarte.» Han spyttet i håndvasken. «Fy faen, det er siste gangen jeg drikker retsinaen til hun Sysser. Hvor kjøper hun det skvipet? Du blir jo helt uttørket i halsen.»

UTE PÅ DEN runde gårdsplassen møtte Carl flere kolleger som var på vei hjem. Inne ved veggen i søylegangen sto Bak i alvorlig samtale med en av folkene sine. De så på ham som om han hadde spyttet og tråkket på dem.

«Sinkeseminar,» lot han det runge i søylegangen og snudde ryggen til dem.

Forklaringen fikk han av Bente Hansen, en fra det gamle teamet sitt som han møtte i forhallen. «Du hadde rett, Carl. De fant det halve øret i vannlåsen på doen hjemme hos vitnet. Det skal du ha for, gamle ørn.»

Bra. Da skjedde det i hvert fall noe i den saken.

«Bak og folkene hans har nettopp vært på Rikshospitalet for å hale resten ut av vitnet,» fortsatte hun. «Men de kom ingen vei. Hun er livredd.»

«Da er det nok ikke henne de skal snakke med.»

«Sikkert ikke. Men hvem?»

«Hva ville drevet *deg* sterkest mot selvmord? Hvis du var utsatt for et voldsomt press, eller hvis det gjaldt å redde barna dine? På en eller annen måte handler det om barna, spør du meg.»

«Barna vet ingenting.»

«Nei, sikkert ikke. Men kanskje moren hennes?»

Han så opp på bronselampene i taket. Kanskje han skulle be om å få bytte sak med Bak. Det kunne nok komme til å utløse rystelser i den enorme bygningen.

«HELE TIDEN JEG har tenkt mange tanker, Carl. Jeg synes det er best å fortsette med denne saken.» Assad hadde allerede satt den dampende kaffekoppen på bordet foran Carl. Ved siden av sakspapirene lå noen søte kaker på innpakningspapir. Han var tydeligvis i gang med en sjarmoffensiv. I hvert fall hadde han ryddet opp inne på kontoret til Carl, og flere av dokumentene i saken var lagt på rekke og rad på skrivebordet hans, nærmest som om de burde leses i en bestemt rekkefølge. Han måtte ha vært her siden klokken seks.

«Hva er det du har lagt frem til meg?» Han pekte på papirene.

«Ja, her er kontoutskrifter fra banken som viser hva Merete Lynggaard tok ut de siste ukene. Men det står ingenting om betaling for middag på restaurant.»

«Hun er blitt påspandert, Assad. Det er ikke unormalt at vakre kvinner slipper billig fra den slags.»

«Ja, nettopp, Carl. Smart. Hun har fått noen andre til å betale isteden. Jeg tror en politiker eller en fyr.»

«Sikkert, men det blir ikke lett å finne ut hvem.»

«Ja, jeg vet det, Carl. Det er fem år siden.» Han banket med fingeren på neste dokument. «Her er oversikt over hva politiet har tatt med fra hjemme hos henne. Jeg ser ikke den syvende sans som den nye sekretæren har fortalt om, nei. Men kanskje det ligger en syvende sans på Christiansborg, som man kan se hvem hun skulle spise sammen med.»

«Hun hadde sikkert avtaleboken i håndvesken, Assad. Og håndvesken forsvant sammen med henne, gjorde den ikke?»

Assad nikket litt irritert.

«Ja, men Carl, da kanskje vi kan spørre sekretæren hennes. Her er utskrivning av forklaringen til henne. Hun sa ingenting om Merete skal spise middag med noen den gangen. Så kanskje vi skal spørre henne igjen.»

«Utskrift heter det, Assad! Men det er fortsatt fem år siden. Hvis hun ikke kunne huske noe den gangen, husker hun i hvert fall ingenting nå.»

«Okay! Men her står det at hun kunne huske at Merete Lynggaard har fått et telegram til valentinsdag, men at det var etterpå en stund. Slike ting kan vi prøve å finne ut, ikke sant?»

«Telegrammet eksisterer ikke lenger, og vi har ikke den eksakte datoen. Da blir det vanskelig, når vi ikke engang vet hvilket firma som leverte det.»

«Men det var TelegramsOnline som leverte det.»

Carl så på ham. Hadde fyren noe å fare med? Det var vanskelig å si så lenge han sto med grønne gummihansker på hendene. «Hvor har du det fra, Assad?»

«Se der.» Han pekte på utskriften av forklaringen. «Sekretæren kunne huske at det sto 'Love & Kisses for Merete' på telegrammet, og det var to lepper på. Røde lepper.»

«Ja vel?»

«Ja, da er det TelegramsOnline-telegram. De trykker navnet på telegrammet. Og de har to røde lepper.»

«Få se.»

Assad trykket på mellomromstasten på Carls tastatur, og TelegramOnlines hjemmeside kom opp på skjermen. Ja visst, der var telegrammet med de røde leppene, akkurat som Assad hadde sagt.

«Okay. Og du er sikker på at det bare er det firmaet som lager slike telegrammer?»

«Ganske sikker, ja.»

«Men du har fortsatt ikke datoen, Assad. Var det før eller etter valentinsdagen? Og hvem bestilte det?»

«Vi kan spørre firma om de har registrert når de har levert telegram til Christiansborg.»

«Alt det ble vel gjort i den første etterforskningen, ble det ikke?»

«Det står ingenting om det i saken, nei. Men kanskje du har lest noe annet?» Fyren smilte syrlig i skjeggstubbene. Frekk var han også.

«Okay, Assad. Greit nok, du kan sjekke med firmaet. Det

111

er en fin oppgave for deg. Jeg har det litt travelt akkurat nå, så hvis du kan gå inn på ditt eget kontor og ringe derfra.»

Han ga ham et klapp på skulderen og halvveis skjøv ham ut av rommet. Så lukket han døren, tente en røyk, tok Lynggaardmappen og satte seg i stolen med bena på bordet.

Det var visst ingen vei utenom.

DET VAR EN tullete sak. Full av selvmotsigelser. Leting i øst og vest uten klar prioritering. En fullstendig mangel på bærekraftige teorier. Motivet sto åpent. Hvis det var selvmord, så hvorfor? Det eneste man visste, var at bilen hennes sto bakerst på bildekket og at Merete Lynggaard var vekk.

Etter hvert gikk det opp for etterforskerne at hun ikke hadde vært alene. Av et par vitneutsagn gikk det frem at hun hadde kranglet med en ung mann på soldekket. Et fotografi som et eldre ektepar på privat shoppingtur til Heiligenhafen tilfeldigvis hadde tatt på soldekket, dokumenterte dette. Bildet ble offentliggjort, og så kom det henvendelse fra rådhuset i Store Heddinge om at mannen var Merete Lynggaards bror.

Carl husket det som om det var i går. Politiet som hadde oversett denne brorens eksistens, var blitt gjort til latter.

Og nye spørsmål meldte seg: Hvis det var broren – hva var motivet? Og hvor var i det hele tatt broren?

Først trodde de at Uffe også var falt over bord, men så kom han til rette et par dager senere, langt nede på Femerns flate sletter. Det var årvåkent tysk politi i Oldenburg som identifiserte ham. Hvordan han hadde kommet seg helt ned dit, fant man aldri ut av. Han hadde ikke opplyst noe selv i sakens anledning.

Visste han noe, så holdt han det for seg selv.

Den påfølgende røffe håndteringen av Uffe Lynggaard avslørte hvor bortreist kollegene hans hadde vært.

Carl satte på et par av båndene fra avhørene og konstaterte at Uffe hadde vært taus som graven. De hadde prøvd å spille 'good guys' og 'bad guys', men ingenting hadde virket. To psy-kiatere hadde vært innkalt. Foruten en psykolog fra Farum som skulle være spesialist på området, ja, selv Karen Morten-sen, en sosionom fra Stevns kommune, hadde vært inne i bil-det for å få Uffe på glid.

Dårlig sak.

Både tyske og danske myndigheter hadde trålet sjøstreknin-gen. Froskemannskorpset hadde lagt øvelsene sine til området. Et ilanddrevet lik ble kjølt ned og siden obdusert. Fiskere fikk beskjed om å være på utkikk etter gjenstander som fløt i vannet. Klesplagg, vesker, hva som helst. Men ingen fant noe som kunne spores tilbake til Merete Lynggaard, og mediene skrudde opp omdreiningene enda et hakk. Merete Lynggaard var forsidestoff i nesten en måned. Gamle bilder fra gymnaset hvor hun poserte i ettersittende badedrakt ble stampet frem. Toppkarakterene fra universitetet ble offentliggjort og gjort til gjenstand for analyse av såkalte livsstilseksperter. Nye speku-lasjoner om hennes seksualitet fikk ellers edruelige journalis-ter til henge seg på tabloidene. Og ikke minst Uffes eksistens ga mye godt stoff til bladsmørerne.

Flere nære medarbeidere lot offentligheten forstå at de nær-mest hadde ventet at noe slikt skulle skje. At hun hadde ting å skjule i privatlivet. De kunne selvfølgelig ikke vite at det var en funksjonshemmet bror, men noe i den retning.

Gamle bilder fra bilulykken som tok livet av foreldrene og lemlestet Uffe, kom på forsidene av tabloidene da saken så smått var i ferd med å ebbe ut. Alt måtte med. Hun hadde vært godt stoff i levende live, men som død slo hun alle rekor-der. Nyhetsankerne i eterkanalene kunne nesten ikke stå stille av begeistring. Krig i Bosnia, en prinsgemal som ble sur, for-stadskommuneordførerens heftige rødvinsforbruk, en druknet folketingspolitiker. Same shit! Bare det var sexy bilder i det.

Store fotografier av dobbeltsengen hjemme hos Merete Lynggaard kom på trykk. Hvor de kom fra, var ikke godt å vite, men overskriftene var voldsomme. Hadde de to søsknene hatt et intimt forhold? Var det årsaken til hennes død? Hvorfor fantes bare denne ene sengen i det store huset? Alle i landet skulle vær så god synes at det var merkelig.

Da det ikke kunne treskes mer langhalm ut av dette, kastet de seg ut i spekulasjoner omkring løslatelsen av Uffe. Hadde politiet brukt hardhendte metoder? Var det justismord? Eller hadde fyren sluppet for billig? Handlet det hele egentlig om rettssystemets naivitet og mangelfull saksbehandling? Til slutt kom det et pip i mediene om at Uffe var plassert på Egely, og etter det ble det stille. Agurktiden sommeren 2002 kom til å handle mest om nedbør og varme og prinsefødsel og VM i fotball.

Jo, dansk presse visste å lodde den jevne lesers sanne interesser. Merete Lynggaard var gammelt stoff.

Og etter seks måneder ble etterforskningen i virkeligheten innstilt. Det var nok av andre oppgaver.

CARL TOK TO papirark og skrev med kulepenn på det ene:

MISTENKTE:
1) Uffe
2) Ukjent postbud. Brevet om Berlin
3) Mannen/kvinnen fra Café Bankerott
4) «Kolleger» på Christiansborg
5) Rovmord etter grovt ran. Hvor mye penger i håndvesken?
6) Seksuelt overfall

På det andre arket skrev han:

SJEKKE:
Saksbehandler på Stevns
Telegrammet
Sekretærene på Christiansborg
Vitner på fergen Schleswig-Holstein

Etter å ha sett litt på arkene, skrev han nederst på ark to:

Fosterfamilien etter ulykken/gamle studiekamerater på universitetet. Var hun deprimert som type? Var hun gravid? Forelsket?

Da han lukket saksmappen, ringte de fra tredje med beskjed fra Marcus Jacobsen om at han skulle stille på møterommet.

Han nikket til Assad idet han passerte det knøttlille kontoret hans. Mannen satt klistret til telefonen og så dypt konsentrert og alvorlig ut. Ikke som når han sto i døråpningen med de grønne gummihanskene på seg. Nå var han nesten som en annen mann.

SAMTLIGE PERSONER SOM hadde med syklistmordet å gjøre var til stede. Marcus Jacobsen pekte på en stol til Carl ved konferansebordet, og Bak la ut.

«Vitnet vårt, Annelise Kvist, har endelig bedt om vitnebeskyttelse. Vi vet nå at hun er blitt truet med at barna hennes vil bli flådd levende hvis hun ikke holder kjeft om hva hun har sett. Hun har hele tiden holdt tilbake opplysninger for oss, men har likevel vært samarbeidsvillig på sin egen måte. Hun har gitt oss hint underveis, slik at vi har kunnet slutte oss videre i saken, men avgjørende opplysninger har hun holdt tilbake. Så kom de alvorlige truslene mot henne og barna, og etter det har hun stengt av fullstendig.

Jeg oppsummerer: Overskjæringen av offerets hals skjer i Valbyparken cirka klokken toogtyve. Det er mørkt og kaldt og mennesketomt i parken. Likevel skjer det at Annelise Kvist ser gjerningsmannen stå og snakke med offeret bare noen minutter før drapet. Vi mener derfor at det må ha vært et affektdrap. Hadde mordet vært planlagt, ville Annelise Kvists tilsynekomst sannsynligvis ha forpurret det.»

«Hvorfor går Annelise Kvist gjennom parken? Hadde hun ikke sykkel? Hvor kom hun fra?» Det var en av de nye som spurte. Han visste ikke at spørsmål skulle vente til etterpå når det var Bak som førte ordet.

Bak reagerte med et surt blikk. «Hun hadde vært hos en venninne, og sykkelen var punktert. Derfor leide hun den gjennom parken. Vi vet at det må ha vært gjerningsmannen hun så, for det var bare fotspor etter to personer rundt åstedet. Vi har nedlagt en betydelig innsats for å kartlegge forholdene rundt Annelise Kvist for å finne mørke punkter i livet hennes. Ting som kunne forklare adferden hennes da vi begynte å spørre henne ut. Hun har tidligere hatt tilknytning til det kriminelle motorsykkelmiljøet, vet vi nå, men vi vet også temmelig sikkert at gjerningsmannen neppe er å finne i det miljøet.

Offeret er bror av et av de mest aktive bandemedlemmene i Valbyområdet, Carlo Brandt, og offeret var vel ansett i miljøet, selv om han handlet litt med stoff på egen hånd. Vi vet nå også fra denne Carlo Brandt, at offeret var en gammel kjenning av Annelise Kvist, antagelig en tidligere elsker. Det holder vi på å utrede nærmere. Konklusjonen er i hvert fall at hun etter alt å dømme har kjent både morder og offer.

Videre når det gjelder vitnets angst, så har moren innrømmet overfor oss at Annelise tidligere har vært utsatt for vold, av mildere grad, riktignok, men at Annelise har vært en del preget av det. Moren mener at datteren selv har satt seg i denne situasjonen ved at hun vanker mye på byen og ikke er så nøye på hvem hun tar med seg hjem om kvelden. Men etter hva vi kan se, er Annelise Kvists seksuelle og sosiale vaner neppe så veldig forskjellige fra de fleste andre unge kvinners.

Funnet av øret i Annelises toalett forteller oss at morderen vet hvem hun er og hvor hun bor, men vi har altså så langt ikke klart å lirke ut av henne hvem mannen er.

Barna er plassert hos slektninger sør for København, og det har fått Annelise til å sprekke opp til en viss grad. Det er ikke lenger tvil om at hun var ruset på det tidspunktet hvor vi antok at hun forsøkte å begå selvmord. Analyserapporten sier at man har funnet et hav av ulike euforiserende stoffer i pilleform i magesekken hennes.»

Carl hadde sittet med øynene lukket under det meste av seansen. Bare synet av Bak der han sto og messet på den snirklete, omstendelige måten sin, var til å gå på veggene av, han orket rett og slett ikke å se på det. Og hvorfor skulle han? Han hadde jo ingenting med dette å gjøre. Han hadde sitt eget domene nede i kjelleren, det gjaldt å holde fast ved det. Drapssjefen hadde kalt ham opp hit som et skulderklapp fordi han hadde brakt saken et skritt videre. Mer var det ikke å si om det. Og han skulle så visst ikke plage dem med flere synspunkter.

«Vi har ikke funnet noen pilleglass, så mye tyder på at noen, formentlig gjerningsmannen selv, har kommet med disse pillene i løs vekt og truet dem i henne,» sa Bak.

Du verden, maken til skarpsindighet.

«Så det er etter alt å dømme snakk om et mordforsøk som har mislykkes. Trusselen om å drepe barna har tvunget henne til taushet,» fortsatte Bak.

Her brøt Marcus Jacobsen inn. Han så hvordan de nye satt og verket med spørsmål. Nå måtte de få slippe til.

«Annelise Kvist og barna vil få den vitnebeskyttelsen som saken krever,» sa han. «I første omgang flytter vi dem, og så skal vi nok snart få henne til å snakke. I mellomtiden må vi se å få narkotikaavdelingen på banen. Så vidt jeg skjønner var det en del syntetisk THC i henne, sannsynligvis Marinol, som er den mest vanlige formen for hasj i pilleform. Det ser vi ikke så ofte i omsetningen på gateplan, så la oss finne ut av hvor i området det er å få tak i. De fant vel også spor av Crystal og metylfenidat. En temmelig uvanlig cocktail.»

Carl ristet på hodet. Ja, det var absolutt en allsidig gjerningsmann. Skjærer halsen brutalt over på den en ene i en park og lirker nennsomt piller ned i halsen på den andre. Hvorfor kunne ikke kollegene hans bare vente til kvinnemennesket spyttet ut av seg selv? Han åpnet øynene og så rett inn i øynene på drapssjefen.

«Du rister på hodet, Carl. Har du et bedre forslag? Har du mer kreativitet på lager som kan bringe oss videre?» Han smilte. Det var han den eneste som gjorde i hele lokalet.

«Jeg vet bare at hvis man spiser THC, så brekker man seg hvis man kombinerer det med all mulig annen dritt og lort samtidig. Så han som tvang i henne pillene må ha visst hva han holdt på med. Men hvorfor stresse? Hvorfor ikke bare vente til Annelise Kvist selv forteller dere hva hun så? Et par dager fra eller til kan ikke spille noen rolle. Vi har da annet å ta oss til.» Han så fra den ene til den andre. «I hvert fall har jeg det.»

SOM ALLTID VAR det travelt hos sekretærene. Lis satt bak datamaskinen med headset og dengte løs på tastaturet som en trommeslager i et rockeband. Han speidet etter en ny, mørkhåret sekretær, men ingen passet til Assads beskrivelse. Bare Lis' kollega, sekretariatets svar på 'Ulvetispen Ilse', eller fru Sørensen som hun også ble kalt, kunne med rimelighet sies å ha en slik hårfarge. Carl knep øynene sammen. Kanskje Assad så noe i det sure fjeset som ingen andre hadde oppdaget.

«Vi trenger en skikkelig kopieringsmaskin nede hos oss, Lis,» sa han da hun så opp og med et bredt smil avbrøt hamringen på tastaturet. «Klarer du det i løpet av ettermiddagen? Jeg vet de har en til overs nede hos NEC-folkene. Den er ikke blitt pakket ut engang.»

«Jeg skal se hva jeg kan gjøre, Carl,» sa hun. Så var det i boks.

«Jeg skulle snakke med Marcus Jacobsen,» sa en dempet stemme ved siden av ham. Han snudde seg og sto ansikt til ansikt med en kvinne han aldri hadde sett før. Brune øyne. De mest vanvittig tiltrekkende brune øynene han hadde sett. Carl kjente et sug i mellomgulvet. Så snudde kvinnen seg mot sekretærene.

«Er du Mona Ibsen?» spurte fru Sørensen.

«Ja.»

«Da er du ventet.»

De to kvinnene smilte til hverandre, og Mona Ibsen trakk seg litt tilbake mens fru Sørensen reiste seg for å vise vei. Carl knep munnen sammen og så henne forsvinne bortover gangen. Hun hadde en pels på seg, ganske kort, man kunne akkurat se den nederste delen av rumpeballene. Forjettende, men ingen ungjente etter formene å dømme. Hvorfor pokker hadde han ikke sett mer av ansiktet enn bare øynene?

«Mona Ibsen, hvem var det?» sa han henkastet til Lis. «Noe i forbindelse med syklistmordet?»

«Nei, hun er den nye krisepsykologen vår. Hun skal være fast tilknyttet alle avdelingene på huset fra nå av.»

«Skal hun?» Han hørte selv hvor fårete det lød.

Han undertrykte følelsen i mellomgulvet og gikk bort til Jacobsens kontor og åpnet døren uten å banke på. Skulle han drite seg ut, skulle det i hvert fall være for et godt formål.

«Unnskyld, Marcus,» sa han. «Jeg visste ikke at du hadde besøk.»

Hun satt i profil med myk hud og fine rynker rundt munnen, som snarere uttrykte smil enn livslede.

«Jeg kan komme tilbake senere. Beklager forstyrrelsen.»

Hun snudde seg mot ham som om hun stusset over denne plutselig servile tonen. Munnen var markert. Amorbuen fyldig. Hun var definitivt over femti og smilte svakt til ham. Faen også om han ikke fikk gelé i knærne der han sto.

«Hva var det du ville, Carl?» spurte Marcus.

«Jeg ville bare si at jeg tror dere burde spørre Annelise Kvist om hun har hatt et forhold til morderen også.»

«Det har vi gjort, Carl. Det benekter hun.»

«Ja vel? Da synes jeg dere skal spørre henne om hva morderen driver med. Ikke hvem han er, men hva han jobber med.»

«Det har vi selvfølgelig gjort, men hun vil ikke si noe. Du mener at de kan ha hatt en slags jobbrelasjon?»

«Kanskje, kanskje ikke. I hvert fall at hun på en eller annen måte er avhengig av mannen i kraft av jobben hans.»

Jacobsen nikket. Det ville neppe skje noe før de hadde fått plassert vitnet og familien hennes på et sikkert sted. Men Carl fikk da i det minste tatt denne Mona Ibsen i øyesyn.

Litt av et kvinnfolk til krisepsykolog å være.

«Det var bare det,» sa han og smilte så bredt og avslappet og virilt som aldri før, men responsen uteble.

Han tok seg et øyeblikk til brystet, der det plutselig gjorde vondt under brystbenet. Jævlig ubehagelig følelse. Nesten som om han hadde slukt luft.

«Er du okay, Carl?» spurte sjefen.

«Jah, det er ingenting. Bare noen etterveer, du vet. Jeg er helt fin.» Men det var ikke helt sant. Følelsen i brystkassen var alt annet enn god.

«Unnskyld, Mona. Dette er Carl Mørck. For et par måneder siden var han ute for en forferdelig skyteepisode der vi mistet en kollega.»

Hun nikket mot ham, og han strammet seg kraftig opp. Øynene hennes var lett sammenknepne. Profesjonell interesse, naturligvis, men heller det enn ingenting.

«Carl, dette er Mona Ibsen, vår nye krisepsykolog. Kanskje kommer dere til å bli nærmere kjent med hverandre. Vi vil jo gjerne ha en av våre aller beste medarbeidere tilbake i full vigør.»

Han gikk et skritt frem og tok hånden hennes. Bli nærmere kjent. Ja, det kunne han banne på at de skulle.

SOMMERFUGLENE BLAFRET FORTSATT i magen da han støtte på Assad på vei ned i kjelleren.

«Endelig jeg kom igjennom, Carl,» sa han.

Carl forsøkte å trenge bildet av Mona Ibsen i bakgrunnen. Det var ikke lett.

«Igjennom til hva?» spurte han.

«Jeg har ringt TelegramsOnline minst ti ganger, men det

er bare opptatt til et kvarter siden,» sa Assad mens Carl summet seg. «Kanskje de kan fortelle oss hvem som sendte telegrammet til Merete Lynggaard. I hvert fall de jobber med saken.»

18

2003

DET GIKK IKKE lang tid før Merete hadde vent seg til trykket. Litt susing for ørene noen dager, og så var det vekk. Nei, det var ikke trykket som var det verste.

Det var lyset som strålte over henne.

Evig lys var hundre ganger verre enn evig mørke. Lyset blottla ynkeligheten ved livet hennes. Et isnende hvitt rom. Gråaktige vegger, skarpe hjørner. De grå bøttene, den fargeløse maten. Lyset ga henne motbydeligheten og kulden. Lyset ga henne erkjennelsen av at hun ikke kunne bryte gjennom dette panseret av et rom. At livsnerven gjennom den innfelte døren var en umulig fluktvei. At dette betonghelvetet var hennes kiste og grav. Nå kunne hun ikke bare lukke øynene og gli bort når det passet henne. Lyset trengte seg på selv gjennom lukkede øynenlokk. Bare når trettheten slo henne helt ut kunne hun sovne fra det.

Og tiden ble uendelig.

HVER DAG NÅR hun var ferdig med maten og satt og slikket fingrene rene, stirret hun rett ut i luften og memorerte dagen. «I dag er det den syvogtyvende juli 2002. Jeg er toogtredve år og enogtyve dager gammel. Jeg har nå vært her i ett hundre og syvogførti dager. Jeg heter Merete Lynggaard, jeg er okay. Broren min heter Uffe, og han er født tiende mai 1973,» begynte hun. Av og til nevnte hun foreldrene også, og av og til andre. Hver eneste dag minnet hun seg på dette. Pluss en hel del andre ting. Å tenke på den friske luften, lukten av andre mennesker, lyden av en hund som gjødde. Tanker som ledet til andre tanker som fikk henne til gli ut av det kalde rommet.

En eller annen dag ville det klikke for henne, det visste hun. At det ville bli veien bort fra tunge tanker som løp i ring. Og hun kjempet hardt imot. Hun var på ingen måte klar.

Det var derfor hun holdt seg unna de to meterhøye koøyene som hun hadde følt seg frem til i mørket den første tiden. De satt i hodehøyde, og ingenting utenfra trengte gjennom speilglasset. Da øynene hennes hadde vent seg til lyset etter noen dager, hadde hun reist seg, ganske forsiktig, av frykt for å bli overrumplet av sitt eget speilbilde. Så hadde hun løftet blikket langsomt til hun endelig sto ansikt til ansikt med seg selv, og synet hadde gjort vondt langt inn i sjelen. Flere kuldegysninger hadde fått hele kroppen til skjelve. Hun måtte lukke øynene et øyeblikk, så voldsomt var inntrykket. Ikke fordi hun så virkelig dårlig ut, som hun hadde fryktet, nei, det var ikke det. Håret var fett og sammenfiltret og huden blek, men det var ikke det.

Det som slo henne, var at hun sto overfor et menneske som var fortapt. Et menneske som var dømt til å dø. En fremmed – fullstendig alene i verden.

«Du er Merete,» sa hun høyt og så seg selv uttale ordene. «Det er jeg som står der,» fortsatte hun, og ønsket at det ikke var sant. Hun følte seg adskilt fra kroppen, og likevel var det hun som sto der. Det var til å bli gal av.

Til slutt hadde hun trukket seg vekk fra koøyene og satt seg på huk. Prøvd å synge litt, men oppfattet sin egen stemme som noe som kom fra et annet menneske. Så krøp hun sammen i fosterstilling og ba til Gud. Og da hun hadde gjort det, ba hun på nytt igjen. Hun ba helt til sjelen ble løftet ut av denne sinnssyke transen og inn i en ny. Og hun hvilte seg i drømmer og minner og lovte seg selv at hun aldri ville stå foran dette speilet og se på seg selv igjen.

ETTER HVERT SOM tiden gikk, lærte hun seg å forstå kroppens signaler. Hun merket når magen sa ifra om at maten var forsinket. Når trykket svingte en anelse, og når hun sov best.

Bøttene ble skiftet ut med svært regelmessige intervaller. Hun prøvde å telle sekundene fra det øyeblikket magen fortalte henne at tiden var inne, til bøttene kom. Avviket var aldri mer enn toppen en halv time. Dermed hadde hun et visst begrep om tiden, som var betinget av at hun fikk mat én gang i døgnet.

Denne vissheten var både en trøst og en forbannelse. En trøst fordi hun kunne relatere seg til omverdenens vaner og rytme. Og en forbannelse nettopp fordi dette var mulig. Der ute ble det sommer, høst, vinter, og her var det ingenting. Hun forestilte seg sommerregnet og det å bli gjennomvåt, vannet som skylte elendigheten og lukten av henne. Hun så inn i sankhansbålenes ildmørje og på juletreet i all sin glans. Ingen dager uten sine bevegelser. Hun kjente datoene og visste hva de kunne bety. Der ute i verden.

Og hun satt alene på det nakne gulvet sitt og tvang tankene mot livet der ute. Det gikk ikke av seg selv. Ofte holdt det på å glippe for henne, men hun slapp ikke taket. Hver dag fikk sin betydning.

Den dagen Uffe fylte niogtyve og et halvt år, lente hun seg inn mot den kalde veggen og forestilte seg at hun strøk ham over håret mens hun ønsket ham alt godt. Hun ville bake en kake i tankene og sende den til ham. Først måtte hun kjøpe inn alle ingrediensene. Hun ville ta på seg tykk frakk og trosse høststormene. Og hun handlet akkurat hvor hun ville. I Magasins kulinariske avdeling i underetasjen. Hun plukket alle tingene hun ville ha. Ingenting var for godt for Uffe denne dagen.

OG MERETE HOLDT styr på dagene mens hun grublet på hva kidnapperne hennes var ute etter, og hvem de var. Av og til var det som om en svak skygge gled over den ene av de to speilglassrutene, og hun grøsset. Dekket kroppen sin når hun vasket seg. Sto med ryggen til når hun var helt naken. Trakk dobøtta inntil veggen mellom rutene så de ikke kunne se henne når hun satte seg ned.

For de var der. Alt annet ville være utenkelig og fullstendig meningsløst. En tid snakket hun til dem, men det hadde hun sluttet med etter hvert. De svarte ikke uansett.

Hun hadde bedt om å få sanitetsbind, men fikk det ikke. Og når menstruasjonene var på sitt verste, ble det for lite toalettpapir så hun ikke fikk skiftet.

Hun hadde også bedt om å få en tannbørste, men heller ikke det ble innvilget, og det bekymret henne. Hun masserte tannkjøttet med pekefingeren og forsøkte å rense mellomrommet mellom tennene ved å presse luft igjennom, men det hjalp lite. Og hun pustet i håndflatene og merket hvordan ånden ble mer og mer ufrisk.

En dag dro hun en spile ut av hetten på dunjakken. Det var en nylonfjær som var akkurat passe stiv, men for tykk til å gjøre tjeneste som tannpirker. Hun slet med å brekke den i to, og da det lyktes, ga hun seg til å file til den korteste pinnen med fortennene. «Pass på så ingen plastfibrer setter seg fast, da får du dem aldri ut igjen,» formante hun seg selv og tok tiden til hjelp.

Da hun fikk renset ut av alle mellomrommene mellom tennene for første gang på et år, følte hun en dyp lettelse. Plutselig var denne pinnen det kjæreste hun eide. Den og resten av nylonpinnen måtte hun passe godt på.

STEMMEN SNAKKET TIL henne litt tidligere enn hun hadde regnet med. Hun hadde våknet på sin treogtredevte fødselsdag med en magefølelse som sa at det fortsatt kunne være natt. Og hun hadde sittet og stirret opp mot speilglassrutene kanskje i flere timer mens hun forsøkte å tenke seg til hva som nå ville skje. Hun hadde forberedt både spørsmål og svar i lange tider. Navn og handlinger og årsaker hadde avløst hverandre i uendelige analyser, men fortsatt visste hun ikke mer enn året før. Det kunne være noe med penger. Kanskje var det noe med Internett. Kanskje var det et eksperiment. En eller annen forkvaklet forsker som ville måle hvor mye mennesket organisme og psyke var i stand til å tåle.

Men hun hadde ikke tenkt å la seg knekke av et slikt eksperiment. Det hadde hun ikke.

Da stemmen kom, var hun ikke forberedt. Ennå hadde ikke magesekken varslet sult. Hun var skrekkslagen, men denne gangen skyldtes det mer spenningsutløsningen enn sjokket over stillheten som plutselig ble brutt.

«Til lykke med dagen, Merete,» sa kvinnestemmen. «Gratulerer med dine treogtredve år. Vi ser at du er i fin form. Du har vært flink pike i år. Solen skinner.»

Solen! Åh, Gud, det ville hun ikke høre om.

«Har du tenkt over spørsmålet? Hvorfor holder vi deg i bur som et dyr? Hvorfor må du gjennomgå dette? Er du kommet frem til en løsning, Merete, eller blir vi nødt til å straffe deg igjen? Hva vil du ha? En bursdagsgave eller straff?»

«Gi meg en ledetråd,» ropte hun.

«Jeg er redd du ikke har forstått leken, Merete. Nei, du må finne det ut selv. Nå sender vi inn bøttene, så kan du tenke over hvorfor du er her imens. Vi har forresten lagt ved en liten gave til deg, som vi håper du vil få glede av. Du har ikke så mye tid på deg til å svare.»

Nå hørte hun tydelig mennesket bak stemmen for første gang. Det var ingen ung kvinne, langt ifra. Det lå en brytning i stemmen som vitnet om solid skolegang for ganske lenge siden. Et par a'er som ble for dype.

«Dette er ikke en lek,» protesterte hun. «Dere har bortført meg og sperret meg inne. Hva vil dere? Er det penger dere vil ha? Jeg kan jo ikke hjelpe dere med å få pengene ut av fondet så lenge jeg sitter her. Skjønner dere ikke det?»

«Hør nå her, dumme gås,» sa kvinnen. «Hvis dette hadde handlet om penger, så hadde vel det hele tatt et annet forløp, tror du ikke?»

Det hørtes en hvisling fra slusen, og den første bøtta kom inn. Hun dro den til seg mens hun vred hjernen for å komme på noe å si for å vinne mer tid.

«Jeg har aldri gjort noen så vondt at jeg fortjener dette, forstår dere det?»

Det hvislet i slusen igjen og den andre bøtta kom til syne.

«Nå nærmer du deg poenget, dumme gås. Jo visst fortjener du det!»

Hun ville protestere, men kvinnen stoppet henne. «Ikke si mer, Merete, du bare kludrer det enda mer til for deg selv. Ta en titt i bøtta i stedet og se om du blir glad for gaven din.»

Merete løftet forsiktig på lokket, som om hun ventet å se en kobraslange med utspilt nakkehud og dryppende giftkjertler, klar til å hugge. Men det hun så var enda verre.

Det var en lommelykt.

«God natt, Merete og sov godt. Nå øker vi trykket med enda en atmosfære inne hos deg. Så får vi se om det hjelper på hukommelsen.»

Først kom denne hvislingen fra slusen og duften utenfra. Parfyme og minner om sol.

Og så vendte mørket tilbake.

19

2007

KOPIMASKINEN FRA NES, eller Nasjonalt Etterforsk-ningssenter som Rikspolitiets nye reiseavdeling het, var splitter ny og bare til låns. Et sikkert tegn på at de ikke kjente Carl, for han ga aldri fra seg noe som helst når det først hadde kommet ned i kjelleren.

«Du kopierer opp alle sakspapirene, Assad,» sa han og pekte på maskinen. «Det spiller ingen rolle om det tar hele dagen. Og når du er ferdig, kjører du ut til Klinikk for Ryggmargs-skader og setter min gamle makker Hardy Henningsen inn i saken. Han kommer sikkert til å behandle deg som luft, men det skal du ikke bry deg om. Han har hukommelse som en elefant og ører som en flaggermus, så bare kjør på.»

Assad betraktet alle symbolene og tastene på monstrumet i kjellerkorridoren. «Hvordan gjør jeg med den her?» spurte han.

«Har du aldri kopiert før?»

«Ikke på en sånn med alle tegninger på, nei.»

Så hadde han hørt det også. Og dette var den samme mannen som hadde koblet opp TV'en hans på ti minutter?

«Herregud, Assad, du bare legger originalen her og trykker på knappen der.» Så langt virket han rimelig med.

BAKS MOBIL GA fra seg den vanlige smørja om at Bak dessverre ikke kunne ta telefonen på grunn av en mord-sak.

Den raffe sekretæren med de kryssende fortennene kunne

fortelle at han og en kollega var ute i Valby for å foreta en anholdelse.

«Gir du meg et pling når idioten dukker opp, Lis?» sa han, og halvannen time senere var det napp.

Bak og kollegaen var allerede i full sving inne på forhørsrommet da Carl braste inn. Mannen i håndjern var en helt vanlig fyr. Ung og sliten og gudsjammerlig snørrete. «Tørk nesa på mannen, da vel,» sa han og pekte på de grønne strimene som seg stadig lenger ned. Hadde det vært han som satt der, skulle ingen fått ham til å åpne munnen.

«Skjønner du ikke dansk, Carl?» Bak var rød i ansiktet denne gangen. Det var ikke hverdagskost. «Du må vente. Og så forstyrrer du ikke en kollega midt i et avhør en annen gang, forstår du det?»

«Fem minutter, så er du kvitt meg, det lover jeg.»

At Bak nå brukte én og en halv time på å fortelle Carl at han hadde kommet sent inn i Lynggaardsaken og ikke visste en dritt, var idiotens egen skyld. Hvorfor alt dette utenomsnakket?

Han fikk i hvert fall telefonnummeret til Karen Mortensen, Uffes pensjonerte saksbehandler fra Stevns. Pluss nummeret til overpolitiinspektør Claes Damsgaard som var med på å lede reiseteamets etterforskning den gangen. Nå befant han seg i Midt- og Vestsjællands politidistrikt, sa Bak. Hvorfor ikke bare si rett ut at fyren satt i Roskilde?

Den andre sjefen som hadde ledet etterforskningen, var for øvrig død. Bare to år etter oppnådd pensjonsalder. Slik var virkeligheten når det gjaldt antatt levealder for politifolk i Danmark.

Noe for Guinness rekordbok.

OVERPOLITIINSPEKTØR CLAES DAMSGAARD var av en helt annen støpning enn Bak. Vennlig, imøtekommende, interessert. Jo, han hadde hørt om Avdeling Q, og ja, han visste godt hvem Carl Mørck var. Var det ikke han som hadde løst saken om den druknede jenta på Femøren og dette stygge mordet ute i Nordvest-kvarteret, hvor en gammel kvinne var blitt hevet ut av vinduet? Jo da, han kjente Carl godt av omtale. Dyktige politifolks meritter fortjente å bli husket. Carl var hjertelig velkommen til Roskilde for å få en briefing. Lynggaardsaken var en trist affære, så hvis han kunne være til noen hjelp, måtte Carl bare si fra.

Fin type, rakk han å tenke før mannen la til at det måtte vente i tre uker fordi han og kona skulle på tur til Seychellene sammen med datteren og svigersønnen. Og det måtte gjøres nå, før øyene ble oversvømt av smeltevannet fra polområdene, lød det muntert i den andre enden.

«HVORDAN GÅR DET?» spurte Carl og så forskrekket på mengden av fotokopier som lå i en nydelig rekke langs veggen hele veien bort til trappen. Var det virkelig så mange dokumenter i den saken?

«Unnskyld at det tar så lange timer Carl, men disse ukebladene er helt jævlig.»

Han så på bunkene en gang til. «Kopierer du hele bladet?»

Assad la hodet på skakke som en hundehvalp som lurer på å stikke av. Herregud da mann.

«Hør nå her. Du kopierer bare de sidene som har med saken å gjøre. Jeg tror ikke Hardy er særlig interessert i hvilken prins som skjøt hvilken fasan på jakten i Smørumbavelse, for å si det sånn.»

«Som skjøt hvem?»

«Glem det, Assad. Bare hold deg til saken og glem de sidene som ikke er relevante. Dette går kjempebra.»

Han forlot Assad og den summende maskinen og ringte til den pensjonerte saksbehandleren i Stevns kommune som hadde hatt Uffe-saken. Kanskje hun hadde observert noe som kunne bringe dem videre.

Karen Mortensen hørtes hyggelig ut. Han kunne se henne for seg i gyngestolen med hekletøyet i fanget. Lyden av stemmen hennes ville gjøre seg perfekt sammen med tikkingen fra et bornholmerur. Det var nesten som å ringe hjem til familien i Brønderslev.

Men allerede etter den neste setningen visste han bedre. I ånden var hun fortsatt offentlig ansatt. En ulv i fåreklær.

«Jeg kan ikke uttale meg om Uffe Lynggaard-saken eller andre saker. De må henvende Dem til sosialkontoret i Store Heddinge.»

«Jeg har vært der. Hør nå her, Karen Mortensen, jeg prøver bare å finne ut hva som skjedde med Uffes søster.»

«Uffe ble renvasket fra alle anklager,» sa hun spisst.

«Ja, jeg vet det, og det var bra. Men Uffe vet kanskje noe som ikke er kommet frem.»

«Søsteren hans er jo død, så hva skal det tjene til? Uffe har aldri sagt et ord, så han kan ikke bidra med noe.»

«Hvis jeg dropper innom Dem som snarest, kunne jeg da få lov å stille Dem noen spørsmål?»

«Ikke hvis det handler om Uffe.»

«Dette skjønner jeg ikke. Når jeg snakker med folk som kjente Merete Lynggaard, har jeg ofte fått høre at hun snakket svært varmt om Dem. At hun og broren ville vært fortapt hvis det ikke hadde vært for Deres omsorgsfulle saksbehandling.» Hun ville si noe, men han lot henne ikke slippe til. «Hvorfor vil De ikke bidra til å verne om Merete Lynggaards omdømme nå da hun er forhindret fra det selv? De vet jo at det er en utbredt oppfatning at hun begikk selvmord. Men sett at det ikke var tilfelle?»

I den andre enden hørte han nå bare en dempet radio. Hun smattet nok fortsatt på ordene «snakket svært varmt om Dem». Litt av en munnfull å fordøye.

Det tok henne ti sekunder å svelge unna. «Så vidt jeg vet, fortalte ikke Merete Lynggaard noen om Uffe. Det var bare vi på sosialkontoret som kjente til ham,» kom det. Men hun hørtes deilig usikker ut.

«De har naturligvis rett, og slik burde det jo være. Men

de hadde familie også, ikke sant. På Jylland, riktignok, men de fantes.» Han tok en liten kunstpause for å tenke ut hvilke familiemedlemmer han skulle dikte opp for anledningen hvis hun begynte å grave i det. Men Karen Mortensen hadde allerede slukt åtet, kunne han merke.

«Var det De personlig som så til Uffe den gangen?» spurte han.

«Nei, det var vår sosialkurator. Men jeg var saksbehandler på saken opp gjennom årene.»

«Og hadde De inntrykk av at Uffe ble dårligere etter som tiden gikk?»

Hun nølte. Hun holdt på å gli bort igjen. Her gjaldt det å holde grepet.

«Ja, jeg spør fordi jeg synes han virker mulig å nå i dag, men kanskje jeg tar feil.»

Hun virket overrasket. «Så De har møtt Uffe?»

«Ja visst har jeg møtt ham. En meget sjarmerende ung mann. Man kan bli helt blendet av smilet hans. Vanskelig å begripe at det skulle være noe i veien med ham.»

«Ja, De er ikke den første som har sagt det. Men slik er det jo ofte med disse hjerneskadene. Merete skal ha stor ros for at han ikke forsvant helt inn i seg selv.»

«Det var fare for det, mener De?»

«Absolutt. Men det er riktig at han kan være svært levende i ansiktet, og nei – jeg synes ikke at han ble dårligere med årene.»

«Forsto han i det hele tatt hva som hadde skjedd med søsteren, tror De?»

«Nei, det tror jeg ikke.»

«Er ikke det ganske rart? Jeg mener, han kunne jo reagere når hun ikke kom hjem til vanlig tid. Gråte, mener jeg.»

«Hvis De spør meg, så kan han ikke ha sett henne falle i vannet. Det tror jeg ikke. Han ville ha blitt hysterisk, ja, han ville ha hoppet uti etter henne. Det er jeg sikker på. Og når det gjelder hans personlige reaksjon, så streifet han rundt i flere dager nede på Femern og hadde all verdens tid til å gråte og være forvirret. Da de fant ham, var bare de basale behovene tilbake. Han hadde tross alt gått ned tre-fire kilo i vekt og hadde sannsynligvis ikke smakt verken vått eller tørt etter at han forlot skipet.»

«Men kanskje han hadde kommet i skade for å dytte søsteren over bord og forsto at han hadde gjort noe galt?»

«Vet De hva! Jeg tenkte nok at De ville komme med det der.» Han hørte ulvinnen i den andre enden flekke tenner og skjønte at det var på tide å ro. «Men i stedet for å legge på røret som jeg kunne ha lyst til, skal jeg fortelle Dem en liten historie, så kan De tygge på den.»

Han klamret seg til røret.

«De vet at Uffe var vitne til at faren og moren mistet livet?» spurte hun.

«Ja.»

«Min overbevisning er at Uffe har vært i drift siden den gangen. Ingenting kunne erstatte båndet til foreldrene. Merete forsøkte, men hun var ikke faren og moren hans. Hun var storesøster og lekekamerat, og slik fortsatte det også. Når han gråt fordi hun ikke kom, var det ikke av utrygghet, men av skuffelse over å bli sviktet av en lekekamerat. Innerst inne er han fortsatt en liten gutt som venter på at faren og moren skal dukke opp. Merete hadde aldri den funksjonen, alle barn kommer over tapet av en lekekamerat før eller siden. Og nå kommer historien.»

«Jeg lytter.»

«Jeg var hjemme hos dem en dag. Stakk uanmeldt innom, noe som ikke skjedde til vanlig, jeg var tilfeldigvis i området og ville bare si hallo. Så jeg gikk opp innkjørselen og merket meg at Meretes bil ikke sto der. Hun kom imidlertid etter noen få minutter, hadde bare vært en snartur på butikken nede i krysset. Den var der fortsatt den gangen.»

«Nærbutikken i Magleby?»

«Ja. Og da jeg sto der i innkjørselen, hørte jeg en lav pludring bak hjørnet ved vinterhagen deres. Det hørtes ut som et barn, men det var det ikke. Jeg oppdaget ikke at det var Uffe før jeg sto rett foran ham. Han satt ved en liten sandhaug på terrassen og snakket med seg selv. Jeg skjønte ikke ordene, hvis det i det hele tatt var ord. Men jeg skjønte hva han holdt på med.»

«Så han Dem?»

«Ja, med én gang, men han rakk ikke å skjule det han hadde laget.»

«Og det var?»

«Det var en stripe han hadde tegnet gjennom sanden, og på hver side hadde han lagt små kvister, og midt oppe i det hele hadde han plassert en trekloss på hodet.»

«Ja vel?»

«De forstår ikke hva han holdt på med?»

«Jeg prøver.»

«Sanden og kvistene var veien og trærne. Treklossen var far og mors bil. Uffe hadde rekonstruert ulykken.»

Det var som faen. «Jaha. Og han ville ikke at De skulle se det?»

«Han ødela det hele med en eneste håndbevegelse. Det var det som overbeviste meg.»

«Om hva?»

«At Uffe husker.»

Det ble taust mellom dem et øyeblikk. Radioen i bakgrunnen hørtes plutselig ut som om den sto på full styrke.

«Fortalte De det til Merete Lynggaard da hun kom tilbake?» spurte han.

«Ja, men hun mente at det var en overfortolkning. At han rett som det var satt og lekte med ting som tilfeldigvis lå foran ham. At jeg hadde skremt ham, og at det var derfor han hadde reagert som han gjorde.»

«De forklarte henne følelsen De fikk av at han følte seg gjennomskuet?»

«Ja, men hun mente bare at han hadde blitt forskrekket.»

«Men det tror ikke De?»

«Han ble jo det også, naturligvis, men det var ikke alt.»

«Så Uffe forstår mer enn vi tror?»

«Det vet jeg ikke. Jeg vet bare at han husker ulykken. Kanskje er det også det eneste han faktisk husker. Det er ikke sikkert han husker noe fra den gangen søsteren forsvant. Det er ikke sikkert han husker søsteren engang lenger.»

«Ble ikke det testet i forbindelse med at Merete forsvant?»

«Det er ikke så enkelt med Uffe. Jeg forsøkte å hjelpe politiet litt med å åpne ham opp da han satt i varetekt. Jeg ville ha ham til å huske hva som hadde skjedd på fergen. Vi hadde stiftet opp fotografier av soldekket på veggen og plassert to små menneskefigurer og en liten modell av fergen sammen med en vannbalje på bordet i håp om at han ville leke med det. Jeg satt og observerte ham i skjul sammen med en av psykologene, men han lekte ikke med tingene.»

«Han husket det ikke selv om det bare var noen dager etterpå?»

«Jeg vet ikke.»

«Det ville være interessant for meg hvis det gikk an å finne en tunnel inn til Uffes hukommelse. Hver minste ting som kan hjelpe meg til å forstå hva som skjedde på fergen, slik at jeg har noe å gå videre med.»

«Ja, det forstår jeg.»

«Fortalte De politiet om episoden med treklossen?»

«Ja, jeg fortalte det til en fra reiseteamet. En Børge Bak.»

Het Bak virkelig Børge til fornavn? Det forklarte jo en del.

«Jeg kjenner godt til ham. Jeg kan ikke huske å ha sett det i rapporten hans. Har De noen forklaring på det?»

«Jeg vet ikke. Men det ble ikke noe mer snakk om det. Det står kanskje i rapporten som psykologene og psykiaterne utarbeidet, men den har jeg ikke lest.»

«Den befinner seg vel på Egely der Uffe er innlagt, kan jeg tenke meg.»

«Det gjør den sikkert, men jeg tror ikke den gir så mye

nytt når det gjelder bildet av Uffe. De fleste mente som jeg, at det som utløste adferden med treklossen, kunne være noe som opptrådte i glimt. At Uffe i bunn og grunn ikke husket, og at vi ikke kom videre i Merete Lynggaard-saken ved å konsentrere oss om ham.»

«Og så slapp de ham fri fra varetekten?»

«Ja, så slapp de ham fri.»

20

2007

«JEG VET SANNELIG ikke hva vi skal gjøre, Marcus.» Nest-kommanderende så på ham som om han nettopp hadde fått høre at huset hans var brent ned.

«Og du er sikker på at journalistene ikke heller vil snakke med meg eller informasjonssjefen?» spurte drapssjefen.

«De ba uttrykkelig om å få intervjue Carl. De hadde snak-ket med Piv Vestergård, og hun henviste til ham.»

«Hvorfor sa du ikke at han var syk eller bortreist eller ikke ville? Bare hva som helst! Vi kan jo ikke sende ham ut til ulvene. Repor-terne fra Danmarks Radio kommer til å herje rundt med ham.»

«Jeg vet det.»

«Vi må få ham til å si nei, Lars.»

«Den oppgaven tror jeg du egner deg bedre til enn meg.»

DET GIKK TI minutter, så sto Carl Mørck og skulte i dør-åpningen.

«Nå Carl,» sa drapssjefen. «Går det fremover?»

Han trakk på skuldrene. «Bak vet ikke en dritt om Lyng-gaardsaken, bare så det er sagt.»

«Jaså. Det høres merkelig ut. Men det gjør du?»

Carl trampet inn og hev seg ned på en stol. «Ikke vent deg mirakler.»

«Så du har ikke så mye nytt å fortelle om saken?»

«Ikke ennå.»

«Kan jeg da si til TV-avisen at det er for tidlig å intervjue deg?»

«Jeg skal for faen ikke intervjues i TV-avisen.»

Marcus kjente en usigelig lettelse bre seg helt ut i det kanskje noe overdrevne smilet. «Det skjønner jeg, Carl. Når du står midt oppe i etterforskningen, er det godt å slippe. Vi andre med aktuelle saker må jo stille opp av hensyn til offentligheten, men med så gamle saker som du har, bør du sannelig få lov til å arbeide i fred og ro. Jeg skal formidle det videre, Carl. Det er helt greit.»

«Sørger du for at jeg får kopi av ansettelsespapirene til Assad ned til meg?»

Så han skulle være sekretær for sine underordnede også, nå? «Selvfølgelig, Carl,» sa han. «Jeg skal be Lars ta seg av det. Er du fornøyd med mannen?»

«Det vil vise seg. Men så langt, ja.»

«Og du involverer ham ikke i etterforskningen, går jeg ut fra?»

«Det kan du vel gå ut fra.» Svaret var fulgt av et av Carls sjeldne smil.

«Bruker du ham eller bruker du ham ikke?»

«Hør her, akkurat nå er Assad oppe i Hornbæk og setter Hardy inn i noe materiale som han har kopiert opp. Det har du vel ikke noe imot? Du vet jo at Hardy av og til kan tenke fletta av oss andre. Så har han noe å korte tiden med også.»

«Ja, ja, det må vel være greit.» Håpet han i hvert fall. «Og Hardy?»

Carl trakk på skuldrene.

Marcus sukket, det var vel som en kunne vente. Sørgelig.

De nikket til hverandre. Seansen var over.

«Forresten,» sa Carl da han sto i døren. «Når du lar deg intervjue i TV-avisen i stedet for meg, så ikke si noe om at vi bare er halvannen mann på avdelingen. Assad bli bare lei seg hvis han ser det. Ja, for ikke å snakke om dem som bevilget pengene.»

Han hadde rett. Faen til ordning de hadde rotet seg inn i.

«Jo, og så var det en ting til, Marcus.»

Sjefen hevet brynene og gransket det spissfindige fjeset til Carl. Hva pønsket han på nå?

«Når du ser hun krisepsykologen igjen, så si at Carl Mørck har behov for hennes tjenester.»

Marcus så på sitt enfant terrible. Han så ikke ut som en som holdt på å knekke sammen, akkurat. Smilet i fjeset hans passet ikke sammen med det alvorlige temaet.

«Jeg plages med tanker om Ankers død. Kanskje det skyldes at jeg ser Hardy til stadighet. Hun må fortelle meg hva jeg skal gjøre.»

21

2007

NESTE DAG SKVALDRET alle til Carl om fjernsynsintervjuet med drapssjef Marcus Jacobsen. Folk han satt på S-toget sammen med, kolleger fra beredskapsavdelingen og alle i tredje som i det hele tatt nedlot seg til å snakke med ham. Alle hadde sett det. Det eneste unntaket var Carl.

«Gratulerer,» ropte en av sekretærene tvers over Polititorget, mens andre snek seg i buer utenom. Det hele var ganske merkelig.

Da han stakk hodet inn i Assads skoeske av et kontor, ble han straks møtt av et overstrømmende smil. Assad var også fullt orientert, med andre ord.

«Er du veldig glad nå?» spurte Assad og nikket allerede på Carls vegne.

«Glad for hva?»

«Oi! Marcus Jacobsen snakket så pent om avdelingen vår og om deg. Bare fineste ord hele veien, det er helt sant. Vi kan være veldig stolt, begge to, sa kona mi også.» Han blunket til ham. En irriterende vane. «Og så blir du politikommissær.»

«Hva?»

«Hvis du ikke tror, du kan bare spørre fru Sørensen. Hun har papirer, jeg skulle huske å si.»

Den kraftanstrengelsen kunne han ha spart seg, for furien kom allerede klakkende gjennom gangen i egen person.

«Gratulerer,» presset hun utav seg og smilte søtt til Assad. «Her er papirene du skal fylle ut. Kurset starter på mandag.»

«Deilig kvinne,» sa Assad, da hun duvet målrettet tilbake samme vei hun hadde kommet. «Hva slags kurs hun snakket om, Carl?»

Han sukket. «Du blir ikke kommissær uten å ha slitt skolebenken først, Assad.»

Assistenten skjøv underleppen frem. «Du skal bort herfra?»

Carl ristet på hodet. «Jeg skal ikke bort fra noe som helst, det kan du skrive opp.»

«Jeg skjønner ikke.»

«Du vil skjønne etter hvert. Fortell meg heller hvordan det gikk hos Hardy i går.»

Øynene hans ble overraskende kulerunde. «Jeg likte ikke noe særlig. Den lange mannen under dyna som lå stille. Bare ansiktet stakk ut så jeg kan se det.»

«Fikk du snakket med ham?»

Han nikket. «Det var ikke lett, for han bare sa at jeg skal gå. Og så kom det en sykepleier og ville kaste meg ut. Men det var okay. Hun var veldig pen på sin måte.» Han smilte. «Hun merket det på meg, jeg tror, så hun bare gikk igjen.»

Carl så tomt på ham. Noen ganger kunne drømmen om å flykte til Timbuktu maktstjele ham fullstendig.

«Hardy! Jeg spurte om Hardy, Assad! Hva sa han? Leste du opp noen av kopiene dine for ham?»

«Ja. I to og en halv time, men da han sovnet helt.»

«Og så?»

«Ja, han sov.»

Carl sendte beskjed fra hjernen til hendene om at det fortsatt ikke var tillatt å ta kvelertak på folk.

Assad smilte. «Men jeg skal dra tilbake en annen dag. Sykepleieren sa veldig pent adjø til meg.»

Carl svelget. «Siden du har sånt drag på alle hurpene, kan du få gå opp og smøre sekretærene en gang til.»

Assad strålte som en sol. Det var noe annet enn å gå rundt her nede med grønne gummihansker, lyste det ut av ham.

Carl satt et øyeblikk og så ut i luften. Hele tiden poppet

telefonsamtalen med Karen Mortensen, saksbehandleren fra Stevns, opp i bakhodet. Fantes det en tunnel inn i Uffes sinn? Var det mulig å åpne den? Lå forklaringen på Merete Lynggaards forsvinning og ruget et sted der inne i mørket, bare han trykket på den riktige knappen? Og kunne han bruke bilulykken til å finne denne knappen? Spørsmålene ble bare mer og mer presserende.

Han stoppet assistenten på vei ut døren. «Én ting til, Assad. Skaff meg alle opplysninger om bilulykken som tok livet av foreldrene til Merete og Uffe. Alt. Rubb og stubb. Bilder, utrykningsenhetens rapport, avisutklipp. Få sekretærene til å hjelpe deg. Jeg trenger det i en viss fart.»

«Viss fart?»

«Det betyr fort, Assad. Det er en mann ved navn Uffe som jeg godt kunne tenke meg å prate litt med om den ulykken.»

«Prate med?» mumlet Assad og så tankefull ut.

HAN HADDE EN avtale i lunsjen som han mer enn gjerne skulle ha droppet. Vigga hadde vært på ham hele kvelden før for å få ham til å komme og se på dette fenomenet av et galleri. Det lå i Nansens gate, ikke det verste stedet i og for seg, men så kostet det også det hvite ut av øyet. Carl kunne se for seg mer oppløftende scenarier enn å skulle vrenge lommene for at en klattmaler ved navn Hugin skulle få stille ut ved siden av hulemaleriene til Vigga.

På vei ut av Politihuset sprang han på Marcus Jacobsen i forhallen. Han gikk med faste skritt og blikket stivt festet på det svastikamønstrede terrazzogulvet. Han var fullstendig klar over at Carl hadde fått øye på ham. Ingen på Politihuset var så observant som Marcus Jacobsen; man kunne ikke se det på ham, men slik var det. Han var ikke sjefen deres for ingenting.

«Jeg hører du har rost meg, Marcus. Hvor mange saker var det du fortalte journalisten at Avdeling Q allerede hadde tatt opp igjen? Og en av disse sakene står til og med foran et gjennombrudd, sier du. Du aner ikke hvor glad jeg er for å høre det. Det er kjempenyheter!»

Drapssjefen så ham rett inn i øynene. Det var den typen blikk som var egnet til å avtvinge respekt. Han var fullstendig klar over at han hadde smurt for tykt på. Og han var klar over grunnen også. Og nå kommuniserte han den videre med et eneste blikk: Korpset fremfor alt. Pengene var middelet. Målet skulle nok drapssjefen selv definere.

«Vel,» sa Carl, «jeg får komme meg videre hvis jeg skal rekke å oppklare et par saker til før lunsj.»

Da han nådde utgangsdøren, snudde han seg. «Marcus, hvor mange lønnstrinn var det jeg skulle gå opp?» ropte han. Drapssjefen dukket inn bak bronsestolene langs veggen. «Og Marcus, fikk du pratet med hun derre krisepsykologen?»

Han gikk ut i lyset og sto et øyeblikk og myste mot solen. Ingen skulle diktere ham hvor mye salat som skulle klaskes på paradeuniformen hans. Kjente han Vigga rett, så visste hun allerede at han kom til å avansere, og da var den lønnsforhøyelsen spist opp. Hvem faen gadd å gå på kurs for det?

BUTIKKLOKALET HUN HADDE sett seg ut, var en tidligere trikotasjeforretning som i tur og orden hadde huset et forlag, kontorer, kunstimport og en cd-forretning i årenes løp. Opalglasstaket var det eneste som var igjen av det opprinnelige interiøret. Rommet var neppe på mer enn femogtredve kvadratmeter, men sjarmerende til tusen, det kunne Carl også se. Store vinduer mot passasjen ned til Sjøene, utsikt til pizzeria, bakgårdsutsikt med grønne innslag og nesten nabo med Bankerott, hvor Merete Lynggaard hadde vært bare noen dager før hun døde. Ingen dårlig beliggenhet denne Nansens gate med alle kafeene og de små hyggelige etablissementene. Rene pariseridyllen.

Han snudde seg og så i det samme Vigga og typen hennes gå forbi vinduet til bakeren. Hun inntok gaten like selvfølgelig og prangende som en matador i en tyrefekterarena.

Kunstnergevantene hennes talte alle palettens farger. Morsom og fargerik hadde hun alltid vært, Vigga. Det samme kunne man ikke si om den sykelig utseende fyren som tuslet i hælene på henne. Med de trange, svarte klærne, den likbleke ansiktshuden og de mørke posene under øynene så han ut som noe som hadde kommet opp av blykistene i en Draculafilm.

«Hallooo,» ropte hun da hun krysset Ahlefeldts gate.

Dette kom ikke til å bli billig.

DA DET MAGRE gjenferdet var ferdig med å måle opp hele herligheten, hadde Vigga mørnet Carl. Han skulle bare betale to tredjedeler av husleien, resten skulle hun hoste opp selv.

Hun slo ut med armene. «Vi kommer til å skuffe inn penger, Carl.»

Ja, eller skuffe ut, tenkte han og kom til, etter en rask hoderegning, at det for hans del handlet om to tusen seks hundre kroner måneden. Kanskje han måtte ta det elendige politikommissærkurset likevel.

De satte seg på Café Bankerott for å kikke gjennom kontrakten, og Carl så seg rundt. Her hadde Merete Lynggaard vært. Og mindre enn fjorten dager etter var hun forsvunnet fra jordens overflate.

«Hvem er det som eier dette stedet?» spurte han en av jentene i baren.

«Det er Jean-Yves, som sitter der borte.» Hun pekte på en fyr som så helt vanlig ut. Ikke noe maniert og frankofilt over ham i det hele tatt.

Carl reiste seg og tok frem politiskiltet. «Kan jeg få spørre hvor lenge du har eid denne fine restauranten?» spurte han og viste frem skiltet. Å dømme etter fyrens imøtekommende smil, kunne han like godt latt det være, men skiltet hadde jo godt av å komme opp av møllposen en gang iblant.

«Jeg overtok her i 2002.»

«Kan du huske når på året?»

«Hva dreier dette seg om?»

«Om en folketingspolitiker, Merete Lynggaard. Du husker at hun forsvant?»

Mannen nikket.

«Hun var her inne. Ikke lenge før hun døde. Var du her da?»

Han ristet på hodet. «Jeg overtok restauranten fra en venn av meg første mars 2002, men jeg husker godt at han ble spurt om noen her inne kunne huske hvem hun hadde vært sammen med. Men det var det ingen som kunne.» Han smilte. «Kanskje jeg hadde kunnet hvis jeg hadde vært her.»

Carl smilte tilbake. Ja, kanskje. Han virket oppegående nok. «Men du kom en måned for sent. Sånn går det av og til her i verden.» Carl rakte ham hånden.

I mellomtiden hadde Vigga skrevet under på alt som lå foran henne. Hun hadde aldri vært særlig knipsk med underskriftene sine.

«La meg bare ta en rask kikk,» sa han og dro papirene ut av hendene på Hugin.

Han la demonstrativt standardkontrakten med mylderet av bitte små ord på bordet foran seg, og øynene gled umiddelbart ut av fokus. Alle disse menneskene som vandrer rundt uten å vite hva som venter dem, tenkte han. Her i dette lokalet satt Merete Lynggaard og hygget seg og kikket ut av vinduet en kald februarkveld i 2002.

Hadde hun ventet seg noe annet av livet, eller kunne det tenkes at hun allerede da ante at hun få dager etter ville synke ned gjennom Østersjøens råkalde vann?

DA HAN KOM tilbake, hadde Assad fortsatt hendene fulle oppe hos sekretærene, og det passet Carl fint. Sinnsbevegelsen ved å møte Vigga og det omvandrende spøkelset hennes hadde tappet ham for all energi. Bare en rask liten kur med bena på bordet og tankene langt inne i drømmeland kunne få ham på fote igjen.

Han hadde kanskje sittet slik en ti minutters tid da den

meditative tilstanden ble avbrutt av en følelse som alle politi-etterforskere kjenner, og som kvinnene kaller for intuisjon. Det var erfaringens uro som boblet ned i underbevisstheten. Følelsen av at en rekke konkrete handlinger uvegerlig ville føre frem til en gitt fasit.

Han åpnet øynene og så opp på lappene som han hadde festet på whiteboardet sitt med en magnet.

Han reiste seg og strøk ut «Saksbehandler på Stevns» fra den ene lappen, slik at det under overskriften «Sjekke» nå sto: «Telegrammet – sekretærene på Christiansborg – vitner på fergen Schleswig-Holstein».

Kanskje hang telegrammet til Merete Lynggaard likevel sammen med sekretæren hennes på en eller annen måte? Hvem hadde for eksempel tatt imot valentintelegrammet på Christiansborg? Hvordan kunne han være så sikker på at det var Merete Lynggaard selv? Den gangen var det vel knapt noen folketingspolitiker som hadde det så travelt som henne. Så all sunn fornuft tilsa at telegrammet på ett eller annet tidspunkt måtte ha vært innom sekretæren. Ikke for at han mistenkte sekretæren til en politisk nestleder i en folketingsgruppe for å snoke i sjefens privatliv, men likevel?

Det var dette likevel som hadde forstyrret ham.

«I dag vi har fått svar fra TelegramsOnline, Carl,» sa Assad fra døråpningen.

Carl så opp.

«De kunne ikke si hva står i telegrammet, men de har registrert hvem som sender det. Det var et ganske morsomt navn.» Han så på lappen. «Tage Baggesen het han. Jeg fikk telefonnummer som han bestilte telegrammet fra. De sa det er fra inne i Folketinget. Jeg ville bare si fra det.» Han ga Carl lappen og var allerede på vei ut av døren. «Vi holder på og undersøker bilulykken. De venter på meg der oppe.»

Carl nikket. Så tok han telefonen og slo nummeret til Folketinget. Stemmen som svarte, tilhørte en sekretær i Radikalt Sentrums gruppesekretariat.

Hun var vennlig, men måtte bare beklage at Tage Baggesen var reist til Færøyene over helgen. Kunne hun overbringe en beskjed?

«Det er ikke så farlig,» sa Carl. «Jeg ringer ham igjen på mandag.»

«Da må jeg dessverre si at Baggesen er svært opptatt på mandag. Bare så De er klar over det.»

Carl ba henne sette ham over til Demokratenes gruppesekretariat.

DENNE GANGEN VAR det en helt annerledes og mye langsommere sekretær som tok telefonen. Hun kunne ikke si det sikkert, men lurte på om det ikke var en Søs Norup som hadde vært sekretær for Merete Lynggaard den siste tiden.

Det kunne han bekrefte.

Vel, det var ingen der som husket henne spesielt godt, hun hadde bare vært der en kort periode, men en av de andre sekretærene i rommet skjøt inn at Søs Norup visstnok hadde kommet fra Danmarks Jurist- og Økonomforbund, og antagelig gått tilbake dit etter at hun avslo å fortsette som sekretær for Merete Lynggaards etterfølger. «Hun var et gnagsår,» hørte han plutselig en av de andre si i bakgrunnen, og det hjalp tydeligvis på de andres hukommelse også.

Ja, tenkte Carl fornøyd. Det er de urokkelige, solide drittsekkene som oss som blir husket best.

Så ringte han til Danmarks Jurist- og Økonomforbund, og jo da – alle der kjente godt Søs Norup. Og nei, hun hadde ikke kommet tilbake til dem. Hun var bare forsvunnet stille og rolig i det blå.

Han la på røret og ristet på hodet. Plutselig sto han uten faste holdepunkter i noen som helst retning. Han kunne styre seg for å begynne å støve rundt etter en sekretær som kanskje kunne huske noe om et telegram, som kanskje kunne peke mot en bestemt person som kanskje hadde sittet sammen med Merete Lynggaard og kanskje kunne si noe mer om hvilken sinnstilstand hun kanskje hadde befunnet seg i for fem år siden. Nei, heller gå opp og se etter hvor langt Assad hadde kommet med deres egne sekretærer og den elendige trafikkulykken.

HAN FANT DEM oppe på et av sidekontorene med fakser og fotokopier og alle mulige slags dokumenter og lapper på bordet foran seg. Det var som om Assad hadde opprettet et valgkontor for en presidentkampanje der inne. Tre sekretærer satt og kvitret mens Assad skjenket te og nikket overstrømmende hver gang samtalen beveget seg et lite skritt videre. En imponerende innsats.

Carl knakket forsiktig i dørkarmen.

«Jøss, det virker som dere har stampet opp en imponerende mengde materiale til oss her.» Han pekte på papirene og følte seg som den usynlige mann.

Bare fru Sørensen verdiget ham et kort blikk, og det kunne han fint ha klart seg uten.

Han rygget ut på gangen og følte for første gang siden skoledagene et streif av sjalusi.

«Carl Mørck?» lød en stemme bak ham som rev ham ut av nederlagets klamme grep og inn på seiersporet igjen. «Marcus Jacobsen sa at du ville snakke med meg. Skal vi finne en tid?»

Han snudde seg og så rett inn i øynene på Mona Ibsen. Finne en tid?

Ja, for faen!

22

2003–2005

DA DE SLUKKET lyset og økte lufttrykket på treogtredve-
årsdagen hennes, sov Merete et helt døgn etterpå. Erkjennel-
sen av at alt ble styrt for henne og at hun tilsynelatende var
på vei mot avgrunnen, slo henne ut. Først dagen etter da mat-
spannet igjen rumlet ut av slusen, åpnet hun øynene og for-
søkte å orientere seg.

Hun så opp mot koøyene, hvor et nesten usynlig lysskjær
presset på. Altså var det lys i rommet utenfor. Det ga ikke mer
effekt enn en enkelt fyrstikk, men det var nå der. Hun reiste
seg på kne og forsøkte å lokalisere kilden, men alt bak rutene
var diffust. Så vred hun kroppen og så seg om i cellen. Det
var ingen tvil om at det var så mye lys her at hun i løpet av
noen dager ville kunne venne seg til det og skjelne detaljene
i rommet.

Et øyeblikk gledet hun seg, men tok seg i det. Hvor svakt
lyset enn var, så var det fortsatt fullt mulig å slukke det.

Det var ikke hun som bestemte over lysbryteren.

Da hun ville reise seg, støtte hånden hennes mot det lille
metallrøret som lå på gulvet ved siden av henne. Det var
lommelykten de hadde latt henne få. Hun klemte hardt rundt
den mens hun forsøkte å få tingene til å henge sammen inne
i hodet. Lommelykten betydde at de på et eller annet tids-
punkt ville slukke det lille lyset som sivet inn. Hvorfor skulle
de ellers gi henne en lommelykt?

Hun tenkte et øyeblikk på å tenne den, bare fordi det var
mulig. Å ta en selvstendig avgjørelse var noe hun ikke hadde

kunnet gjøre på lang tid, så fristelsen var der. Men likevel gjorde hun det ikke.

Du har øynene dine, la dem få jobbe, Merete, formante hun seg selv og la lommelykten ved siden av dobøtta under vinduene. Tente hun den, måtte hun belage seg på et langvarig mørke når hun slukket den igjen.

Det ville være som å drikke saltvann for å slukke tørsten.

PÅ TROSS AV de dystre antagelsene, ble det svake lyset værende som det var. Hun kunne ane omrisset av rommet og kroppen som langsomt visnet og forfalt, og denne tilstanden som kunne minne om et vintersvart tussmørke, varte ved i nesten femten måneder før alt igjen ble radikalt forandret.

Det skjedde den dagen hun for første gang oppdaget skygger bak speilglassrutene.

Hun hadde ligget og tenkt på bøker. Det gjorde hun ofte for å slippe å tenke på det livet hun kunne ha hatt hvis hun bare hadde truffet noen andre valg. Når hun tenkte på bøker, kunne hun bevege seg inn i en helt annen verden. Bare følelsen av papirets tørrhet og uforklarlige grovhet kunne tenne en brann av lengsel i henne. Duften av fordampet cellulose og trykksverte. Og for tusende gang hadde hun sendt tanken inn i det imaginære biblioteket sitt for å peke ut den eneste av alle bøkene i verden som hun med hundre prosent sikkerhet kunne memorere uten å dikte videre på den. Ikke den hun ønsket å huske, ikke den som hadde gjort størst inntrykk på henne. Men den eneste boken som gjennom dyrebare minner om befriende latterutbrudd hadde festet seg i den plagede hukommelsen hennes.

Moren hadde lest den for henne, og Merete hadde lest den for Uffe, og nå satt hun der i mørket og anstrengte seg for å lese den for seg selv. En liten, filosofisk bjørn som het Ole Brumm var hennes redningsplanke, hennes vern mot galskap. Han og alle dyrene i Hundremeterskogen. Og hun var langt borte i honninglandet da en mørk kontur plutselig materialiserte seg over den grå glassflaten.

Hun sperret opp øynene og trakk pusten dypt ned i lungene. Denne flimringen var ingen innbilning. For første gang på lang tid kjente hun at hun kulset over hele kroppen. I skolegården, i trange, kveldsstille smug i ukjente byer, de første dagene i Folketinget – på slike steder hadde hun opplevd denne klamheten før. Og det var alltid tilstedeværelsen av et annet menneske med onde motiver som lurte i skyggene, som utløste den.

Den skyggen vil meg vondt, tenkte hun og slo armene rundt seg selv mens hun stirret på den mørke flaten som langsomt ble større og større på den ene ruten og til slutt sto stille. Den la seg rett over kanten på glasset, som om mennesket den tilhørte satt på en høy stol.

Kan de se meg, tenkte hun og stirret på endeveggen bak seg. Jo, den hvite veggflaten sto tydelig for henne, så tydelig at den også måtte være synlig utenfra, selv for dem som var vant til å ferdes i lyset. Da kunne de se henne også.

Det var bare et par timer siden hun hadde fått matspannet sendt inn. Hun kjente kroppens rytmer. Alt foregikk fullstendig regelmessig, dag etter dag. Det var mange, mange timer til neste forsyning gjennom slusen. Så hvorfor var de der ute nå? Hva ville de?

Hun reiste seg langsomt og gled frem mot speilglasset, men skyggen der inne rikket seg ikke.

Så la hun hånden på ruten over den mørke skyggen og sto og ventet mens hun betraktet sitt eget utviskede speilbilde. Og slik sto hun til hun var sikker på at hun så syner. Skygge eller ikke. Det kunne være hva som helst. Hvorfor skulle det stå noen bak rutene, det hadde jo aldri hendt før?

«Dra til helvete!» ropte hun, og ekkoene rev i kroppen som elektriske støt.

Da skjedde det. Bak glasset beveget skyggen seg helt tydelig. Baklengs og litt på skrå ut mot siden. Jo lenger bort den kom, desto mindre og mer utydelig ble den.

«Jeg vet at dere er der!» ropte hun og kjente hvordan den klamme huden ble kjølt ned på et blunk. Leppene og ansiktshuden hennes sitret. «Hold dere unna!» hveste hun mot ruten.

Men skyggen ble hvor den var.

Så satte hun seg på gulvet med ansiktet i hendene. Klærne luktet muggent og stramt. Nå hadde hun hatt på seg den samme blusen i tre år.

DET GRÅ LYSET var der hele tiden, dag og natt, men det var bedre enn både totalt mørke og evig lys. Det lå en valgmulighet i denne grå intetheten. Hun kunne se bort fra lyset eller hun kunne se bort fra mørket. Nå lukket hun ikke øynene for å kunne konsentrere seg, men lot hjernen selv bestemme hvilken sinnstilstand hun ville hvile i.

Og i dette grå lyset lå alle nyansene. Nesten som verden utenfor, hvor dagen kunne være vinterlys, februardunkel, oktobergrå, regntung, lystindrende i tusen ulike fargevariasjoner. Her inne besto paletten bare av svart og hvitt, og hun blandet dem alt etter humør og sinnsstemning. Så lenge dette grå lyset var lerretet hennes, lå mulighetene åpne.

Og Uffe, Ole Brumm og Don Quijote, Kameliadamen og frøken Smilla stormet gjennom hodet hennes og la et slør over timeglasset og skyggebildene på rutene. Det gjorde det så mye lettere å vente på neste utspill fra vokterne. De ville komme uansett. Samme hva.

Og skyggen bak speilglassrutene ble til en daglig begivenhet. En god stund etter at hun hadde spist, dukket konturen frem på et av vinduene. Det slo aldri feil. Liten og noe uklar de første ukene, men større og skarpere etter hvert. Den kom nærmere.

Utenfra kunne man se henne ganske tydelig, det visste hun. En dag ville de sette lyskastere på henne og forlange at hun skulle gjøre ting. Man kunne lure på hva dyrene bak vinduene ville oppnå med det, men det interesserte henne ikke.

NOEN DAGER FØR hun fylte femogtredve dukket det plutselig opp en skygge til på glasset. Den var litt større, og ikke så skarp, og raget en del høyere enn den andre.

Det står et annet menneske bak det første, tenkte hun og følte angsten i en konkret og fornyet erkjennelse av at hun var i mindretall, og at overmakten der ute nå hadde manifestert seg.

Det tok litt tid å venne seg til denne nye situasjonen, men etter et par dager bestemte hun seg for å utfordre fangevokterne.

Hun hadde lagt seg under vinduene for å vente på skyggene. Her kunne de ikke se henne. De kom for å glo på henne, men hun nektet dem å få det som de ville. Hvor lenge de ville vente på at hun skulle komme ut av hiet, visste hun ikke. Det var dette utfordringen besto i.

Da trangen til å tisse meldte seg for andre gang denne dagen, reiste hun seg og så rett inn i speilglasset. Som alltid glitret det litt fra det dempede lyset der ute, men skyggene var vekk.

Dette gjentok hun tre dager i trekk. Hvis de vil se meg, kan de fortelle meg det med rene ord, tenkte hun.

Den fjerde dagen gjorde hun seg klar. La seg under vinduene og memorerte tålmodig bøkene mens hun knuget lommelykten i hånden. Hun hadde testet den natten før, og lyset hadde veltet inn i rommet og gjort henne susete. Hodepinen kom momentant. Lysets makt var overveldende.

Da tiden hvor skyggene normalt pleide å vise seg, var inne, strakte hun hodet litt ut i rommet for å kunne se opp på glasset. Som to soppskyer sto de der plutselig i det ene koøyet, begge to tettere inntil enn noen gang. De oppdaget henne med en gang, for de skvatt litt tilbake, før de langsomt kom glidende frem igjen.

Plutselig spratt hun opp og tente lommelykten og satte den helt inntil glasset.

Refleksene rikosjetterte over kortveggen i bakgrunnen, men litt av lyset trengte gjennom speilglasset og la seg forræderisk som måneskinn over silhuettene like bak glasset, og pupillene som så direkte på henne, trakk seg sammen og utvidet seg igjen. Hun hadde forberedt seg på energiutladningen hun ville få hvis planen lyktes, men hun hadde aldri forestilt seg hvilket enormt inntrykk synet av de to slørete ansiktene bak glasset gjorde på henne.

23

2007

HAN HADDE FÅTT avtalt to møter på Christiansborg og ble mottatt av en skranglete kvinne som førte ham gjennom virvaret av ganger og trapper opp til Demokratenes nestleders kontor med en hjemmevanthet som om hun var født og oppvokst her.

Birger Larsen var en erfaren politiker som hadde erstattet Merete Lynggaard i nestledervervet tre dager etter at hun forsvant, og siden da hadde han markert seg som en samlende skikkelse i forhold til de to stridende fløyene i partiet. Merete Lynggaards forsvinningsnummer hadde etterlatt et følbart tomrom i partiet. Den gamle lederen hadde nærmest i blinde utpekt sin nye arvtager, en storsmilende kvinnelig varmlufts-ballong som til å begynne med ble parlamentarisk leder, og ingen, med unntak av den utpekte selv, var særlig henrykt over utnevnelsen. Det gikk ikke to sekunder før Carl ante at Birger Larsen heller ville ta imot selv et beskjedent bein i provinsen enn å måtte jobbe under dette juletreet av et statsminister-emne.

Den tiden kom nok da beslutningen ikke lenger var opp til ham selv.

«Den dag i dag kan jeg ikke få inn i hodet at Merete Lynggaard skulle ha begått selvmord,» sa han og skjenket Carl en kopp lunken kaffe av den typen hvor det ikke gjør noe om man har tommelen nede i koppen.

«Jeg tror ikke jeg har truffet noen her inne som var like vital og livsglad som henne.» Han trakk på skuldrene. «Men når alt kommer til alt – hva vet vi om våre medmennesker? Har ikke de fleste av oss opplevd menneskelige tragedier i våre nære omgivelser som vi ikke så komme før det var for sent?»

Carl nikket. «Hadde hun fiender her på Borgen?»

Birger Larsen mønstret en rad høyst uregelmessige tenner i et slags smil. «Vel, hvem har ikke det? Merete var den farligste kvinnen her inne for regjeringens fremtid, for Piv Vestergårds innflytelse, for Radikalt Sentrums mulighet til å få statsministeren, ja, for enhver som drømte om den posisjonen som Merete garantert ville ha havnet i hvis hun hadde fått et par år til på seg.»

«Mottok hun trusler fra noen her inne, tror du?»

«Mørck, den slags er folketingspolitikere faktisk for kloke til.»

«Kanskje hun hadde personlige relasjoner som kunne ende opp i sjalusi eller et eller annet. Vet du noe om det?»

«Så vidt jeg vet var ikke Merete særlig opptatt av personlige relasjoner. For henne var det jobb, jobb og atter jobb. Selv jeg som hadde kjent henne siden studietiden på statsvitenskap, kom aldri tettere inn på livet av henne enn hun selv ville.»

«Og hun ville ikke?»

Der kom tennene frem igjen. «Du mener om hun var omsvermet? Vel, i farten kunne jeg nevnt i hvert fall fem-ti stykker her inne som gladelig hadde risikert både karriere og ekteskap for ti minutter i enerom med Merete Lynggaard.»

«Deg selv inkludert, eller?» Carl kostet på seg et smil.

«Tjah, hvem hadde ikke det?» Tennene forsvant. «Men Merete og jeg var venner. Jeg kjente min begrensning.»

«Men det var det kanskje andre som ikke gjorde?»

«Det må du spørre Marianne Koch om.»

«Den gamle sekretæren hennes?» De nikket til hverandre. «Vet du hvorfor hun ble skiftet ut?»

«Nei, faktisk ikke. De hadde jo jobbet sammen et par år,

men Marianne var kanskje litt vel kameratslig anlagt etter Meretes smak.»

«Hvor finner jeg denne Marianne Koch i dag?»

Det kom et lunt glimt i øynene hans. «Der hvor du hilste på henne for ti minutter siden, skulle jeg anta.»

«Hun er din sekretær nå?» Carl satte fra seg koppen og pekte over skulderen mot døren. «Hun som sitter der ute?»

MARIANNE KOCH VAR svært ulik kvinnen som hadde fulgt ham hit opp. Liten og med tett, krøllet, svart hår som duftet av fristelser lang vei.

«Hvorfor sluttet du som sekretær for Merete Lynggaard en tid før hun forsvant?» spurte han etter de innledende frasene.

Ettertanken la seg i folder over de sprelske øyenbrynene. «Det spørsmålet har jeg tenkt mye på selv. Jeg forsto det ikke, i hvert fall ikke den gangen. Jeg var faktisk ganske sur på henne. Men siden kom det jo for en dag at hun hadde en tilbakestående bror som hun tok seg av.»

«Ja?»

«Ja, jeg trodde jo hun hadde en kjæreste, siden hun alltid var så hemmelighetsfull og hadde det så travelt med å komme seg hjem hver dag.»

Han smilte. «Og det sa du til henne?»

«Ja, det var dumt, det skjønner jeg jo nå. Men jeg trodde at vi sto nærere hverandre enn vi gjorde. Så feil kan man ta.» Hun smilte skjevt, smilehullene sto i kø. Hvis Assad møtte henne, kom han seg aldri videre i livet.

«Var det noen som oppvartet henne her inne på Borgen?»

«Ja, jøss. Hun fikk lapper inn til seg rett som det var. Men det var bare én som sto frem som seriøs.»

«Og det var – kan du avsløre hvem?»

Hun smilte. Hun kunne visst avsløre litt av hvert hvis hun fant det for godt.

«Ja, det var Tage Baggesen.»

«Ja vel. Det navnet har jeg hørt før.»

«Han ville bli henrykt over å høre det. Han har hatt parlamentariske verv for Radikalt Sentrum i minst tusen år, tror jeg.»

«Har du fortalt dette til noen før?»

«Ja, til politiet, men de la ikke noe særlig brett på det.»

«Gjør du?»

Hun trakk på skuldrene.

«Andre?»

«Mange andre, men ikke noe seriøst. Hun forsynte seg med det hun trengte når hun var ute og reiste.»

«Sier du at hun var lett på tråden?»

«Guuud, var det slik du oppfattet det?» Hun snudde seg bort og forsøkte å undertrykke latteren. «Nei, det var hun i hvert fall ikke. Men hun var jo ikke noen nonne heller. Jeg vet bare ikke hvem hun gikk i kloster med, det fortalte hun meg aldri.»

«Men hun gikk etter menn?»

«Hun lo i hvert fall når sladrebladene antydet noe annet.»

«Er det mulig å tenke seg at Merete Lynggaard kunne ha grunner til å legge fortiden bak seg og skaffe seg et nytt liv?»

«Du mener, om hun ligger og soler seg i Mumbai mens vi sitter her og prater?» Hun så indignert ut.

«Et eller annet sted hvor livet kunne være mindre problematisk, ja. Er det så utenkelig?»

«Det er helt absurd. Hun var ekstremt samvittighetsfull. Jeg er klar over at det nettopp er den typen som plutselig klapper sammen og forsvinner over natten. Men ikke Merete.» Hun stanset og så ettertenksom ut. «Men det er en vakker tanke.» Hun smilte. «At Merete fortsatt skulle være i live.»

Han nikket. Det var laget haugevis av psykologiske profiler av Merete Lynggaard etter at hun forsvant, og alle konkluderte med det samme: Merete Lynggaard hadde ikke stukket av fra sitt gamle liv. Selv tabloidene avfeide den teorien.

«Har du hørt noe om et telegram som hun mottok den siste

dagen hun var her på Borgen?» spurte han. «Et valentintele-gram?»

Spørsmålet så ut til å irritere henne. Det plaget henne åpen-bart at hun ikke hadde vært en del av Merete Lynggaards liv den siste tiden hun levde. «Nei. Politiet har spurt meg om det samme før, og som den gangen må jeg bare henvise til Søs Norup som overtok stillingen min.»

Han så på henne med hevede øyenbryn. «Er du bitter over det?»

«Ja, for faen, ville ikke du vært det? Vi hadde jobbet sam-men i to år uten problemer.»

«Og du vet ikke tilfeldigvis hvor Søs Norup befinner seg i dag?»

Hun trakk på skuldrene. Ingenting kunne interessere henne mindre.

«Og denne Tage Baggesen, hvor finner jeg ham?»

Hun tegnet et kart som viste veien dit. Det så ikke enkelt ut.

DET TOK HAM en drøy halvtime å finne frem til Tage Baggesen og Radikalt Sentrums domene, og det hadde ikke vært noen lysttur. Hvordan i helvete man kunne jobbe her inne i denne grunnfalske atmosfæren, var mer enn han kunne begripe. På Politihuset visste du i hvert fall hva du hadde å gjøre med. Der ga både venner og fiender seg til kjenne uten dikkedarer, og likevel kunne man samarbeide om felles mål-settinger. Her inne var det stikk motsatt. Alle pisset hverandre oppetter ryggen og var perlevenner, men når det kom til styk-ket, tenkte hver og en bare på seg selv. Det handlet definitivt om kroner og øre og makt, mer enn om resultater. En stor mann her inne, var han som fikk de andre til å se små ut. Slik hadde det kanskje ikke alltid vært, men slik hadde det blitt.

Tage Baggesen var åpenbart ikke noe unntak. Han var satt til å ivareta interessene til sin fjerne valgkrets og partiets samferdselspolitikk, men straks man så ham, skjønte man hvor landet lå. Han hadde allerede oppnådd sin fete pensjon, og det som kom utenom, gikk til dyre klær og lukrative investeringer. Carl så opp på veggene hvor det hang diplomer fra golfturneringer på rekke og rad, foruten skarpe flyfotografier av fritidseiendommene hans rundt omkring i landet.

Carl vurderte å spørre om han hadde misforstått hvilket parti han tilhørte, men Tage Baggesen avvæpnet ham med vennlige ryggklapp og bydende håndbevegelser.

«Jeg foreslår at du lukker døren,» sa Carl og pekte ut på gangen.

Det fikk Baggesen til å knipe øynene jovialt sammen. Et triks som sikkert gjorde seg godt i motorveiforhandlinger i Holstebro, men som ikke bet på en visekriminalkommissær med avledningsmanøvrer som spesialitet.

«Det trenger jeg ikke, jeg har ikke noe å skjule for mine partifeller,» sa han og slapp grimasen.

«Vi har hørt at du var svært interessert i Merete Lynggaard. Du sendte henne blant annet et telegram. Et valentintelegram, til og med.»

Han ble en anelse hvitere i ansiktet, men det selvsikre smilet satt som støpt.

«Et valentintelegram?» sa han. «Det kan jeg ikke huske.»

Carl nikket. Løgnen lyste lang vei. Selvfølgelig husket han det. Her var det bare å gå rett på.

«Når jeg ba deg lukke døren, så var det fordi jeg vil spørre deg rett ut om det var du som myrdet Merete Lynggaard? Du var jo helt på knærne etter henne. Avviste hun deg, og så mistet du selvkontrollen? Var det slik?»

Et øyeblikk overveide hver celle i Tage Baggesens ellers så selvsikre hjernebark om han skulle reise seg og smelle igjen døren eller om han skulle ase seg opp til et apoplektisk anfall. Hudfargen tangerte plutselig det røde håret hans. Han var dypt sjokkert, fullstendig avkledd. Det piplet ut av hver pore i kroppen hans. Carl hadde sett det meste, men denne reaksjonen var faktisk noe for seg selv. Hvis mannen hadde noe med saken å gjøre, kunne han etter dette bare skrive tilståelsen først som sist, og hadde han ikke noe med saken å gjøre, måtte det være noe annet som tok balletak på ham. Han hang med nebbet. Hvis ikke Carl var forsiktig nå, ville mannen klappe helt sammen. Aldri før i sitt ellers så distingverte liv hadde Tage Baggesen hørt noe lignende, det var i hvert fall tydelig.

Carl prøvde å smile til ham. På en eller annen måte hadde den voldsomme reaksjonen også noe forsonende ved seg. Som om det inne i den representasjonssmurte kroppen fortsatt befant seg et vanlig menneske.

«Hør nå her, Tage Baggesen. Du sendte små lapper til Merete. Mange lapper. Den gamle sekretæren hennes, Marianne Koch, fulgte interessert med i tilnærmelsene dine, kan jeg fortelle deg.»

«Her skriver alle lapper til alle.» Baggesen forsøkte å lene seg nonsjalant bakover, men avstanden til stolryggen ble for lang.

«Så lappene var ikke av privat karakter, er det det du sier?»

Folketingsmannen reiste seg tungt og lukket døren stille. «Det stemmer at jeg næret sterke følelser for Merete Lynggaard,» sa han og så så oppriktig lei seg ut at Carl nesten fikk ondt av ham. «Hennes død gikk særdeles sterkt inn på meg.»

«Det forstår jeg, og jeg skal gjøre dette så kort jeg kan.» Han fikk et takknemlig smil i retur; mannen var nå helt nede på jorden.

«Vi vet med sikkerhet at du sendte Merete et valentintelegram i februar 2002. Det har vi fått bekreftet fra telegrambyrået i dag.»

Nå så han ganske pjusk ut. Fortiden tæret virkelig hardt på ham.

Han sukket. «Jeg var jo fullstendig klar over at hun ikke var interessert i meg på den måten. Dessverre. Det hadde jeg visst lenge.»

«Og likevel prøvde du deg?»

Han nikket stille.

«Hva sto det i telegrammet? Prøv å holde deg til sannheten denne gangen.»

Han lot hodet falle litt til siden. «Bare det vanlige. At jeg gjerne ville treffe henne. Jeg husker ikke eksakt. Det er helt sant.»

«Og så tok du livet av henne fordi hun ikke ville ha deg?»

Øynene hans ble smale som streker. Munnen var fast lukket. I øyeblikket før tårene begynte å tyte frem ved neseroten var Carl mest stemt for å anholde ham. Så løftet Baggesen hodet og så på ham. Ikke som på en bøddel som nettopp har klargjort renneløkken, men som på en skriftefar som man endelig kan lette sitt hjerte for.

«Hvem tar livet av den som gjør livet verdt å leve?» spurte han.

De satt litt og så på hverandre, til Carl slapp blikket hans.

«Vet du om Merete Lynggaard hadde fiender her inne? Ikke politiske kombattanter. Virkelige fiender, mener jeg.»

Tage Baggesen tørket øynene. «Vi har vel alle fiender, men neppe det du forstår med virkelige fiender,» svarte han.

«Ingen som kunne stå henne etter livet?»

Tage Baggesen ristet på det velpleide hodet. «Det ville forundre meg. Hun var velsett og godt likt, selv av sine politiske motstandere.»

«Jo, men kan det ikke tenkes at hun engasjerte seg i merkesaker hvor mektige interesser var involvert? Saker som kunne bli så problematiske for noen at hun måtte stoppes for enhver pris? Interesseorganisasjoner som følte seg presset eller truet?»

Tage Baggesen så overbærende på Carl. «Spør folk i hennes eget parti. Hun og jeg var ikke fortrolige i politiske saker. Snarere tvert imot, vil jeg si. Er det noe spesielt du har fått kjennskap til?»

«Politikere i alle land blir vel stilt til ansvar for sine holdninger, ikke sant? Abortmotstandere, dyrevernfanatikere, folk med antimuslimske holdninger eller det motsatte, hva som helst kan utløse en voldelig reaksjon. Bare se på Sverige eller Nederland eller USA.» Han gjorde mine til å reise seg, og så hvordan lettelsen øyeblikkelig bredte seg i fjeset på folketingsmannen foran ham, uten at det kanskje var noe å legge for mye vekt på. Hvem ville ikke gjerne komme seg ut av en slik samtale?

«Baggesen,» rundet han av. «Da kontakter du meg hvis du på en eller annen måte skulle komme over noe som jeg burde vite, ikke sant?» Han rakte ham kortet sitt. «Om ikke for min skyld, så for din egen. Ikke mange her inne følte det samme for Merete Lynggaard som deg, vil jeg tro.»

Det traff ham. Tårene ville nok strømme på nytt før Carl rakk å lukke døren bak seg.

IFØLGE FOLKEREGISTERET VAR Søs Norups siste registrerte adresse identisk med foreldrenes, midt ute i Frederiksbergs mest fasjonable strøk. Grosserer Vilhelm Norup og skuespiller Kaja Brandt Norup, sto det på messingskiltet.

Han ringte på og hørte et gjallende klokkeslag bak den massive eikedøren, fulgt av et lavmælt: «Ja, ja, nå kommer jeg.»

Mannen som åpnet så ut som om han hadde vært pensjonist i et kvart århundre. Etter vesten og silketørkleet som hang løst rundt halsen hans å dømme, hadde han ennå ikke tæret opp hele familieformuen. Han så misbilligende på Carl med sykdomsherjede øyne, som om han sto overfor mannen med ljåen.

«Hvem er De?» spurte han tvert og gjorde seg klar til å smelle døren igjen.

Carl presenterte seg, halte for andre gang på en uke politiskiltet opp av lommen og spurte om han kunne komme inn et øyeblikk.

«Er det skjedd noe med Søs?» spurte gamlingen inkvisitorisk.

«Det vet jeg ikke. Hvorfor skulle det det? Er hun hjemme?»

«Hun bor ikke her lenger, hvis det er henne De vil ha tak i.»

«Hvem er det, Vilhelm?» ropte en svak stemme bak dobbeltdøren til stuen.

«Bare en som spør etter Søs, skatt.»

«Da får han gå et annet sted,» kom det.

Grossereren grep Carl i ermet. «Hun bor i Valby. Si til henne at vi gjerne ser at hun kommer og henter tingene sine hvis hun har tenkt å fortsette å leve på den måten.»

«På hvilken måte?»

Han svarte ikke. Oppga bare en adresse i Valhøjvei før døren slo igjen med et brak.

DET STO BARE tre navn på dørtelefonen til det lille borettslagshuset. En gang hadde det sikkert bodd minst seks familier der, med fire-fem barn hver. Det som tidligere hadde vært slum, var nå urban idyll. Oppe i loftsleiligheten hadde Søs Norup funnet kjærligheten, en kvinne midt i førtiårene, som knep munnen så misbilligende sammen ved synet av Carls politiskilt at leppene hvitnet.

Søs Norup frembød heller ingen rosenmunn. Allerede ved første øyekast forsto Carl hvorfor både Danmarks Jurist- og Økonomforening og Demokratenes sekretariat på Christiansborg hadde klart å holde seg flytende etter at hun forsvant. Maken til avvisende utstråling skulle man lete lenge etter.

«Merete Lynggaard var en useriøs sjef,» smalt det fra henne.

«Gjorde hun ikke jobben sin? Det er første gang jeg hører.»

«Hun overlot alt til meg.»

«Det må da snarere være et pluss, spør du meg.» Han så på henne. Hun virket som en kvinne som alltid var blitt ført i kort lenke, og hatet det. Grosserer Norup og hans sikkert en gang så berømte kone hadde nok lært henne litt av hvert om disiplin og kustus og slinger i valsen. Hard kost for et enebarn som så opp til foreldrene som guder. Det hadde utvilsomt gått så langt at hun både hatet og elsket dem på samme tid. Hatet dem for det de sto for og elsket dem for det samme. Det var grunnen til at hun hadde flyttet ut og inn av foreldrehjemmet hele sitt voksne liv, Carl var ikke i tvil.

Han så bort på venninnen som satt i løse gevanter med en osende røyk i munnviken og passet på om han skulle gå over streken. Hun skulle nok gi Søs Norup faste holdepunkter i tilværelsen fremover, ingen tvil om det.

«Jeg har hørt at Merete Lynggaard var svært tilfreds med deg.»

«Jaså.»

«Jeg har et par spørsmål om Merete Lynggaards privatliv. Kan det tenkes at Merete Lynggaard var gravid på det tidspunktet hun forsvant?»

Søs Norup rynket på nesen og ble rank i ryggen.

«Gravid?» Hun uttalte ordet som om det var i klasse med infeksjon, spedalskhet, byllepest.

«Nei, det var hun i hvert fall ikke.» Hun himlet med øynene i retning samboeren.

«Og hvordan kan du vite det så sikkert?»

«Ja, hva tror du? Hvis hun hadde vært så ryddig som alle påstår, hadde hun kanskje ikke trengt å låne bind av meg hver gang hun fikk mensen.»

«Så du sier at hun hadde menstruasjon rett før hun forsvant?»

«Ja, uken før. Vi hadde det samtidig så lenge jeg var der.»

Han nikket. Hun måtte vel vite det. «Vet du noe om hun hadde en kjæreste?»

«Det har jeg blitt spurt om hundre ganger før.»

«Frisk på hukommelsen min.»

Søs Norup tok en sigarett og banket enden i bordet. «Alle menn siklet på henne, som om de ville legge henne opp på bordet med én gang. Hvordan skulle jeg vite om noen av dem hadde hatt et forhold til henne?»

«I rapporten står det at hun mottok et valentintelegram. Visste du at det var fra Tage Baggesen?»

Hun tente røyken og forsvant i blå tåke. «Overhodet ikke.»

«Og du vet ikke om de to hadde et forhold?»

«Om de to hadde et forhold? Herregud, det er fem år siden!» Hun blåste røyken rett i ansiktet på ham og ble belønnet med et anerkjennende smil fra samboeren.

Han trakk seg litt tilbake. «Hør her. Jeg er ute av døren om fire minutter. Men inntil da later vi som om vi er interessert i å hjelpe hverandre, okay?» Han så direkte på Søs Norup, som fortsatt forsøkte å skjule selvforakten med fiendtlige øyne. «Jeg sier Søs, okay, jeg foretrekker å være på fornavn med dem jeg deler en røyk med.»

Hun la hånden med sigaretten ned i fanget.

«Så nå spør jeg deg, Søs. Kjenner du til noen episoder umiddelbart før Merete Lynggaards forsvinning som vi bør komme inn på? Jeg ramser opp en del ting nå, så stopper du meg hvis det er noe.» Han nikket til henne, men det ble ikke gjengjeldt. «Telefonsamtaler av privat karakter? Små, gule lapper som ble lagt inn på bordet hennes? Folk som trengte seg på henne på en uprofesjonell måte? Konfektesker, blomster, nye ringer på fingrene? Rødmet hun når hun så ut i luften? Skjedde det noe med konsentrasjonen hennes den siste tiden?» Han så på zombien foran seg. De fargeløse leppene hadde ikke beveget seg en millimeter. Enda en blindgate. «Endret hun adferd, dro hun hjem tidligere, forsvant hun ut av Folketingssalen for å ta mobilsamtaler i gangene? Kom hun senere på jobb om morgenen?»

Han så på henne igjen og ga henne et kraftig nikk, som om det kunne vekke henne fra de døde.

Hun tok enda et trekk og knuste sneipen i askebegeret. «Er du ferdig?» spurte hun.

Han sukket. Blankt avvist! Hva annet kunne han vente seg av denne megga? «Ja, jeg er ferdig.»

«Bra.» Hun løftet hodet. En kvinne med en viss pondus, slo det ham plutselig. «Jeg fortalte politiet om telegrammet og at hun skulle møte noen på Café Bankerott. Jeg hadde sett henne skrive det i kalenderen sin. Jeg vet ikke hvem hun skulle møte, men hun rødmet i hvert fall.»

«Hvem kan det ha vært?»

Hun trakk på skuldrene.

«Tage Baggesen?» spurte han.

«Tja, hvem som helst. Hun møtte mange inne på Christiansborg. Det var også en mann i en delegasjon som virket interessert. Det var mange.»

«I en delegasjon? Når var det?»

«Ikke så lenge før hun forsvant.»

«Husker du hva han het?»

«Etter fem år? Nei, vet du hva.»

«Hva slags delegasjon var det?»

Hun så surt på ham. «Et eller annet med forskning i immunforsvar. Men du avbrøt meg. Merete Lynggaard fikk blomster også. Det var ikke tvil om at hun hadde en kontakt som var ganske personlig. Jeg vet ikke hva som hang sammen med hva, men jeg har fortalt alt dette til politiet tidligere.»

Carl krafset seg på halsen. Hvor var det rapportert?

«Nærmere bestemt hvem var det du fortalte det til, om jeg tør spørre?»

«Det husker jeg ikke.»

«Det skulle ikke være en viss Børge Bak fra reiseteamet?»

Hun satte pekefingeren rett mot ham som en pistolmunning. Bingo.

Denne helvetes Bak. Var han alltid like grovmasket når han skrev rapporter?

Han kikket bort på Søs Norups selvvalgte cellekamerat. Hun var ikke noen smilets dronning, akkurat. Nå ventet hun bare på at han skulle pigge av.

Carl nikket til Søs Norup og reiste seg. Mellom karnappene hang det noen små fargefotografier av personer og et par større i svart-hvitt av foreldrene i yngre år. De hadde sikkert vært pene en gang, men slik som hun hadde risset og streket over ansiktene på alle bildene, var det vanskelig å se. Han bøyde seg ned over de små billedrammene og kjente igjen et par av de mange pressebildene av Merete Lynggaard på klærne og kroppsholdningen. Også hun hadde mistet mesteparten av ansiktet i et nettverk av flenger og streker. Søs Norup samlet tydeligvis på hatobjekter. Kanskje kunne han også gjøre seg fortjent til en plass hvis han la seg litt i selen.

BØRGE BAK VAR for en gangs skyld alene på kontoret sitt. Skinnjakken hans var blitt ekstremt skrukkete i det siste. Et uomtvistelig bevis på at han jobbet som et svin dag og natt.

«Har jeg ikke sagt at du ikke skal dure inn her uten å banke på?» Han slo skriveblokken i bordet og så ergerlig på Carl.

«Du har lagt et nytt kjempeegg, Børge,» sa han.

Om det nå var fornavnet eller beskyldningen, så var det i hvert fall ikke noe i veien med reaksjonen. Samtlige nyver i pannen til Bak sto som teltstenger helt opp til hentehåret.

«Merete Lynggaard fikk blomster et par dager før hun døde, mot all sedvane, så vidt jeg har forstått.»

«Ja vel, og hva så?» Blikket hans kunne ikke vært mer nedlatende.

«Vi leter etter noen som kan ha begått et drap, har du fått med deg det? En elsker, for eksempel?»

«Alt det der er etterforsket.»

«Men ikke omtalt i rapportene.»

Bak trakk anstrengt på skuldrene. «Herregud, du er den rette til å si noe på andres innsats. Vi her oppe jobber ræva av oss, mens du sitter med bena på bordet nede i kjelleren. Tror du ikke jeg vet det! Og når det gjelder rapportene, så skriver jeg det som er viktig, basta!» Han slengte skriveblokken fra seg på bordet.

«Du unnlot å nevne at en sosialrådgiver ved navn Karin Mortensen observerte Uffe i en lek som tydet på at han husket bilulykken. I så fall kunne han kanskje huske noe fra den dagen Merete Lynggaard forsvant også, men der kom dere ikke langt, ser det ut til?»

«*Karen* Mortensen. Hun het Karen, Carl. Hør på deg selv. Du skal faen ikke komme her og lære meg noe om grundig- het.»

«Så du er klar over hva den opplysningen fra Karen Mor- tensen kunne bety?»

«For helvete, mann, vi sjekket det, okay? Uffe husket ikke en dritt om noe annet. Han var helt blåst.»

«Merete Lynggaard møtte en mann få dager før hun døde. Han var i en delegasjon som drev med noe slags forskning om immunforsvar. Det har du heller ikke skrevet noe om.»

«Nei, men det ble undersøkt.»

«Du vet altså at hun ble kontaktet av en mann, og at det tydeligvis var god kjemi mellom dem. Det har i hvert fall sek- retæren, Søs Norup, fortalt deg, sier hun.»

«Ja, for helvete. Selvfølgelig vet jeg det.»

«Hvorfor står det da ingenting om det i rapporten?»

«Ja, det vet jeg ikke. Kanskje fordi mannen viste seg å være død.»

«Død?»

«Ja, brent i hjel i en bilulykke, dagen etter at Merete for- svant. Han het Daniel Hale.» Han uttalte navnet med etter- trykk slik at Carl kunne merke seg den gode hukommelsen.

«Daniel Hale?» Det hadde altså Søs Norup glemt i mellom- tiden.

«Ja, en fyr som var involvert i morkakeforskningen som delegasjonen kom for å be om midler til. Han hadde et labora- torium i Slangerup.» Bak sa det med stor selvsikkerhet. Denne delen av saken hadde han altså god oversikt over.

«Hvis han døde først dagen etter, kan han jo godt ha hatt noe med forsvinningen hennes å gjøre.»

«Det tror jeg ikke. Han kom hjem fra London den etter- middagen hun druknet.»

«Var han forelsket i henne? Søs Norup antydet at det godt kunne være tilfellet.»

«Synd for ham i så fall. Hun hoppet jo ikke på.»

«Er du sikker på det, Børge?» Det gjorde vondt for mannen å høre navnet sitt, det var helt tydelig. Da var det oppog avgjort: Han skulle få høre det ustanselig. «Kanskje det var denne Daniel Hale hun var ute og spiste med på Bankerott?»

«Hør her, Carl. Vi har nettopp snakket med en kvinne i syklistmordsaken, og vi er på jakt. Jeg har det fordømt travelt akkurat nå. Kan ikke dette vente til en annen gang? Daniel Hale er død, ferdig med det. Han var ikke i landet da Merete Lynggaard døde. Hun druknet, og Hale hadde ikke en dritt med det å gjøre, okay?»

«Sjekket dere om det var Hale hun var sammen med på Bankerott et par dager før? Det står det heller ingenting om i rapporten.»

«For helvete, mann. Etterforskningen gikk etter hvert i retning av at det dreide seg om en ulykke. Dessuten var vi tyve mann på saken. Spør noen andre. Gå nå, Carl.»

24

2007

HVIS HAN HADDE orientert seg bare etter hørsel og lukt, kunne Carl trodd at han befant seg i Kairos pulserende smug og ikke i kjelleren til Politihuset da han kom på jobben mandag morgen. Aldri før hadde den ærverdige bygningen duftet til de grader av matos og eksotiske krydderier, og aldri før hadde disse murene blitt satt i svingninger av så skjeve toner.

En fra det administrative personalet som nettopp hadde vært nede i arkivene, stirret sint på Carl da hun klakket forbi med favnen full av saksmapper. Om ti minutter ville hele bygningen vite at de hadde gått fullstendig av skaftet nede i kjelleren.

Forklaringen fant han inne i det lille kottet til Assad, hvor et hav av små, innbakte greier og foliebiter med hakket hvitløk, noen slags grønne vekster og gul ris prydet tallerkenene på skrivebordet. Ikke rart at forbipasserende hevet øyenbrynene.

«Hva er det som foregår, Assad?» ropte han og satte bryskt punktum for halvtonene på kassettspilleren, men Assad bare smilte. Han hadde tydeligvis ikke blikk for kulturkløften som truet med å rokke grunnen under Politihusets solide fundamenter.

Carl satte seg tungt ned og så på assistenten sin. «Det lukter godt, Assad, men dette er Politihuset. Ikke en libanesisk grill ute i Vanløse.»

«Her, Carl, og gratulerer som kommissær, det er veldig fint.»

En butterdeigaktig trekant ble rakt frem mot ham. «Det er fra kona mi. Døtrene mine har klippet papiret.»

Carl fulgte armbevegelsen hans ut i lokalet og oppdaget det fargesprakende silkepapiret som var dandert rundt hyllene og taklampene.

Ingen enkel situasjon.

«Jeg tok med litt til Hardy i går også. Det meste av saken jeg har lest opp for ham nå, Carl.»

«Å ja?» Han så for seg sykepleierne mens Hardy ble fôret med egyptiske ruller. «Du dro ut og hilste på ham på fridagen din?»

«Han tenker på saken, Carl. Han er en fin mann.»

Carl nikket og tok en bit. Han ville stikke innom ham i morgen.

«Jeg har lagt alle papirene om bilulykken på skrivebordet ditt, Carl. Hvis du vil, jeg kan fortelle deg litt hva jeg har lest.»

Carl nikket igjen. Det neste ble vel at mannen skrev rapporten også, før de var ferdige med saken.

ANDRE STEDER I landet var det opptil seks plussgrader jul-aften i 1986, men så heldige var de ikke på Sjælland, noe som kostet ti mennesker livet i trafikken. Fem av dem på lande-veien på en skogstrekning i Tibirke, og to av disse var Merete og Uffe Lynggaards foreldre.

De hadde kjørt forbi en Ford Sierra på en strekning hvor vinden hadde lagt et teppe av iskrystaller på veibanen, og det gikk galt. Ingen ble tilkjent skyld og ingen forsikringssaker ble reist. Det var en helt vanlig ulykke, bare utfallet var alt annet enn vanlig.

Bilen de kjørte forbi havnet i et tre og brant stille da brann-vesenet kom til stedet, mens bilen til Meretes foreldre lå med bunnen i været femti meter lenger fremme. Moren var blitt slengt ut gjennom vinduet og lå i krattet med brukket nakke. Faren hadde ikke vært like heldig. Han lå i ti minutter med halve motorblokken opp i underlivet og en knekket grangrein tvers gjennom brystkassen før døden tok ham. Uffe hadde vært ved bevissthet hele tiden, trodde man, for da de skar ham ut, hadde han ligget og fulgt med med store, redde øyne. Han slapp aldri søsterens hånd, selv ikke da de dro henne ut på veibanen for å gi henne førstehjelp. Aldri et øyeblikk.

Politirapporten var enkel og kortfattet, men det ble ikke avisskriveriene, til det var stoffet for godt.

I den andre bilen omkom en liten pike og faren momentant. Omstendighetene var tragiske, for bare storebroren kom noenlunde uskadd fra det. Moren var høygravid, og de hadde vært på vei til sykehuset. Mens brannmennene forsøkte å få brannen i motoren under kontroll, fødte hun tvillinger med hodet hvilende på den døde mannens kropp og bena vrengt opp i stolsetet. Tross alle anstrengelser for å få skåret dem løs i tide, døde den ene tvillingen, og avisene hadde forsidene i boks til annen juledag.

Assad viste ham både lokalavisene og rikstabloidene, og alle hadde oppfattet nyhetsverdien. Bildene var grusomme. Bilen i treet og den opprevne kjørebanen, den nybakte moren på vei inn i ambulansen fulgt av en grätende, halvvoksen sønn. Merete Lynggaard midt i kjørebanen med surstoffmaske, og Uffe sittende på det tynne snølaget med redde øyne, fast forankret i hånden til den bevisstløse søsteren.

«Her,» sa Assad og dro to sider fra bladet Gossip opp av mappen som han hadde funnet inne på Carls bord. «Lis fant ut at flere av disse bildene har også stått i avisene da Merete Lynggaard kommer på Folketinget.»

Dermed hadde i hvert fall fotografen som tilfeldigvis befant seg i Tibirke den dagen fått solid uttelling for de få hundredelene med eksponeringstid. Det var også samme mann som hadde foreviget begravelsen til Meretes foreldre, denne gangen i farger. Skarpe, velkomponerte pressefotografier av tenåringsjenta Merete Lynggaard som holdt den forsteinede broren i hånden mens urnene ble satt ned på Vestre Kirkegård.

Den andre begravelsen var billedløs. Den foregikk i dypeste stillhet.

«Hva i helvete er det som foregår her nede?» hørtes en stemme. «Er det deres skyld at det stinker verre enn julaften oppe hos oss?»

Det var Sigurd Harms, en av politiassistentene oppe i annen. Han stirret vantro på fargeorgien som utfoldet seg over hyllene og i taket.

«Her, Sigurd snushane,» sa Carl og rakte ham en av de hotteste butterdeigsrullene. «Gled deg til påske. Da tenner vi røkelse også.»

FRA TREDJE KOM det beskjed om at Carl hadde å innfinne seg på drapssjefens kontor før lunsj, og han så mørk og konsentrert ut der han satt og leste dokumenter da han så opp og ba Carl ta plass.

Carl skulle til å be om unnskyldning på Assads vegne. At frityrkjøkkenet nå var stengt nede i kjelleren og at han hadde situasjonen under kontroll. Men før han kom så langt, strenet et par av de nye etterforskerne inn og satte seg ved veggen.

Han sendte dem et skjevt smil. De hadde vel ikke kommet for å arrestere ham på grunn av et par samosaer, eller hva disse butterdeigkladdene nå het.

Da Lars Bjørn og visekriminalkommissær Terje Ploug som hadde arvet spikerpistolsaken, kom inn, klappet drapssjefen saksmappen igjen og henvendte seg direkte til Carl. «Når jeg har kalt deg opp hit til dette møtet, er det fordi vi har fått inn enda et par drap nå på morgenen. To unge menn er funnet myrdet i et bilverksted utenfor Sorø.»

Sorø, tenkte Carl, hva faen raker det oss.

«Begge ble funnet med en nitti millimeter lang spiker fra en Paslode spikerpistol i kraniet. Jeg antar at det sier deg noe?»

Carl snudde hodet mot vinduet og observerte et fugletrekk på vei inn over bygningene på den andre siden av gaten. Sjefen stirret intenst på ham, det merket han, men det fikk han bare gjøre. Det som måtte ha skjedd på Sorø i går, trengte ikke å ha noe med saken ute på Amager å gjøre. Selv i TV-serier brukte de spikerpistoler som mordvåpen i dag.

«Vil du fortsette, Terje,» hørte han Marcus Jacobsen si langt borte.

«Ja, vi er temmelig overbevist om at det er de samme gjerningsmennene som drepte Georg Madsen i brakka ute på Amager.»

Carl snudde hodet mot ham. «Og hvorfor er dere det?»

«Georg Madsen er onkel til en av de drepte i Sorø.»

Carl så ut på trekkfuglene igjen.

«Vi har et signalement på en av personene som etter alt å dømme oppholdt seg på gjerningsstedet på tidspunktet for drapene. Derfor ber kriminalinspektør Stoltz og folkene i Sorø om at du kjører ned dit i dag så de kan sammenholde signalementet sitt med det du så.»

«Jeg så ikke en dritt den gangen. Jeg var bevisstløs.»

Terje Ploug sendte Carl et blikk som han ikke likte. Han av alle måtte ha lest rapporten forlengs og baklengs, så hvorfor spørre så jævla dumt? Hadde ikke Carl holdt fast ved at han var bevisstløs fra det øyeblikket skuddet traff ham i tinningen til de koblet ham til dryppet på sykehuset? Trodde de ham ikke? Hvilket belegg kunne de ha for det?

«I rapporten står det at du så en rødrutet skjorte før skuddene falt.»

Skjorten, var det bare den det handlet om? «Så de vil at jeg skal identifisere en skjorte, er det slik å forstå?» spurte han. «I så fall synes jeg de kan maile over et bilde av den.»

«De har nok sin egen plan, Carl,» innskjøt Marcus. «Det er i alles interesse at du drar nedover. Ikke minst din egen.»

«Det har jeg ikke så veldig lyst til.» Han kikket på armbåndsuret. «Dessuten er det langt på dag allerede.»

«Du har ikke så veldig lyst. Si meg en ting, Carl, når var det du hadde denne timen hos krisepsykologen?»

175

Carl spisset munnen. Var det virkelig nødvendig å dra det foran hele avdelingen?

«I morgen.»

«Da synes jeg at du skal kjøre til Sorø i dag og ha reaksjonen din på opplevelsen i frisk erindring når du treffer Mona Ibsen i morgen.» Han smilte overfladisk og tok en plastmappe som lå øverst i en av bunkene foran ham på bordet. «Og forresten, her har du en kopi av papirene vi fikk fra Utlendingsstyrelsen vedrørende Hafez el-Assad. Vær så god!»

DET BLE ASSAD som fikk kjøre bilen. Han hadde tatt med noen av de sterke rullene og trekantene som matpakke og skuffet på utover E20. Bak rattet var han en glad og fornøyd mann, noe det smilende ansiktet bar tydelig bud om, der det beveget seg fra side til side i takt med samme hva som kom ut av radioen.

«Jeg har fått papirene dine fra Utlendingsstyrelsen, Assad, men har ikke sett på dem ennå,» sa han. «Kan du ikke like godt fortelle meg hva som står i dem?»

Sjåføren hans så et øyeblikk oppmerksomt på ham mens de suste forbi et vogntog. «Min fødselsdato, hvor kommer jeg fra, hva gjorde jeg der? Er det slike ting du mener, Carl?»

«Hvorfor har du fått permanent oppholdstillatelse, Assad? Står det noe om det også?»

Han nikket. «Carl, de dreper meg hvis jeg reiser tilbake, sånn er det. Regjeringen i Syria er ikke veldig glad i meg, du forstår.»

«Hvorfor ikke?»

«Vi bare ikke tenker likt, det er nok.»

«Nok til hva?»

«Syria er et stort land. Folk bare forsvinner.»

«Okay, så du er sikker på at du blir drept hvis du drar tilbake?»

«Sånn er det, Carl.»

«Jobbet du for amerikanerne?»

176

Han snudde brått på hodet. «Hvorfor sier du det?»

Carl snudde seg bort. «Aner ikke, Assad. Jeg bare spør.»

FORRIGE GANG HAN besøkte den gamle Sorø politistasjon i Storgaten, tilhørte den 16. distrikt med base i Ringsted. Nå tilhørte den Sydsjællands og Lolland-Falsters politidistrikt, men teglbygningen var fortsatt rød og fjesene bak skranken de samme og arbeidsoppgavene ikke færre. Hva de oppnådde med å flytte folk rundt fra den ene kassen til den andre, var et spørsmål til 'Vil du bli millionær'.

Han hadde regnet med at en av kriminalbetjentene på stasjonen ville be ham beskrive den storrutete skjorten enda en gang. Men nei, det var mer avansert enn som så. De ventet på ham fire mann sterke inne på et kontor på størrelse med Assads, og med ansiktsuttrykk som om hver og en av dem hadde mistet noen av sine kjære under nattens dystre hendelser.

«Jørgensen,» erklærte en av dem og rakte ham hånden. Den var iskald. Den godeste Jørgensen hadde rimeligvis for et par timer siden stått og glodd inn i øynene på to unggutter som hadde fått livet blåst ut med spikerpistol. I så fall hadde han helt sikkert ikke hatt blund på øynene i natt.

«Vil du se gjerningsstedet?» spurte en av dem.

«Er det nødvendig?»

«Det minner ikke helt om det på Amager. De ble drept inne på bilverkstedet. En i hallen og en inne på kontoret. Spikerne er avfyrt på kloss hold, for de er gått helt i bånn. Det var ikke lett å få øye på dem.»

En av de andre rakte et par bilder i A4-format over til ham. Og det stemte. Spikerhodene var bare så vidt synlig i hodebunnen, det var nesten ikke bloduttredelser engang.

«Du ser at begge var på jobb, skitne hender og kjeledresser.»

«Var det tatt noe fra stedet?»

«Niks.»

Det slo ham at det var år og dag siden han hadde hørt det uttrykket.

«Hva jobbet de med? Var det ikke sent på kvelden? Var det svartarbeid, eller hva?»

Kriminalbetjentene så på hverandre. Det var tydeligvis et problem de fortsatt puslet med.

«Fotspor etter hundrevis av sko. De gjorde visst aldri rent der inne,» innskjøt Jørgensen. Han hadde det sannelig ikke lett.

«Ta nå og se grundig på det her, Carl,» fortsatte han og tok tak i fliken på en duk som lå på bordet. «Og så sier du ikke noe før du er helt sikker.»

Han dro fliken til seg og avduket fire storrutete flanells-skjorter i røde farger. Skjortene lå side om side som tømmer-hoggere som tok seg en middagslur i skogen.

«Er det noen av disse som ligner på den du så på gjernings-stedet på Amager?»

Det var den pussigste konfrontasjonen han noen gang hadde vært med på. Hvilken av skjortene hadde gjort det? Det var nesten så han kunne le høyt. Skjorter hadde aldri vært hans spesialdistanse. Han kjente ikke sine egne engang.

«Jeg er klar over at det er vanskelig så lenge etterpå, Carl,» sa Jørgensen trett. «Men det ville hjelpe oss enormt hvis du virkelig prøver alt du kan.»

«Hvorfor tror dere at gjerningsmennene går i de samme fil-lene flere måneder etterpå? Skifter dere aldri klær her ute på bondelandet?»

De ignorerte det. «Vi snur hver stein.»

«Og hva får dere til å tro at vitnet som så disse eventuelle gjerningsmennene på avstand og attpåtil i mørket, kan huske en rødrutet skjorte så utrolig nøyaktig at dere kan bruke det som utgangspunkt? De er jo nesten klin like, disse skjortene! Forskjellige, ja, men det er sikkert tusen andre skjorter som ligner på dem.»

«Han som så dem jobber i en klesbutikk. Vi tror på ham. Han var veldig grundig da han tegnet skjorten.»

«Han tegnet ikke mannen som hadde den på også, da? Kanskje det hadde vært vel så smart?»

«Han gjorde faktisk det. Ikke dårlig, men ikke veldig bra heller. Det er noe annet å tegne et menneske enn en skjorte, ikke sant.»

Carl så på tegningen av ansiktet som de·la oppå skjortene. En helt vanlig fyr. Hvis man ikke visste bedre, kunne han ha vært kopimaskinselger i Slagelse. Runde briller, fin og glattbarbert, troskyldige øyne og et gutteaktig drag rundt munnen.

«Det sier meg ingenting. Hvor høy sier vitnet at han var?»

«Minst en femogåtti. Kanskje mer.»

De tok bort tegningen og pekte på skjortene. Han så grundig på hver enkelt av dem. Umiddelbart var de jo ikke til å skjelne fra hverandre.

Han lukket øynene og forsøkte å se skjorten for seg.

«HVA SKJEDDE VIDERE?» spurte Assad på vei tilbake til København.

«Ingenting. Jeg kunne ikke se forskjell på dem. Jeg husker ikke den jævla skjorten så nøyaktig lenger.»

«Og kanskje du fikk bilde av skjorter med hjem?»

Carl svarte ikke. I tankene var han langt vekk. Akkurat nå så han for seg Anker liggende død på gulvet ved siden av seg, og Hardy gispende over seg. Faen òg, at han ikke hadde skutt med én gang. Bare han hadde snudd seg da han hørte lyden av mennene på vei inn i brakka, så hadde ikke dette skjedd. Da hadde Anker sittet her ved siden av ham og styrt bilen i stedet for denne underlige skruen Assad. Og Hardy! Hardy ville ikke vært lenket til en seng for resten av livet, helvete heller.

«Men kunne de ikke bare sendt bildene istedenfor reise lange veien, Carl?»

Han så på sjåføren sin. Noen ganger kunne han ha et helt djevelsk uskyldsrent uttrykk under de tommetykke øyenbrynene.

«Jo, Assad. Selvfølgelig kunne de det.»

Han så opp på skiltene over motorveien. Bare et par kilometer til Tåstrup.

«Sving av her,» sa han.

«Hvorfor det?» sa Assad mens bilen skar over de stiplede linjene på to hjul.

«Fordi jeg gjerne vil se stedet hvor Daniel Hale kjørte seg i hjel.»

«Hvem?»

«Typen som var interessert i Merete Lynggaard.»

«Hvordan vet du noe om det, Carl?»

«Bak fortalte meg det. Hale døde i en bilulykke. Jeg har trafikkpolitiets rapport med meg her.»

Assad plystret svakt, som om bilulykker var en dødsårsak som var forbeholdt bare de aller, aller uheldigste.

Carl kastet et blikk på speedometernålen. Kanskje burde Assad lette litt på gassfoten før de dundret inn i statistikken begge to.

SELV OM DET var fem år siden Daniel Hale mistet livet på Kappelev Landevei, var det ikke vanskelig å se sporene etter ulykken. Bygningen som bilen hadde truffet, var riktignok noenlunde reparert og mesteparten av soten var spylt vekk, men så vidt Carl kunne se, måtte brorparten av forsikringssummen ha fått andre ben å gå på.

Han så nedover veien. Det var en ganske lang, åpen rettstrekning. Utrolig uflaks at mannen skulle klare å treffe dette stygge huset. Bare ti meter før eller etter, så hadde bilen skjent utover åpne marker.

«Veldig uheldig. Hva mener du, Carl?»

«Forbasket uheldig.»

Assad sparket til trestubben som fortsatt sto foran skrammene i muren. «Han traff treet, og treet knekke tvers av, og inn i muren og bilen begynte å brenne?»

Carl nikket og snudde seg. Lenger borte lå det en stikkvei,

visste han. Det var visst derfra den andre bilen hadde kommet, hvis han husket riktig fra rapporten.

Han pekte mot nord. «Daniel Hale kom kjørende i Citröenen sin fra Tåstrup, og ifølge den andre bilisten og oppmålingene barket de sammen akkurat der.» Han pekte på en av midtstripene. «Kanskje Hale hadde sovnet. I hvert fall hadde han skjent over i motsatt felt og truffet den andre bilen, med den følge at Hales bil ble slynget tilbake og rett inn i treet og huset. Det hele skjedde på brøkdelen av et sekund.»

«Hva skjedde med han andre mann som kjørte inni ham?»

«Han havnet der ute,» sa Carl og pekte på et flatt jordstykke som EU hadde lagt brakk for flere år siden.

Assad plystret svakt. «Og han fikk ikke noen skade, ingenting?»

«Nei. Han kjørte en av disse vanvittig overdimensjonerte firehjulstrekkerne. Du er på landet nå, Assad.»

Assistenten hans så ut som om han var helt med. «Også i Syria det er mange firehjulstrekkere,» kom det.

Carl nikket, men hørte ikke etter. «Ganske merkelig, Assad, hm?» sa han.

«At han kjører inn i huset?»

«At han skulle dø dagen etter at Merete Lynggaard forsvant. Denne mannen som Merete nettopp hadde møtt, og som kanskje var forelsket i henne. Mystisk.»

«Du tenker det var selvmord, kanskje? At han var trist fordi hun forsvant nedi havet?» Assads ansiktsuttrykk forandret seg litt mens han så på Carl. «Kanskje han myrde seg selv etterpå fordi han myrder Merete Lynggaard. Slike ting hender ofte, Carl.»

«Selvmord? Nei, da hadde han bare dundret inn i huset av egen fri vilje. Nei, selvmord var det definitivt ikke. Dessuten kunne han ikke ha drept henne. Han befant seg om bord i et fly da Merete Lynggaard forsvant.»

«Okay.» Assad kjente på skrammene i muren igjen. «Da

kanskje ikke han kunne komme med brev heller hvor det står: 'God tur til Berlin'?»

Carl nikket og så mot solen som gikk inn for landing i vest. «Nei, det kunne han vel ikke.»

«Så hva gjør vi her, Carl?»

«Hva vi gjør?» Han stirret utover markene, hvor vårens første ugress allerede begynte å skyte fart. «Jo, det skal jeg si deg, Assad. Vi etterforsker. Det er det vi gjør.»

25

2007

«MANGE TAKK FOR at du ville arrangere dette for meg og takk for at du ville se meg igjen etter så kort tid.» Han rakte Birger Larsen en bred neve. «Det skal ikke ta så lang tid.» Han kikket rundt på rekken av kjente ansikter som satt benket på kontoret til Demokratenes nestformann.

«Ja, Carl Mørck, her har jeg fått samlet alle dem som jobbet sammen med Merete Lynggaard den siste tiden før hun forsvant. Du kjenner kanskje noen av ansiktene fra før?»

Han nikket til dem. Jo da, han kjente igjen en del av dem. Her satt en del av de politikerne som kanskje kunne vippe regjeringen av pinnen ved neste valg. Det var i hvert fall lov å håpe. Den parlamentariske lederen i knekort skjørt, et par av de mer fremtredende folketingsrepresentantene og noen fra kontoret, deriblant sekretæren Marianne Koch. Hun sendte ham et oppmuntrende blikk, noe som minnet ham om at det bare var tre timer til han skulle kryssforhøres av Mona Ibsen.

«Som Birger Larsen sikkert har fortalt dere, etterforsker jeg Merete Lynggaards forsvinning en ekstra gang før vi lukker saken. Og i den forbindelse trenger jeg å vite alt som kan hjelpe meg i forståelsen av hvordan Merete Lynggaards siste dager artet seg, og hvilken sinnstilstand hun befant seg i. Jeg har inntrykk av at politiet den gangen relativt raskt kom frem til at hun falt over bord ved et ulykkestilfelle, og det har de gjerne helt rett i. Og hvis så er tilfellet, vil vi aldri få vite det med sikkerhet. Etter fem år i havet vil liket for lengst være brutt ned.»

Alle nikket. Alvorsstemte, og på en måte sorgfulle også. Her satt de personene som Merete Lynggaard hadde kunnet regne blant sine politiske venner og støttespillere. Kanskje med unntak av den nye kronprinsessen.

«Det er mange ting i etterforskningen som peker mot en ulykke, så man skal være litt av en nerd hvis man skal tro noe annet. På den annen side er vi noen skeptiske djevler, vi i Avdeling Q; det er kanskje derfor vi er valgt ut til denne jobben.» De smilte litt. De hørte i hvert fall etter. «Nå vil jeg stille dere en rekke spørsmål, og hvis dere har det minste å komme med, så ikke nøl.»

De fleste nikket igjen.

«Husker dere om Merete Lynggaard hadde et møte med en gruppe som agiterte for morkakeundersøkelser den siste tiden før hun forsvant?»

«Ja, det husker jeg.» Det var en av de administrative. «Det var en gruppe som var sammensatt for anledningen av Bille Antvorskov fra BasicGen.»

«Bille Antvorskov? Du mener *den* Bille Antvorskov? Milliardæren?»

«Ja, han. Han samlet gruppen og ordnet et møte med Merete Lynggaard. De var på rundtur.»

«Rundtur? Med Merete Lynggaard?»

«Nei.» Hun smilte. «Vi kaller det det når en interesseorganisasjon tar alle partiene etter tur. De var jo ute etter å samle flertall i Folketinget.»

«Eksisterer det noe referat fra dette møtet?»

«Ja, det må da det. Jeg vet ikke om det er på papir, men vi kan kanskje lete på datamaskinen til Meretes sekretær den gangen.»

«Eksisterer den fortsatt?» sa han. Han trodde nesten ikke sine egne ører.

Den kvinnelige sekretæren smilte. «Vi gjemmer alltid på de gamle harddiskene når vi skifter operativsystem. Da vi gikk over til Windows XP, var det minst ti harddisker som ble skiftet ut.»

«Har dere ikke et lokalt nettverk?»

«Jo visst, men Meretes sekretær og noen av de andre var ikke koblet til det den gangen.»

«Paranoia, eller hva?» Han smilte til henne.

«Kanskje det.»

«Og vil du forsøke å finne det referatet til meg?» Hun nikket igjen.

Han vendte seg mot resten av gruppen. «En av møtedeltakerne het Daniel Hale. Merete og han skal etter sigende ha vært interessert i hverandre. Er det noe her som kan bekrefte eller utdype det?»

Flere av dem kikket på hverandre. Altså treff igjen. Spørsmålet var bare hvem som skulle svare.

«Jeg vet ikke hva han het, men jeg så henne snakke med en fremmed mann nede i Snapstinget.» Det var den parlamentariske lederen som tok ordet. En irriterende, men robust ung dame som gjorde seg godt på TV og som sikkert hadde tunge statsrådposter i vente når tiden kom. «Hun lot til å være henrykt over å se ham der og virket noe ukonsentrert mens hun satt og pratet med de helsepolitiske talsmennene til Sosialistene og Radikalt Sentrum.» Hun smilte. «Det tror jeg det var flere som la merke til.»

«For det var unormalt til Merete Lynggaard å være, eller hva?»

«Jeg vil tro det var første gang noen her inne hadde sett henne flakke med blikket. Så ja, det var høyst uvanlig.»

«Kan det ha vært denne Daniel Hale, som jeg nevnte?»

«Jeg aner ikke.»

«Er det andre som vet noe om det?»

De ristet på hodet.

«Hvordan vil du beskrive mannen?» spurte han den parlamentariske lederen.

«Han satt litt gjemt bak en søyle, men han var slank og velkledd og solbrent, så vidt jeg husker.»

«Hvor gammel?»

Hun trakk på skuldrene. «Kanskje litt eldre enn Merete.»

Slank, velkledd, litt eldre enn Merete. Med unntak av solbrentheten kunne det passe på alle mennene her inne, ham selv inkludert, hvis man så stort på en fem-ti år i feil retning.

«Jeg kan tenke meg at det må ha ligget igjen en del papirer etter Merete Lynggaard som ikke bare kunne langes over til etterfølgeren uten videre.» Han nikket mot Birger Larsen. «Jeg tenker på kalendere, syvende sanser, håndskrevne notater, slike ting. Ble det bare kastet? Man kunne jo ikke vite om Merete Lynggaard ville komme tilbake, for eksempel?»

Igjen var det den kvinnelige sekretæren som reagerte. «Politiet tok noe, og noe ble kastet. Jeg tror ikke det var mye igjen til slutt.»

«Hva med avtaleboken hennes, hvor ble det av den?»

Hun trakk på skuldrene. «Den var ikke her, i hvert fall.»

Her brøt Marianne Koch inn. «Merete tok alltid avtaleboken med seg hjem.» De skrå øyenbrynene hennes innbød ikke til innsigelser. «Alltid,» understreket hun.

«Hvordan så den ut?»

«Det var en helt vanlig TimeSystem. Med slitt, rødbrunt skinnomslag. Time manager, avtalebok, notisbok og telefonliste i ett.»

«Og den har ikke dukket opp, vet jeg. Så vi må anta at den er forsvunnet i havet sammen med henne.»

«Det tror jeg ikke noe på,» kom det øyeblikkelig fra sekretæren.

«Nei vel, hvorfor ikke?»

«Fordi Merete alltid gikk med en liten håndveske, og der var det ikke plass til avtaleboken. Hun puttet den så å si alltid i attachévesken, og den hadde hun helt sikkert ikke med seg da hun sto oppe på soldekket. Hun hadde jo fri, så hvorfor skulle hun ha med seg den? Og den lå vel ikke i bilen heller?»

Han ristet på hodet. Ikke så vidt han kunne huske.

CARL HADDE VENTET lenge på krisepsykologen med den veldreide rumpa, og nå begynte han å bli utålmodig. Hvis hun hadde vært presis, ville han bare ha skrudd på den naturlige sjarmen og latt samtalen gå av seg selv, men nå da han hadde gjentatt replikkene og øvd inn smilene i over tyve minutter, hadde futten gått ut av ballongen.

Hun så ikke skyldbetynget ut da hun endelig dukket opp på kontoret i tredje, men hun sa unnskyld. Denne typen selvsikker attityde hadde Carl alltid tent enormt på. Det hadde vært det samme med Vigga også i sin tid. Det og den smittende latteren hennes.

Mona Ibsen satte seg rett foran ham og fikk lyset fra Otto Mønsteds gate inn bakfra så det sto en stråleglans rundt hodet hennes. I den duse belysningen tegnet det seg fine ansiktsrynker, leppene var sensuelle og dypt røde. Alt ved henne uttrykte klasse. Han låste blikket fast i hennes for ikke å fortape seg i de svulmende brystene. Ikke for alt i verden ville han la seg vippe ut av denne tilstanden.

Hun spurte om hendelsene ute på Amager. Ville vite tidspunkter, handlinger, konsekvenser. Hun spurte om alle disse tingene som ikke spilte noen rolle, og Carl var ikke tung å be. Litt mer blod enn i virkeligheten. Litt kraftigere skudd, litt dypere sukk. Og hun kikket intenst på ham og noterte kjernepunktene i beretningen. Da han hadde kommet så langt at han skulle til å fortelle om hvilket inntrykk det hadde gjort på ham å se de to gode vennene sine henholdsvis død og såret, og hvor dårlig han hadde sovet om nettene siden den gangen, trakk hun stolen sin ut fra bordet, la visittkortet sitt foran ham og begynte å pakke sammen.

«Hva er det som skjer?» spurte han idet blokken hennes forsvant ned i lærvesken.

«Det synes jeg du skal spørre deg selv om. Når du er klar til å fortelle meg sannheten, kan du be meg komme igjen.»

Han så på henne med rynkede bryn: «Hva skal det bety? Alt jeg har fortalt deg til nå, var akkurat det som skjedde.»

Hun dro vesken inntil den buede magen under det stramme skjørtet. «For det første ser jeg på deg at du sover ganske bra. For det andre har du smurt tykt på hele veien. Men du trodde kanskje ikke at jeg hadde lest rapporten på forhånd?» Han skulle til å protestere, men hun løftet hånden. «For det tredje ser jeg noe i øynene dine når du nevner Hardy Henningsen og Anker Høyer. Jeg vet ikke hva, men det er noe med den hendelsen som gnager deg, og når du nevner de to kollegene dine som ikke var så heldige å komme fra det med liv og helse i behold, minner det deg om det så du holder på å gå opp i limingen. Når du er klar til å fortelle meg sannheten, kommer jeg gjerne igjen. Før det kan jeg dessverre ikke hjelpe deg.»

Han utstøtte en liten lyd som var ment som en protest, men som kvalte seg selv. I stedet så han på henne med den typen begjær som kvinner nok kan ane, men aldri vite sikkert at menn er fylt av.

«Bare et øyeblikk,» tvang han seg til å si idet hun snudde seg for å gå.

«Kanskje vi kunne snakke om det over en middag?» fløy det ut av ham.

Han så bomskuddet skjene uendelig langt over mål. Det var så dumt sagt at hun ikke gadd å håne ham engang, men bare sendte ham et blikk som fremfor alt uttrykte bekymring.

BILLE ANTVORSKOV HADDE nettopp fylt femti og var fast inventar i studio på TV2s Go'morgen Danmark og i alle slags debattprogrammer. Han var en såkalt kapasitet, og som sådan ble han forventet å ha greie på alt mellom himmel og jord. Men det var jo slik det var. Når danskene først tar folk alvorlig, kan det ikke bli alvorlig nok. Men så gjorde han seg godt i ruta også. Myndig og voksen, skrå, brune øyne, markant hake og en utstråling som forente gategutten med borgerskapets diskré sjarm. Dette, sammen med det ugjendrivelige faktum at han på rekordtid hadde skapt seg en formue som snart kunne regnes blant landets største, og som på toppen av det hele var basert på høyrisikovillige medisinalprosjekter i allmennhetens interesse, la den jevne danske fjernsynsseer langflat av beundring og respekt.

Personlig hadde ikke Carl noen sans for ham.

Allerede på forværelset ble han klar over at tiden var knapp og at Bille Antvorskov var en travel mann. Langs veggen satt det fire herrer som alle så ut til ikke å ville ha noe med hverandre å gjøre. De satt med stresskoffertene mellom bena og laptopene på fanget. Alle hadde det travelt som bare pokker, og alle gruet seg til hva som ventet dem bak den lukkede døren.

Sekretæren smilte til Carl, men mente det ikke. Han hadde med vold og makt mast seg inn på møteplanen, og det håpet hun at han ikke ville gjøre en annen gang.

Sjefen hennes tok imot ham med et av sine karakteristiske skjeve smil og spurte høflig om han hadde vært oppe i dette kontorkomplekset ved Københavns havn tidligere. Så slo han ut med armene mot glassfasaden som strakte seg fra vegg til vegg og åpenbarte en mosaikk av hele verdens mangfoldighet: skip, brygger, kraner, vann og himmel – en vrimmel av mektige elementer som kjempet innbyrdes om hegemoniet og øyets gunst.

Det var jo noe annet enn Carl kunne vise til på kontoret sitt.

«Du ville snakke med meg om møtet på Christiansborg den tyvende februar 2002. Jeg har det her,» sa han og gjorde noen tastetrykk på datamaskinen. «Næ.æ, se her, det var et palindrom, så gøy!»

«Hva?»

«20.02 2002. Datoen! Likedan forfra og bakfra. Jeg hadde en avtale med ekskona klokken 20.02, ser jeg. Vi feiret det med et glass champagne. 'Once in a lifetime!'» smilte han, og så var den delen av underholdningen ferdig.

«Du ville vite hva møtet med Merete Lynggaard gikk ut på?» fortsatte han.

«Svært gjerne, men aller først vil jeg gjerne høre litt om Daniel Hale. Hva var hans rolle på dette møtet?»

«Tja, morsomt at du nevner det, men han hadde ikke noen rolle der i det hele tatt. Daniel Hale var en av våre viktigste utviklere av laboratorieteknikker, og uten hans laboratorium og flinke medarbeidere, hadde mange av prosjektene våre kommet mye dårligere ut.»

«Så han var ikke med på utviklingen av selve prosjektene?»

«Ikke på den politiske og finansielle siden. Bare på det rent tekniske.»

«Så hvorfor var han med på møtet?»

Han bet seg litt i kinnet, et forsonende trekk. «Så vidt jeg husker, ringte han og ba om å få være med. Begrunnelsen har jeg ikke helt present lenger, men han hadde visst tenkt å investere tungt i nytt utstyr fremover, og hadde behov for å vite noe om den politiske fremdriften. Han var en meget effektiv mann, det var kanskje derfor vi jobbet så godt sammen.»

Carl registrerte mannens selvros. Enkelte forretningsmenn gjorde en dyd av å tone ned egen betydning. Bille Antvorskov var ikke den typen.

«Hvordan vil du karakterisere Hale som person?»

«Som person?» Han ristet på hodet. «Aner ikke. Pålitelig og pliktoppfyllende som underleverandør, men som person? Jeg aner ikke.»

«Så du hadde ikke noe å gjøre med ham privat?»

Her kom den velkjente Bille Antvorskovske brummingen som skulle forestille latter. «Privat? Jeg hadde aldri sett ham før dette møtet på Christiansborg. Det hadde vi rett og slett aldri hatt tid til, verken han eller jeg. Dessuten var han aldri hjemme. Daniel Hale fløy i stadig skytteltrafikk mellom ulike aktører. I Connecticut den ene dagen, i Aalborg den neste. Frem og tilbake i ett sett. Jeg har jo skrapt sammen en del bonuspoeng selv gjennom årene, men Daniel Hale må ha etterlatt seg en bunke som kunne sendt en skoleklasse jorden rundt et helt år.»

«Så du hadde ikke truffet ham før dette møtet?»

«Nei, aldri.»

«Det må da ha vært møter og diskusjoner og prisavtaler og slike ting?»

«Jo, jo, men den slags har jeg jo folk til å ta seg av. Jeg kjente Daniel Hales renommé, vi tok noen telefoner, og så var vi i gang. Resten av samarbeidet foregikk mellom Hales og mine folk.»

«Okay. Jeg kunne godt tenke meg å snakke med noen her i virksomheten som hadde med Hale å gjøre, er det mulig?»

Bille Antvorskov trakk pusten så dypt at det knirket i den hardt polstrede lærstolen under ham. «Jeg vet sannelig ikke hvem som er igjen nå, det er jo fem år siden. Det er en voldsom gjennomtrekk i denne bransjen. Alle søker nye utfordringer.»

«Jaså!» Satt idioten der og sa indirekte at han ikke kunne holde på medarbeidere? Det var vel ikke meningen. «Men kanskje du kunne gi meg adressen til virksomheten hans?»

Han dro munnvikene ned. Den slags hadde man også folk til.

SELV OM BYGNINGENE var seks år gamle, så de ut som om de var ferdigstilt uken før. Interlab A/S sto det på det meterhøye skiltet midt i fontenelandskapet foran parkeringsanlegget. Butikken klarte seg altså uten sin gamle rormann.

I resepsjonen så de på Carls politiskilt som om det var noe han hadde kjøpt i en leketøysbutikk, men etter ti minutters ventetid kom det likevel en sekretær ned til ham. Han sa at han hadde spørsmål av privat karakter, og ble straks sluset ut av hallen og inn på et rom med lærstoler og bord i bjørketre og flere glasskap med drikkevarer. Her fikk nok utenlandske gjester stifte sitt første bekjentskap med Interlabs effektivitet. Overalt tronet vitnesbyrd om bedriftens pondus. Priser og diplomer fra hele verden prydet hele den ene veggen, og fotografier fra prosjekter og diagrammer over laboratoriets oppbygning de to andre. Bare veggen ut mot den japanskinspirerte innkjørselen til konsernet hadde vinduer, og solen spraket inn.

Det lot til at det var Daniel Hales far som hadde grunn-lagt firmaet. Etter bildene å dømme var det skjedd mye siden den gangen. Daniel hadde løftet arven betraktelig i den korte tiden han hadde vært sjef, og sikkert ut fra lyst og entusiasme. Ingen tvil om at han hadde vært elsket og stimulert i riktig retning også. Et fotografi viste far og sønn stående tett inn-til hverandre med glade smil. Faren i vest og jakke, et symbol på den gamle tid som var på vei ut; sønnen i tenårene, glatt i huden og storsmilende. Klar til å ta fatt.

Det lød skritt bak ham.

«Det var De som gjerne ville ha noen opplysninger?» Det var en tykkfallen kvinne i flate sko.

Hun presenterte seg som informasjonssjef, og på ID-brik-ken hennes sto det Aino Huurinainen. Finske navn var nå noe for seg selv.

«Jeg ville gjerne prate med noen som jobbet tett sammen med Daniel Hale den siste tiden han levde. En som kjente ham godt privat. En som visste hva han tenkte og drømte om.»

Hun så på ham som om han hadde forgrepet seg på henne.

«Kan De sette meg i forbindelse med en slik person?»

«Det var vel ingen som kjente ham bedre enn salgsdirektør Niels Bach Nielsen, skulle jeg tro. Men jeg er redd han ikke ønsker å snakke med Dem om Daniel Hales privatliv.»

«Hvorfor skulle han ikke det? Har han noe å skjule?»

Hun så på ham igjen som om han var en grobian av verste sort. «Verken Niels eller Daniel hadde noe å skjule. Men Niels har aldri kommet over Daniels død.»

Undertonen var ikke til å ta feil av. «De mener at de to var et par?»

«Ja. Niels og Daniel fulgte hverandre i tykt og tynt, både privat og i jobbsammenheng.»

Han så et øyeblikk på de matte, blå øynene hennes. Det ville ikke ha forundret ham om hun plutselig hadde sprutet ut i latter. Men det skjedde ikke. Det hun hadde fortalt, var ingen spøk.

«Det visste jeg ikke,» sa han.

«Nei vel,» svarte hun.

«De har ikke tilfeldigvis et bilde av Daniel Hale, som jeg kunne få?»

Hun strakte armen ti centimeter til høyre og tok en brosjyre som lå på glassdisken ved siden av en håndfull Ramlösaer.

«Her,» sa hun. «Jeg tror De vil finne cirka ti stykker.»

HAN FIKK BILLE Antvorskov på tråden først etter litt tautrekking med den motvillige sekretæren hans.

«Jeg har scannet inn et bilde som jeg lurte på om jeg kunne sende deg på mail. Har du to minutter til å se på det?» sa han da han hadde presentert seg.

Antvorskov gikk med på det og oppga mailadressen sin, og Carl grep musetasten og fulgte med på skjermen mens han overførte filen.

Det var et svært godt bilde av Daniel Hale fra brosjyren som informasjonskvinnen hadde gitt ham. En slank, lyshåret mann, sikkert ganske høy, solbrent og velkledd, etter beskrivelsene fra Snapstinget å dømme. Det var ikke noe homseaktig over ham, men så hadde han tydeligvis også tilbøyeligheter i begge retninger. Klar til å komme ut av skapet som heteroseksuell, tenkte Carl, og så ham for seg, knust og ille tilredt på Kappelev Landevei.

«Mailen er kommet,» sa Bille Antvorskov i den andre enden. «Nå har jeg åpnet billedfilen.» Det ble stille i flere sekunder. «Ja, hva skal jeg med dette?»

«Kan du bekrefte at bildet forestiller Daniel Hale? Var det denne personen som deltok i møtet på Christiansborg?»

«Han der? Har aldri sett ham før.»

26

2005

DA HUN FYLTE femogtredve, vendte lyshavet fra lysstoff-rørene i taket tilbake, og med det forsvant ansiktene bak speil-glassrutene.

Ikke alle rørene i de armerte glasskassene tentes denne gan-gen. En dag må de komme inn og skifte, eller så ender det i fullstendig mørke, tenkte hun. De står og lurer på meg frem-deles, det vil de ikke gå glipp av. En dag kommer de inn og skifter rørene. De senker trykket stille og forsiktig, og så står jeg klar og venter på dem.

Forrige gang Merete hadde bursdag, satte de trykket i rom-met opp igjen, men det bekymret henne ikke lenger. Klarte hun fire atmosfærer, skulle hun vel klare fem også. Hun visste ikke hvor grensen gikk, men hun var ikke i nærheten foreløp-ig. Som forrige gang fikk hun et par dager med hallusinasjo-ner. Det føltes som om bakgrunnen i rommet snurret rundt mens resten sto klart i fokus, og hun sang og følte seg lett til sinns. Realitetene hadde mistet sin betydning. Først etter et par dager vendte virkeligheten tilbake, og det begynte å pipe for ørene hennes. Tonen var ganske svak til å begynne med, så hun gjespet og utlignet trykket så godt hun kunne, men etter fjorten dager var lyden blitt permanent. En fullstendig klar tone som fra prøvebildet i fjernsynet. Høyere i toneleiet, renere, men hundre ganger mer enerverende. Den forsvinner, Merete, du må bare venne deg til trykket. Bare vent, den for-svinner en vakker dag. Den forsvinner nok, den forsvinner nok, lovte hun seg selv. Men løfter basert på uvitenhet skuffer alltid, og da pipetonen hadde vært der i tre måneder og hun holdt på å bli gal av mangel på søvn og den evige påminnelsen om at hun levde i en dødscelle på bøddelens nåde, begynte hun å formulere for seg selv hvordan hun skulle ta sitt eget liv.

Det ville uansett ende med døden, visste hun nå. Kvinnens ansikt hadde utstrålt alt annet enn grunnlag for håp. De spiddende øynene hadde talt sitt klare språk. De kom ikke til å la henne slippe. Aldri. Så heller dø for egen hånd. Selv bestemme hvordan det skulle skje.

BORTSETT FRA DOBØTTA og matspannet, lommelykten og de to nylonspilene fra dunjakken, hvorav den korte nå fungerte som tannpirker, et par doruller og klærne hun hadde på seg, var rommet fullstendig tomt. Veggene var glatte. Det var ingenting hun kunne binde jakkeermet fast til, ikke noe punkt hun kunne la kroppen dingle fra til den var befridd. Den eneste muligheten hun hadde, var å sulte seg til døde. Nekte å spise den ensformige maten, nekte å drikke de usle vannskvettene de unte henne. Kanskje det var det de ventet på. Kanskje hun var del av at sykt veddemål. Mennesket hadde til alle tider forvandlet medmenneskers lidelser til underholdning. I alle avleiringer av menneskehetens historie kom det til syne et uendelig tykt lag av mangel på medfølelse. Og sedimenter til nye lag nedfelte seg uten stans, det merket hun nå selv på sin egen kropp. Derfor ville hun ikke mer.

Hun skjøv matspannet til side, stilte seg opp foran det ene køøyet og erklærte at hun ville slutte å ta til seg næring. At hun hadde fått nok. Så la hun seg på gulvet og svøpte seg inn i de fillete klærne og drømmene. Hun hadde regnet ut at det måtte være den sjette oktober, og at hun kunne holde ut en ukes tid. Da ville hun være femogtredve år og tre måneder og en uke gammel. Eller nøyaktig tolv tusen tre hundre og tolv dager, som hun regnet seg frem til at det tilsvarte – uten å være helt sikker. Hun ville ikke få noen gravstein. Ingen angitte data over fødsel og død ville være å se noe sted. Ingenting etter døden ville kunne koble henne til dette buret og det lange tidsrommet hun hadde tilbrakt her på slutten. Med unntak av morderne var det bare hun selv som ville kjenne dødsdagen. Og bare hun selv kunne forutsi den med noenlunde nøyaktighet. Cirka den trettende oktober 2005 ville hun dø.

De ropte til henne at hun skulle bytte ut spannene den andre dagen av sultestreiken, men hun adlød ikke. Hva kunne de gjøre hvis hun nektet å adlyde ordre? De kunne velge mellom å la spannene stå i slusen eller å ta dem tilbake igjen. Det raket ikke henne.

De lot matspannet stå i slusen og gjentok ritualet de neste par dagene. Det gamle spannet ut og et nytt inn som de lot stå. De kjeftet på henne. Truet henne med å øke trykket for så å slippe ut all luften etterpå. Men hvordan kunne de true henne med døden når hun selv nettopp ønsket å dø? Kanskje kom de inn, kanskje ikke, hun brydde seg ikke. Hun lot hodet løpe løpsk i tanker og bilder og minner som kunne fordrive pipetonen, og den femte dagen fløt alt ut for henne. Drømmer om lykke, om det politiske arbeidet, om Uffe alene om bord på skipet, kjærligheten som ble skjøvet i bakgrunnen, barna hun aldri fikk, Mr. Bean og stille dager foran fjernsynet. Og hun kjente hvordan kroppen langsomt slapp taket i sine udekkede behov. Etter hvert følte hun seg lettere der hun lå, en forunderlig tilstand tok over, og tiden gikk mens innholdet i matspannet ved siden av henne begynte å råtne.

Alt var som det skulle være, helt til hun kjente at det begynte å dunke i kjeven.

I den sløve tilstanden hun var, føltes det først som en vibrasjon utenfra. Akkurat nok til å få henne til å åpne øynene på klem, men heller ikke mer. Er de på vei inn til meg, hva skjer, tenkte hun i et kort øyeblikk før hun sank ned i en stille døs igjen. Men et par timer etter våknet hun av en skjærende smerte, som om en kniv ble boret gjennom ansiktet.

Hun ante ikke hva klokken var, ante ikke om de var der ute, og hun skrek som hun aldri hadde skreket før i det golde rommet. Hele ansiktet kjentes som om det var revet i to. Smerten fra tannen fikk det til å dunke som stempler i munnhulen, og hun hadde ingenting å stå imot med. Åh, Gud, var dette straffen for å ta skjebnen i egne hender? Bare fem dager hvor hun ikke hadde passet på seg selv, og så denne straffen. Hun stakk en finger forsiktig inn og kjente tannbyllen hvelve seg over den bakerste jekselen. Den tannen hadde alltid vært hennes svake punkt. Tannlegens sikre inntekt, en lomme av bakterier som den provisoriske tannpirkeren hennes hadde måttet rydde opp i hver dag. Hun klemte forsiktig på byllen og kjente smerten eksplodere gjennom marg og bein. Hun falt forover, gapte vilt og snappet etter luft. For ikke lenge siden hadde kroppen lagt seg i dvale, men nå hadde den våknet til et smertehelvete. Som et dyr som gnagde over sitt eget ben for å slippe ut av saksen. Hvis smerten var et forsvar mot døden, levde hun sterkere nå enn noen gang før.

«Åh,» gråt hun, for det gjorde så vondt. Hun fant tannpirkeren og førte den langsomt inn i munnen. Prøvde forsiktig om det skulle sitte noe under tannkjøttet som hadde forårsaket betennelsen, men i samme sekund som spissen pirket i byllen, eksploderte tannen igjen i vanvittige pinsler.

«Stikk hull på den, Merete, kom igjen nå,» gråt hun og pirket igjen, så det lille hun hadde av mageinnhold var nær ved å komme opp. Hun visste at hun måtte stikke hull, men orket ikke. Hun orket rett og slett ikke.

I stedet krøp hun bort til slusen for å se hva de hadde puttet i spannet til henne i dag. Kanskje det var noe som kunne døyve den verste smerten. Eller kanskje litt vann rett på byllen kunne få den til å holde opp å dunke så infernalsk?

Og hun så ned i spannet og så fristelser som hun ikke hadde kunnet drømme om tidligere. To bananer, et eple, en sjokoladeplate. Det hele var absurd. De ville altså pirre sulten hennes. Tvinge henne til å spise. Det var bare det at hun ikke kunne. Kunne ikke og ville ikke.

Hun flekket tenner da den ilende smerten var nær ved å

slå henne ut. Hun tok opp all frukten og la den på gulvet og fikk tak i vanndunken. Så stakk hun fingeren i vannet og førte den opp til byllen, men den isnende kulden virket ikke slik hun hadde trodd. Der var smerten og der var vannet, og de to hadde absolutt ingenting med hverandre å gjøre. Ikke engang tørsten kunne vannet gjøre noe med.

Hun trakk seg bort og la seg i fosterstilling under speilglass-rutene og ba en stille bønn om Guds tilgivelse. Før eller siden ville kroppen gi opp, det visste hun. Hun måtte leve sine siste dager med smerten.

Også den ville få en ende.

STEMMENE KOM TIL henne som i en transe. De nevnte navnet hennes. Appellerte til henne om å svare. Hun åpnet øynene og oppdaget straks at byllen hadde roet seg for øyeblik-ket, og at den kraftløse kroppen hennes fortsatt lå ved siden av dobøtta under speilglassrutene. Hun stirret opp i taket hvor et av lysstoffrørene var begynt å blafre svakt i den armerte bok-sen høyt over henne. Hun hadde hørt stemmer, hadde hun ikke? Eller var det innbilning?

I det samme sa en klar stemme som hun ikke hadde hørt før:

«Du har rett, hun har tatt frukten.»

Den er virkelig, tenkte hun, men var altfor svak til å la seg sjokkere.

Det var en mannsstemme. Ikke en ung mann, men heller ikke gammel.

Hun løftet straks på hodet, men ikke nok til at de kunne få øye på henne utenfra.

«Jeg kan se frukten fra her jeg står nå,» sa en kvinnestemme. «Den ligger på gulvet.» Det var den samme som snakket til henne en gang i året, den stemmen var ikke til å ta feil av. De der ute hadde tydeligvis ropt på henne og så glemt å slå av høyttaleranlegget igjen.

«Hun har krøpet innunder rutene. Jeg er helt sikker,» fort-satte kvinnen.

«Tror du hun er død? Det er jo gått en uke?» spurte manns-stemmen. Den kom så naturlig, men den var ikke naturlig. Det var henne de snakket om.

«Det kunne ligne henne, den lille purka.»

«Skal vi utligne trykket og gå inn og se etter?»

«Men hva har du tenkt å gjøre med henne? Alle cellene i kroppen hennes er tilpasset fem atmosfærers trykk. Det ville ta uker å roe ned kroppen hennes. Hvis vi åpner nå, får hun ikke bare dykkersjokk, hun kommer til å eksplodere på flek-ken. Du har jo sett avføringen hennes og hvordan den utvider seg. Og urinen som bobler og syder. Hun har levd tre år i et trykkammer, husk det.»

«Kan vi ikke bare pumpe det opp igjen når vi har sjekket at hun er i live?»

Kvinnen der ute svarte ikke. Men det var tydelig at det ikke kom på tale.

Merete pustet tyngre og tyngre. Stemmene tilhørte djevler. De ville sprenge henne og lappe henne sammen igjen i en evig-het hvis de kunne. Hun var i helvetes innerste kammer. Der hvor pinslene aldri tar slutt.

Bare kom inn, dere svin, tenkte hun og dro lommelykten til seg mens pipetonen i ørene økte i styrke. Hun skulle plante den i øyet på den første som kom nær henne. Blinde det beis-tet som vågde å trampe inn i hennes hellige celle. Hun skulle nok rekke det før hun døde.

«Vi gjør ingenting før Lasse er tilbake, er det forstått,» sa kvinnen i en tone som ikke innbød til protester.

«Det er jo en evighet til. Hun er død lenge før den tid,» sa mannen. «Hva faen gjør vi? Lasse blir rasende.»

Det fulgte en kvalmende, trykkende stillhet, omtrent som om veggene var i ferd med å trekke seg sammen og etterlate henne i en skvis, som en lus mellom to negler.

Hun knuget lommelykten enda mer krampaktig og ven-tet. I det samme kom smerten tilbake som et kølleslag. Hun vrengte øynene og trakk pusten helt ned i lungene som for å forløse smerten gjennom et urskrik, og likevel kom det ikke. Hun fikk det under kontroll. Kvelningsfornemmelsene var der, og oppkastfornemmelsene fikk henne til å gulpe, men hun sa ingenting. La bare hodet bakover og lot tårene strømme ned over de tørre leppene.

Jeg hører dem, men de må ikke høre meg, innprentet hun seg selv om og om igjen. Hun tok seg til halsen, strøk seg i luften på utsiden av tannbyllen, rugget frem og tilbake og åpnet og knyttet den frie hånden i ett sett. Hver nervefiber i kroppen var alarmert om dette smertehelvetet.

Så kom skriket. Det hadde sitt eget liv. Kroppen ville det. Et dypt og hult skrik som bare varte og varte.

«Hun er der, hører du? Jeg visste det!» Det kom et klikk fra callingen. «Kom frem så vi kan se deg,» lød den motbydelige kvinnestemmen, og først nå oppdaget de at noe var galt der ute.

«Hei,» sa hun. «Knappen sitter fast.»

Merete kunne høre hvordan kvinnen banket og slo på knappen bak veggen, men det hjalp ikke.

«Har du tjuvlyttet på oss, kjerring?» Hun hørtes ut som et dyr. Stemmen var rå og nedslitt av års hat og følelseskulde.

«Lasse fikser det når han kommer,» sa mannen der ute. «Han fikser det. Det spiller ingen rolle uansett.»

Nå føltes det som om kjeven skulle revne. Merete ville ikke reagere på det, men kunne ikke la være. Hun måtte reise seg. Hva som helst for å avlede kroppens dunkende alarmberedskap. Hun støttet seg på knærne, kjente hvor avmektig kroppen var, skjøv fra og kom seg opp på huk, smertene flammet opp i henne igjen som en brann, hun satte det ene kneet i gulvet og reiste seg halvveis.

«Herregud, som du ser ut, jente,» hørtes stemmen der ute, og så begynte den å le. Latteren traff henne som en haglskur av kirurgiske kniver. «Du har jo tannpine,» lo stemmen. «Fy faen, drittsugga der inne har tannpine, se på henne!»

Hun snudde seg brått mot speilglassrutene. Bare det å skille leppene føltes verre enn døden. «Jeg skal nok få hevn,» hvisket hun og la ansiktet mot den ene ruten. «Jeg skal nok få hevn, bare vent.»

«Hvis du ikke spiser, kommer du snart til å brenne i helvete uten å få den gleden,» hveste kvinnen der ute, men det lå noe mer i stemmen. Det var som kattens lek med musen, og katten var ikke ferdig med å leke ennå. Det var meningen at offeret skulle leve. Leve akkurat så lenge som de hadde bestemt, og ikke lenger.

«Jeg *kan* ikke spise,» stønnet hun.

«Er det en tannbyll?» spurte mannsstemmen.

Hun nikket.

«Det må du fikse selv,» sa han kaldt.

Hun så på speilbildet sitt i det ene koøyet, den stakkars kvinnen foran henne var hul i kinnene, og øynene så ut som om de skulle ramle ut av hodet. Overansiktet var helt forvridd av byllen, posene under øynene talte deres tydelige språk. Hun så rett og slett dødssyk ut, og det var hun også.

Hun støttet ryggen mot glasset og rutsjet langsomt ned på gulvet. Der ble hun sittende med vredens tårer i øynene og en nyvunnen bevissthet om at kroppen kunne og ville leve. Hun skulle ta det som var i spannet og tvinge det i seg. Smerten ville ta livet av henne, eller hun ville klare seg, det gjensto å se. Hun ville i hvert fall ikke gi seg uten kamp, for hun hadde nettopp lovt den motbydelige heksa der ute noe, og det løftet aktet hun å holde. Før eller siden skulle det syke mennesket få igjen med samme mynt.

En liten stund føltes kroppen rolig som et rasert landskap i orkanens øye, før smerten kom tilbake. Denne gangen skrek hun så uhemmet hun bare kunne. Kjente materien fra den betente tannen flyte utover tungen og hvordan den dunkende tannpinen forplantet seg helt opp i tinningen.

Plutselig hørtes en hvisling fra slusen, og et nytt spann kom til syne.

«Her kommer det førstehjelpsutstyr. Bare forsyn deg!» lo kvinnestemmen der ute.

Hun krøp raskt bort på alle fire, tok ut spannet og stirret ned i det.

På bunnen, plassert på et lite tøystykke som et kirurgisk instrument, lå det en tang. Det var en solid tang også, stor og rusten.

27

2007

CARL HADDE HATT EN slitsom start på dagen. Like deler dårlige drømmer og Jespers surmuling over frokosten hadde tømt ham for all energi allerede før han veltet ut i tjenestebilen og oppdaget at bensinmåleren sto på null. Heller ikke de tre kvarterene med osende motorvei på det lille stykket mellom Nymøllevei og Værløse befordret sider hos ham som kunne karakteriseres som sjarm, imøtekommenhet og tålmodighet.

Da han endelig satt på plassen sin i kjelleren under Politihuset og stirret på det energiske, spill levende fjeset til Assad, vurderte han et øyeblikk seriøst å gå opp på Marcus Jacobsens kontor og knuse et par stoler, så han kunne bli sendt et sted hvor han ble passet godt på og hvor all verdens ulykker bare var noe som foregikk på TV.

Han nikket trett til assistenten. Hadde det bare vært mulig å skru ham av et øyeblikk, så kanskje de indre batteriene kunne ha funnet noe å lade seg opp på. Han glodde på kolben til kaffemaskinen, som var helt tom, og tok imot en bitte liten kopp som Assad rakte ham.

«Jeg forstår ikke helt dette, Carl,» sa Assad. «Du sier Daniel Hale er død, men han var ikke med på møtet på Christiansborg. Hvem var det da?»

«Jeg aner ikke, Assad. Men Hale har ingenting med Merete Lynggaard å gjøre. Det har derimot fyren som steppet inn for ham.» Han tok en slurk av Assads myntete. Fire-fem skjeer sukker mindre, så ville den vært drikkendes.

«Men hvordan kunne fyren vite at han milliardær som er

sjef på møtet på Christiansborg har ikke sett Daniel Hale før?»

«Ja, hvordan? Kanskje han og Hale har kjent hverandre på en eller annen måte.» Han satte koppen fra seg på skrivebordet og så på oppslagstavlen hvor han hadde stiftet opp brosjyren fra Interlab AS med Daniel Hales velstriglete kontrafei.

«Da det var ikke Hale som leverte brevet, ikke sant? Og det var ikke Hale som Merete Lynggaard spiser sammen med på Bankerott?»

«Ifølge medarbeiderne hans, var han ikke i landet i det hele tatt på den tiden.» Han snudde seg mot hjelperen. «Hva sa politirapporten om bilen til Daniel Hale etter ulykken, husker du det? Var alt sammen normalt? Fant de feil som kunne ha forårsaket ulykken?»

«Du mener om bremsene var gode?»

«Bremsene. Styremekanismen. Alt sammen. Var det tegn til sabotasje?»

Assad trakk på skuldrene. «Det var vanskelig å se noe, bilen den brant opp, Carl. Men jeg tror det var helt vanlig ulykke, som jeg leser den rapport.»

Ja, det var slik han husket det også. Ikke noe mistenkelig.

«Og det var ingen vitner heller, som sier andre ting.»

De så på hverandre. «Nei, det er akkurat det, Assad, det er akkurat det.»

«Bare han mannen som kjørte inn i ham.»

«Ja, nettopp.» Han tok tankeløst en ny slurk av mynteteen og fikk øyeblikkelig en voldsom kuldegysning. Det skvipet hadde han ikke lyst til å bli avhengig av.

Carl overveide å ta en røyk eller en Läkerol i skuffen, men ikke engang det hadde han ork til. Faen til utvikling. Nå hadde han vært på nippet til å få lukket hele drittsaken, og så kommer disse nye momentene som pekte på uutforskede aspekter. Uendelige arbeidsbyrder tårnet seg plutselig over ham, og det bare i denne ene saken. I tillegg hadde han førti-femti til liggende på bordet foran seg.

«Hva med han vitnet i den andre bilen, Carl? Skal vi ikke snakke med han mannen som Daniel Hale kjørte på?»

«Jeg har satt Lis på å oppspore ham.»

Han fikk et skuffet blikk i retur.

«Men jeg har en annen oppgave til deg, Assad.»

Et merkelig, frydefullt stemningsskifte dro mannens munnviker fra hverandre.

«Kan du kjøre ned til Holtug på Stevns og snakke med denne hjemmehjelpen Helle Andersen en gang til? Spør henne om hun kan kjenne igjen Daniel Hale som han som kom og leverte brevet til henne. Du må ta med et bilde av ham.» Han pekte på oppslagstavlen.

«Men det var ikke han, jo, det var han andre som …»

Han bremset Assad med en håndbevegelse. «Ja, ja, det vet du og jeg. Men hvis hun nå svarer nei, som vi venter, så spør du henne om det er noen likhet mellom Daniel Hale og mannen med brevet. Vi må jo prøve å sirkle ham litt inn, ikke sant. Og en ting til: Du må spørre henne om Uffe var der og fikk et glimt av mannen som leverte brevet. Og så må du spørre hvor Merete Lynggaard pleide å gjøre av attachévesken når hun kom hjem. Si til henne at den er svart og har en stor flenge på den ene siden. Den var farens, han hadde den med i bilen da ulykken skjedde, så den har sikkert betydd noe for henne.» Han løftet hånden igjen da Assad skulle til å si noe. «Og etterpå kjører du til antikvitetshandlerne som kjøpte Lynggaards hus i Magleby og spør dem om de har sett en slik attachéveske noe sted. Så snakkes vi i morgen, okay? Bare ta bilen med deg hjem. Jeg kjører taxi i dag og tar toget hjem senere.»

Nå fektet Assad voldsomt med armene.

«Ja, Assad?»

«Ikke så fort! Jeg må finne skrivepapir. Kan du si alt sammen en gang til?»

HARDY HADDE SETT verre ut. Mens hodet før hadde lignet noe som var smeltet inn i puten, var det nå løftet såpass at man kunne se de fine blodårene som banket i tinningene. Han lå med lukkede øyne og så mer fredfylt ut enn på lenge, og Carl sto litt og overveide om han skulle gå igjen. De hadde fjernet en del av apparaturen på rommet, selv om respiratoren naturligvis fortsatt sto og pumpet. Kanskje var det tegn til bedring tross alt.

Han snudde forsiktig på hælen og begynte å gå mot døren da Hardys stemme stanset ham.

«Hvorfor går du? Klarer du ikke å se en mann på langs?»

Han snudde seg og så Hardy ligge der akkurat som før.

«Hvis du vil at folk skal bli hos deg, Hardy, så får du vise at du er våken. For eksempel ved å åpne øynene.»

«Nei. Ikke i dag. I dag gidder jeg ikke åpne øynene.»

Carl så vantro ut.

«Hvis det skal være forskjell på dagene mine, må jeg gjøre sånn, okay?»

«Ja, okay.»

«I morgen har jeg tenkt å se bare til høyre.»

«Ja vel,» sa han, men det gjorde vondt langt inn i sjelen å høre.

«Du har snakket med Assad et par ganger, Hardy. Var det i orden at jeg sendte ham?»

«Ikke i det hele tatt.»

«Nei vel, men jeg gjorde det altså. Og jeg har tenkt å fortsette å sende ham hit rett som det er. Noen innvendinger?»

«Bare hvis han tar med disse sterke grillgreiene sine.»

«Okay, jeg skal si det videre.»

Noe som kunne oppfattes som latter, slapp ut av Hardy. «Jeg dreit noe så inderlig av det. Pleierne stakkars, var helt fra seg.»
★ Carl forsøkte å stenge synet ute. Det hørtes ikke morsomt ut.

«Jeg skal si det til Assad, Hardy. Ikke fullt så sterke grillgreier neste gang.»

«Er det noe nytt i Lynggaardsaken?» spurte Hardy. Det var første gangen siden lammelsen at han hadde uttrykt interesse

206

for noe som helst. Carl merket at han ble varm i kinnene. Snart fikk han vel klump i halsen også.

«Ja, det har skjedd en del.» Og så fortalte han om den siste utviklingen med Daniel Hale.

«Vet du hva jeg tror, Carl?» kom det etter en stund.

«Du tror at saken har fått nye ben å gå på.»

«Nettopp. Hele greia stinker lang vei.» Han åpnet øynene et kort øyeblikk og så opp i taket før han lukket dem igjen. «Er det noen politiske ting bak dette?»

«Ikke det jeg kan se.»

«Har du snakket med pressefolkene?»

«Hva mener du?»

«De politiske kommentatorene på Christiansborg. De pleier da å ha nesen godt oppe i vinden. Eller de i ukepressen. Pelle Hyttested på Gossip, for eksempel. Den lille smultbollen har kost seg med å skrape slim ut av murfugene på Borgen siden de sparket ham i Aktuelt, så han har nok bra peiling. Spør ham, så får du i hvert fall vite mer enn du gjør nå.» Han smilte et øyeblikk, så var det vekk.

Jeg forteller ham det nå, tenkte han, og sa det ganske langsomt så det skulle sige inn på første forsøk. «Det har skjedd et mord nede i Sorø, Hardy. De samme folkene som ute på Amager, tror jeg.»

Hardy fortrakk ikke en mine. «Og så?» spurte han.

«Vel, samme omstendigheter, samme våpen, samme rødrutete skjorte sannsynligvis, samme miljø, samme ...»

«Jeg sa, og så?»

«Ja, og derfor svarer jeg.»

«Og så? Hva faen raker det meg?»

REDAKSJONEN I GOSSIP befant seg i den sløve fasen like etter at ukens deadline var utløpt og neste nummer så smått begynte å avtegne seg. Et par av paparazzireporterne glodde tomt på Carl der han beveget seg gjennom det åpne landskapet. Det lot ikke til at han ble gjenkjent, og godt var det.

Pelle Hyttested sto og fiklet med det røde, kortklipte, men ganske tynne helskjegget sitt innerst i hjørnet, hvor den evige hvile så ut til å ha senket seg over seniorjournalistene. Carl kjente godt til Pelle Hyttested av omtale. En snik og en møkkaspreder som bare penger kunne stoppe. Ufattelig mange dansker elsket å lese det uvederheftige mølet hans. Bare ofrene kunne styre seg. Rettssakene sto i kø foran Hyttesteds dør, men sjefredaktøren holdt hånden over sin fornemste giftblander. Hyttested solgte og sjefredaktøren fikk bonus, sånn fungerte det der i gården. Da fikk de heller tåle å punge ut med noen bøter i ny og ne.

Mannen kastet et blikk på Carls politiskilt og snudde seg mot kollegene igjen.

Carl la en hånd på skulderen hans. «Jeg har et par spørsmål, sa jeg.»

Blikket til mannen så tvers gjennom ham da han snudde seg. «Ser du ikke at jeg er på jobb? Eller har du tenkt å arrestere meg?»

Da var det at Carl dro den eneste tusenlappen han hadde eid på flere måneder opp av lommen og stakk den oppunder nesen på ham.

«Hva gjelder det?» sa han og forsøkte å suge seddelen til seg med øynene. Kanskje sto han og forsøkte å regne ut i hodet hvor langt ut i de små timer den ville kunne holde ham i gang på Andys Bar.

«Jeg etterforsker Merete Lynggaards forsvinning. Min kollega Hardy Henningsen mente at du kanskje kunne fortelle meg om Merete Lynggaard hadde grunn til å frykte noen i det politiske miljøet?»

«Frykte noen? Det var da en pussig formulering,» sa han og dro seg ustanselig i det skrinne skjegget. «Og hvorfor spør du om det? Er det dukket opp noe nytt i saken?»

Plutselig var rollene byttet.

«Noe nytt? Nei, det er det ikke, men saken er kommet dit hen at en del spørsmål nå bør avklares endelig.»

Han nikket uimponert. «Fem år etter at hun forsvant? Den må du dra lenger ut på landet med. Fortell meg heller hva du vet, så skal jeg fortelle deg hva jeg vet.»

Carl viftet en gang til med tusenlappen slik at mannen ikke skulle miste konsentrasjonen om det essensielle.

«Så du vet ikke om noen som hadde noe spesielt utestående med Merete Lynggaard den gangen, er det det du sier?»

«Alle hatet jo den bitchen mer eller mindre. Hadde det ikke vært for de jævla flotte pattene, hadde hun forsvunnet ut for lenge siden.»

Han tilhørte ikke grunnfjellet i Demokratenes velgerskare, konstaterte Carl uten undring. «Okay, så du vet ikke noe.» Han snudde seg mot de andre. Er det noen av dere som vet noe? Hva som helst. Det trenger ikke ha noe med Christiansborg å gjøre. Løse rykter, folk som ble observert i nærheten av henne av paparazziene her på huset, magefølelser. Er det noe å hente?» Han så seg rundt på kollegene til Hyttested. Halvparten av dem aspirerte utvilsomt til diagnosen hjernedød. Tomme blikk, uendelig likegyldighet.

Han snudde seg og så utover lokalet. Kanskje det var noen av de yngre journalistene som fortsatt hadde litt sevje i barken og kunne si noe? Om ikke på egne vegne, så kanskje på andres. Han hadde tross alt beveget seg inn i sladderland.

«Hardy Henningsen sendte deg, sier du?» Det var Hyttested, han snek seg nærmere pengeseddelen. «Det var vel ikke du som fucka det opp for ham? Jeg husker da tydelig et eller annet med en Carl Mørck, var det ikke det du het? Det var jo du som søkte dekning under en av kollegene. Som lå under Hardy Henningsen og spilte død, var ikke det deg?»

Carl kjente innlandsisen krype oppetter ryggen. Hvordan i all verden kunne han stå der og gape om disse tingene? Alle interne høringer var jo lukket for offentligheten. Ingen hadde så mye som antydet det den djevelen uten videre tok for gitt.

«Sier du dette for at jeg skal klemme deg flat og skvise deg under gulvteppet, slik at du kan ha noe å skrive om neste uke?»

Han gikk så tett opp i synet på ham at Hyttested valgte å fokusere på seddelen igjen. «Hardy Henningsen var den beste kollegaen du kunne ha. Jeg hadde med glede gått i døden for ham hvis jeg kunne. Skjønner du det?»

Hyttested så triumferende på kollegene bak seg. Faen òg. Der hadde de overskriften til neste nummer, og Carl var ferdig. Nå manglet det bare en fotograf til å forevige opptrinnet. Best å komme seg ut jo før jo heller.

«Får jeg tusenlappen hvis jeg forteller deg hvilken fotograf som hadde Merete Lynggaard som spesialområde?»

«Hvilken hjelp skulle jeg ha av det?»

«Aner ikke. Kanskje god hjelp. Er du ikke politimann? Har du råd til å ignorere et tips?»

«Okay, hvem er det?»

«Ta en prat med Jonas.»

«Jonas hvem?» Det var nå bare et par centimeter mellom tusenkroneseddelen og Hyttesteds begjærlige fingre.

«Jonas Hess.»

«Jonas Hess, ja vel, og hvor finner jeg ham? Er han her i redaksjonen nå?»

«Vi ansetter ikke folk som Jonas Hess. Du må nok slå opp i telefonkatalogen.»

Han noterte seg navnet og rev i det samme seddelen til seg og puttet den i lommen. Idioten ville skrive om ham i neste nummer av bladet uansett. Dessuten hadde han aldri i sitt liv betalt noen for opplysninger, og skulle han gjøre det, ble det i hvert fall ikke til en figur som Hyttested.

«Du ville ha gått i døden for ham?» ropte Hyttested etter ham da han marsjerte ut mellom pultene. «Hvorfor gjorde du det ikke da, Carl Mørck?»

HAN FIKK JONAS Hess' adresse i resepsjonen, og taxien avleverte ham på Vejlands Allé utenfor et bitte lite, pusset murhus som årene hadde druknet i samfunnets overflod: gamle sykler, sprukne akvarier og glassballonger fra tidligere tiders

210

hjemmebrenning, mugne presenninger som ikke lenger kunne skjule råtne bord, et hav av flasker og alt mulig annet skrot. Husets innehaver ville vært det ideelle offer i et av de utallige oppussingsprogrammene som herjet i alle fjernsynskanaler. Her kunne selv den usleste hagearkitekt komme til heder og verdighet.

En veltet sykkel utenfor inngangsdøren og dempet surr fra en radio antydet at det kunne være folk hjemme, og Carl lente seg på dørklokken til det verket i pekefingeren.

«Hold opp med det helvetes spetaklet,» hørte han endelig der inne.

En rødsprengt fyr med alle synlige tegn på en alvorlig bakrus, åpnet døren og forsøkte å feste blikket på Carl i det skjærende solskinnet.

«Hva faen er klokka?» sa han og slapp håndtaket og tuslet inn igjen. Det krevde neppe en ransakingsordre å følge etter ham.

Stuen lignet et interiør i en katastrofefilm etter at kometen har splintret kloden i to. Husets herre lot seg falle ned i en sofa som hadde sunket sammen på midten og tok med et tilfreds sukk en slurk av en whiskyflaske mens han forsøkte å lokalisere Carl i synsfeltet.

Ikke akkurat noe ønskevitne, tenkte Carl.

Han hilste fra Pelle Hyttested og håpet at det ville tø opp stemningen.

«Han skylder meg penger,» var svaret.

Carl overveide å vise frem politiskiltet, men slapp det i lommen. «Jeg kommer fra en spesiell avdeling i politiet som forsøker å løse gåter om ulykkelige mennesker,» sa han. Det kunne da umulig skremme noen.

Hess lot flasken falle et øyeblikk. Kanskje hadde det likevel vært for mange ord for hans tilstand. «Jeg kommer angående Merete Lynggaard,» prøvde han på nytt. «Jeg forstår at du var en slags spesialist på henne.»

Mannen forsøkte å smile, men sure oppstøt gjorde at det

ble med tanken. «Det er det faen meg ikke mange som vet,» gren han. «Hva er det med henne?»

«Har du noen bilder av henne som ikke er publisert?»

Han knakk sammen i en halvkvalt latter: «Herregud, hvor dumt går det an å spørre. Jeg har i hvert fall ti tusen.»

«Ti tusen? Det er ikke mulig!»

«Okay!» Han strakte alle fem fingrene i været. «To-tre ruller film annenhver dag i to-tre år, hvor mange bilder får *du* det til?»

«Jøsses, mann. Det blir jo over ti tusen.»

EN TIME SENERE hadde Jonas Hess kviknet såpass til, godt hjulpet av kaloriene som ren whisky tross alt inneholder, at han uten å vakle kunne vise Carl veien ut i mørkerommet sitt, som lå i et lite tilbygg av lecablokker bak huset.

Her så virkeligheten ganske annerledes ut enn inne i huset. Carl hadde vært i mange mørkerom, men ingen så sterile og ordentlige som dette. Forskjellen på mannen i huset og mannen i mørkerommet var skremmende uforståelig.

Han dro ut en metallskuff og fordypet seg i den. «Her,» sa han og tok ut en mappe som det sto 'Merete Lynggaard 13/11/01–1/3/02' på. «Dette er negativene fra den siste perioden.»

Carl begynte å bla bakfra. Hver plastlomme rommet negativene til en hel film, men i den bakerste satt det bare fem eksponeringer. Datoen sto tydelig med sirlige tall: '1/3/02' sto det.

«Du tok bilder av henne dagen før hun forsvant?»

«Ja, ikke rare greiene. Bare noen skudd inne i riksdagsgården. Jeg sto ofte nede i porten og ventet.»

«Ventet på henne?»

«Ikke bare på henne. Alle folketingsrepresentantene. Du aner ikke hvor mange pussige konstellasjoner jeg har sett på den trappen. Du bare venter, og plutselig en dag så er den der.»

«Men det skjedde ikke noe spesielt denne dagen, virker det som.» Han tok plastlommen ut av mappen og la den på lysbordet. Bildene var altså tatt på fredag da Merete Lynggaard var på vei hjem. Dagen før hun forsvant.

Han bøyde seg for å se bedre.

Jo visst, ingen tvil. Hun hadde attachévesken under armen.

Carl ristet på hodet. Utrolig. Det aller første bildet, og bingo! Her var beviset i negativ, hvitt på svart. Merete hadde hatt med seg vesken hjem. En gammel, sliten sak med rift og det hele.

«Kan jeg få låne dette negativet?»

Fotografen tok en slurk til og tørket seg om munnen. «Jeg låner ikke ut negativer. Jeg selger dem ikke engang. Men vi kan ta en kopi, jeg scanner den bare. Kvaliteten trenger vel ikke å være dronningklar?» Han trakk pusten og lo så han hikstet.

«Ja takk, jeg ville sette stor pris på en kopi. Du kan sende regningen til min avdeling.» Han rakte ham et kort.

Mannen så på negativene. «Det var ikke noe spesielt denne dagen. Men det var sjelden det var noe spesielt med Merete Lynggaard i det hele tatt. Det kunne være hvis det var kaldt om sommeren, og man kunne se brystvortene hennes under blusen. De bildene fikk jeg bra betalt for.»

Den hikstende latteren lød på nytt, og han beveget seg bort til et lite, rødt kjøleskap som sto og vaklet på noen tomme kjemikaliebokser. Han tok ut en ølflaske og prøvde visst å by på en slurk, men innholdet var borte før Carl rakk å reagere.

«Scoopet ville jo vært å ferske henne med en eller annen elsker, ikke sant,» sa han og kikket etter noe mer han kunne kyle i seg. «Jeg trodde jeg hadde klart det noen dager før.»

Han smekket igjen kjøleskapet og tok mappen og bladde litt tilbake i den. «Ja, og så er det disse her av Merete i diskusjon med et par av Danmarkspartiets folk utenfor folketingssalen. Dem har jeg til og med kontaktkopier av.» Han lo. «Det var ikke på grunn av diskusjonen, egentlig, det var på grunn av hun her som står i bakgrunnen.» Han pekte på en person som sto tett inntil Merete. «Du ser det kanskje ikke så godt i dette lille formatet, men du skulle se når jeg blåser det opp. Hun var jo helt borte vekk i Merete Lynggaard, denne nye sekretæren.»

Carl bøyde seg nærmere. Jo, det var ingen tvil om at det var Søs Norup. Helt annerledes i vesen og utstråling enn hun hadde vært i dragehulen i Valby.

«Jeg vet ikke om det var noe mellom dem, eller om det bare var sekretæren som var ute å kjøre. Men uansett. Det bildet kunne blitt gull verdt før eller siden.» Han bladde om til den neste siden med negativer.

«Her er det!» sa han og plantet en fuktig finger på plastomslaget. «Jeg visste det var den femogtyvende februar, for da har søsteren min bursdag. Jeg tenkte at jeg kunne kjøpe en fin gave til henne hvis bildet viste seg å bli en hit. Her er det.»

Han tok ut plastlommen og la den på lysbordet. «Det var disse jeg tenkte på. Hun står og snakker med en fyr ute på slottstrappen.» Han pekte på et av fotoene. «Se på det bildet her. Hun ser ubekvem ut, synes jeg. Det er noe i øynene hennes som røper at hun ikke er helt komfortabel.» Han rakte Carl en lupe.

Hvordan i all verden kunne man se noe på et negativ? Øynene hennes var jo bare to hvite flekker.

«Hun oppdaget meg da jeg sto og tok bildene, så jeg stakk. Jeg tror aldri hun fikk ordentlig tak i hvordan jeg så ut. Etterpå forsøkte jeg å fotografere denne fyren, men jeg fikk ham ikke forfra, for han tok den andre veien ut av gården ned mot broen, men det var sikkert bare en tilfeldig fyr som antastet henne i forbifarten. Det var mange som benyttet sjansen til det hvis de kunne slippe unna med det.»

«Han du kontaktkopier av denne serien også?»

Han svelget et par sure oppstøt til, og det virket som om halsen hans var helt glødende innvendig. «Kontaktkopier? Det kan jeg ordne hvis du løper ned i kiosken etter et par øl imens.»

Carl nikket. «Jeg har bare et spørsmål først. Hvis du var så oppsatt på å få dette bildet av Merete Lynggaard med en elsker, så har du vel også fotografert henne ved huset hennes på Stevns, eller hva?»

Han så ikke opp, men studerte de foregående bildene grundig.

«Selvfølgelig. Jeg var der nede massevis av ganger.»

«Da er det noe jeg ikke skjønner. Da må du vel også ha sett henne sammen med den funksjonshemmede broren Uffe, eller hva?»

«Ja jøss, massevis av ganger.» Han satte et kryss på lommen til et av de mange negativene. «Her er et bra bilde av henne og han fyren. Jeg kan gi deg en kopi. Kanskje du vet hvem det er, så kan du fortelle meg det etterpå, ikke sant?»

Carl nikket igjen. «Men hvorfor tok du ikke noen fete bilder av henne og Uffe sammen, slik at verden kunne få vite hvorfor hun alltid hadde det så travelt med å komme seg hjem fra Christiansborg?»

«Fordi jeg selv har en funksjonshemmet person i familien. Min søster er multihandikappet.»

«Men det er jo jobben din. Du lever jo av disse bildene?»

Mannen så sløvt på ham. Hvis Carl ikke sprang etter ølet snart, kunne han glemme å få disse kopiene.

«Døh, hør her,» svarte han og så Carl stivt inn i øynene. «Selv om man er en dritt, kan man vel ha et minimum av verdighet. Eller hva sier du selv?»

FRA ALLERØD STASJON gikk han gjennom gågaten og konstaterte med ergrelse at gatebildet ble mer og mer sterilt og utarmet. Betongkassene kamuflert som luksusboliger hang allerede utover Kvickly, og snart ville de hyggelige, gamle, lave husene på den andre siden av veien også være borte. Det som før var en magnet for øyet, ville bli forvandlet til en tunnel av pyntet betong. Han ville ha forsverget det for få år siden, men nå hadde det nådd byen hans også. Erhard Jakobsen i Bagsværd, Urban Hansen i København og gud vet hvem i Charlottenlund. Hyggelige, uvurderlige bybilder var rasert. Ordførere og kommunestyrer uten smak fantes overalt. Det var nidingsverk som dette talende bevis på.

Hjemme i Rønneholtparken var grillgjengen i full sving igjen, men så var det vær til det også. Klokken 18.24 den enogtyvende mars 2007 – var dette vårens definitive startskudd?

Morten Holland hadde i anledning dagen iført seg noen flagrende gevanter som han hadde tusket til seg på en basar i Marokko. Han kunne sikkert starte en ny sekt på ti sekunder i den uniformen. «Perfekt timing, Carl,» sa han og dumpet et par ribbestykker på tallerkenen hans.

Nabo Sysser Petersen virket allerede en smule subbete, men hun bar det med verdighet. «Jeg orker snart ikke mer,» sa hun. «Jeg selger hele greia og flytter.» Hun tok en solid svelg av rødvinsglasset. «Vi bruker mer tid nede på sosialen til å fylle ut idiotiske skjemaer enn å hjelpe byens borgere, visste du det, Carl? Disse oppblåste folkene i regjeringen burde prøve selv. Hvis de måtte fylle ut skjemaer for fri kost og losji og reiser og dietter og personlige sekretærer og skitt og lort, ville de ikke få tid verken til å spise eller sove eller reise eller noe som helst. Kan du se det for deg? At statsministeren skulle sitte og krysse av for hva han ville snakke med ministrene sine om før møtet begynte. I tre kopier fra en printer som virker annenhver dag. Og at han måtte få det stemplet og godtatt hos en eller annen embetsmann før han fikk lov til å si det videre. Mannen ville jo gå totalt i frø.» Hun kastet hodet bakover og storlo.

Carl nikket. Snart ville diskusjonen handle om kulturministerens rett til å lukke kjeften på mediene, eller de ville mosjonere alle de gamle argumentene for å knuse amtene, sykehusene, eller skattevesenet for den saks skyld. Og de ville holde på helt til siste dråpe var drukket og siste grillben gnagd rent.

Han ga Sysser en liten klem, klappet Kenn på skulderen og tok tallerkenen med seg opp på rommet. De var for så vidt

enige alle sammen. Mer enn halve landet ønsket statsminis-
teren dit pepperen gror, og det ville de fortsette med helt til
den dagen alle ulykkene han hadde brakt ned over landet og
folket, var rettet opp og ryddet av veien. Det ville ta tiår.

Men Carl hadde andre ting å tenke på for tiden.

28

2007

KLOKKEN TRE PÅ natten slo Carl øynene opp. I bakhodet spøkte en vag erindring om rødrutete skjorter og en klar fornemmelse av at en av skjortene i Sorø hadde hatt det riktige mønsteret. Pulsen gikk på høygir og humøret var på bånn, han følte seg mildt sagt elendig. Dette var noe han ikke orket å tenke på, men hvem kunne bremse marerittet og svettetoktene som gjorde lakenene klamme?

Og så denne undermåleren av en journalist, Pelle Hyttested. Ville han rippe opp i hele saken? Ville en av overskriftene i neste Gossip handle om en viss kriminalbetjent som hadde havnet i en klemme?

Tvi, for faen. Bare tanken fikk musklene i mellomgulvet til å trekke seg sammen så han lå som bak panser og plate resten av natten.

«DU SER TRETT ut,» sa drapssjefen.

Carl vinket avvergende med hånden. «Ba du Bak om å komme?»

«Han kommer om fem minutter,» sa Marcus og bøyde seg frem. «Jeg ser at du ikke har meldt deg på lederkurset ennå. Fristen løper ut, vet du.»

«Ja, ja, da får det bli neste gang, da.»

«Du vet at vi har en plan med dette, ikke sant, Carl? Når avdelingen din har vist resultater, er det naturlig at du får hjelp av dine gamle kolleger. Men da må du ha den myndigheten i ryggen som politikommissærtittelen gir deg.

Du har faktisk ikke noe valg, Carl, du *skal* på det kurset.»

«Jeg blir ikke en bedre etterforsker av å sitte og spisse blyanter på skolebenken.»

«Du er sjef for en ny avdeling her, og tittelen følger med på lasset. Du tar kurset, eller så finner du deg et annet sted å etterforske.»

Carl stirret over på Det gylne tårn i Tivoli, som et par håndverkere holdt på å gjøre i stand til en ny sesong. Fire-fem ganger opp og ned i monstrumet der borte, og Marcus Jacobsen ville trygle ham om nåde.

«Jeg skal tenke på det, herr kriminalinspektør.»

Atmosfæren var noe kjølig da Børge Bak kom inn i sin imposante svarte lærfrakk. Carl ventet ikke på drapssjefens lodne innledningsfraser. «Nå, Bak! Jeg må si det var en tynn suppe dere fikk ut av Merete Lynggaard-saken den gangen. Dere vasset til oppunder armene i indisier på at ikke alt var som det skulle være. Si meg, led dere av sovesyke hele gjengen?»

Det var stål i øynene til Bak da blikkene deres nødtvungent møttes, men så faen om han skulle vike.

«Jeg trenger å vite om det er mer i den saken som du går og brenner inne med,» fortsatte han. «Er det noen eller noe som har lagt bånd på den fenomenale innsatsen deres underveis, Børge?»

Her overveide drapssjefen tydeligvis å ta på seg halvbrillene for å ha noe å skjule seg bak, men det mørke ansiktet til Bak krevde en inngripen.

«Med unntak av tonen i et par av de siste bemerkningene, som bare Carl er i stand til å avlevere,» han så på Carl under hevede øyenbryn, «så forstår jeg ham faktisk, for han har nettopp brakt på det rene at avdøde Daniel Hale ikke er han som Merete Lynggaard møtte på Christiansborg. Hvilket nok burde vært avdekket under den opprinnelige etterforskningen, det skal jeg være enig med ham i.»

Skinnfrakken fikk et par ekstra skrukker over skuldrene,

men det var også det eneste synlige tegnet på at opplysningen stresset Bak.

Carl gikk rett i strupen på ham: «Det er ikke alt, Børge. Visste dere for eksempel at Daniel Hale var homse og dessuten bortreist i den perioden han ble antatt å ha hatt kontakt med Merete Lynggaard? Dere burde nok tatt dere bryet med å vise et foto av Hale til Merete Lynggaards sekretær, Søs Norup, eller lederen av delegasjonen, Bille Antvorskov. Da ville dere straks ha skjønt at noe var galt.»

Bak gled langsomt ned på en stol. Det var tydelig at det gikk litt rundt for ham. Selvfølgelig hadde det vært mange saker i mellomtiden, og arbeidspresset i avdelingen hadde vært morderisk hele tiden, men pokker ta om han ikke skulle få ham til å krype likevel.

«Synes du fortsatt det er utenkelig at vi står overfor en forbrytelse i denne saken?» Carl snudde seg mot sjefen. «Hva sier du, Marcus?»

«Da går vi ut fra at du etterforsker omstendighetene rundt Daniel Hales død, Carl.»

«Vi er allerede i full gang.» Han snudde seg igjen mot Bak. «Oppe i Hornbæk, på Klinikk for Ryggmargsskader, ligger det en oppvakt, gammel kollega som er i stand til å tenke.» Han kastet bildene på bordet foran sjefen. «Hadde det ikke vært for Hardy, hadde jeg ikke kommet i kontakt med en fotograf som heter Jonas Hess, og heller ikke i besittelse av et par bilder som viser, for det første, at Merete Lynggaard hadde med seg vesken hjem fra Christiansborg den siste dagen, for det andre, en lesbisk sekretær som viser åpenbar interesse for sjefen sin, og for det tredje, en mannsperson som Merete Lynggaard hadde en ordveksling med på trappen til Christiansborg et par dager før hun forsvant. Et møte som hun tydeligvis reagerer følelsesmessig på.» Han pekte på fotografiet av ansiktet hennes med de flakkende øynene. «Vi ser riktignok bare fyren bakfra, men ut fra hår og holdning og høyde minner han faktisk ikke så lite om Daniel Hale, selv om det ikke er ham.» Han la et av bildene av Hale fra Interlabs brosjyre på bordet ved siden av de andre.

«Og da spør jeg deg, Børge Bak: Synes du ikke at det er ganske merkelig at den attachévesken forsvinner på veien fra Christiansborg til Stevns, for dere fant den jo aldri, eller hva? Og synes du ikke også at det er merkelig at Daniel Hale dør dagen etter at Merete Lynggaard forsvinner?»

Bak trakk på skuldrene. Selvfølgelig syntes han det. Idioten ville bare ikke innrømme det.

«Vesker forsvinner,» sa han. «Hun kunne ha glemt den på en bensinstasjon på veien, hvor som helst. Vi lette hjemme hos henne og i bilen som sto på fergen. Vi gjorde hva vi kunne.»

«Akkurat, her har vi det. Glemt på en bensinstasjon, sier du, men er det egentlig mulig? Så vidt jeg kan se av kontoutskriftene hennes hadde hun ingen handleærender på veien hjem den dagen. Dere har jo ikke gjort jobben deres, Bak!»

Mannen virket rimelig eksplosjonsfarlig nå. «Det er lett mye etter den vesken, kan jeg si deg.»

«Jeg tror at både Bak og jeg er klar over at vi har et stykke arbeid foran oss,» meglet sjefen.

Foran *oss*, sa han. Akkurat som *alle* plutselig skulle ut og grave i denne saken nå!

Carl tok blikket vekk fra sjefen. Å, nei, Marcus Jacobsen mente selvfølgelig ingenting med den formuleringen. For det *ville* ikke komme noen hjelp ovenfra. Carl visste bare så altfor godt hvordan tingene fungerte i denne butikken.

«Jeg spør deg en gang til, Bak. Har vi fått med oss alt nå? Du fikk ikke med deg Hale i rapporten, og det sto heller ingenting om saksbehandler Karen Mortensens observasjoner angående Uffe Lynggaard. Mangler det noe mer, Bak? Jeg trenger all den støtten du kan gi nå, skjønner du det?»

Bak stirret skrått ned i gulvet mens han gned seg over nesen. Snart ville den andre hånden komme opp og legge hentehåret på plass. Han kunne ha føket i taket og laget et helvete over alle disse insinuasjonene og beskyldningene, det hadde man kunnet forstå, men når alt kom til alt, var han en etterforsker med stor E, og akkurat nå var han langt borte.

Sjefen sendte Carl ta-det-rolig-blikket, og han holdt kjeft. Han var enig med drapssjefen. Bak måtte få litt tid på seg nå.

De satt slik et minutts tid før hånden kom opp og ordnet med hentehåret. «Bremsesporene,» sa Bak. «Bremsesporene fra Daniel Hales bilulykke, mener jeg.»

«Hva med dem?»

Han så opp. «Som det står i rapporten, var det ingen spor på veibanen fra noen av kjøretøyene. Jeg mener: Ikke skyggen av et spor. At Hale hadde vært uoppmerksom og bare skjenet over i motgående kjørebane, og KA-TONK!» Han klappet hendene hardt sammen. «Ingen rakk å reagere før sammenstøtet var et faktum, det var antagelsen.»

«Ja, det står i trafikkpolitiets rapport. Hva er det med det?»

«Så kjørte jeg tilfeldigvis forbi ulykkesstedet noen uker etter og husket hvor det var, så jeg stanset.»

«Ja?»

«Det var ganske riktig ingen bremsespor, men det var ingen tvil om hvor det hadde skjedd. De hadde verken fjernet det knuste og halvbrente treet eller lappet sammen muren ennå, og sporene etter bilen var fortsatt synlige i terrenget.»

«Men? Det kommer vel et men?»

Han nikket. «Men jeg oppdaget likevel noen spor femogtyve meter lenger borte i veien i retning Tåstrup. De var allerede litt utvisket, og de var temmelig korte også, kanskje bare en halvmeter. Men jeg tenkte: Sett at disse sporene stammer fra den samme ulykken.»

Carl prøvde å følge tankegangen. Irriterende nok kom sjefen ham i forkjøpet. «Unnvikelsesmanøvre?» spurte han.

«Det kunne godt ha vært det, ja.» Bak nikket.

«Du mener at Hale var i ferd med å kollidere med noe, uvisst hva, og at han bremset opp for å svinge utenom?» fortsatte Marcus.

«Ja.»

«Og så kom det en bil i motsatt retning?» Marcus Jacobsen nikket. Det hørtes ikke umulig ut.

Carl rakte opp hånden. «Det står i rapporten at sammenstøtet skjedde i motsatt kjørebane. Så vidt jeg skjønner, antyder du at det ikke nødvendigvis var tilfellet. Du mener at det kan ha skjedd midt i veien, altså på et sted hvor motgående kjøretøy ikke naturlig ville befinne seg, er det slik?»

Bak trakk pusten dypt. «Jeg tenkte det et øyeblikk, men så slo jeg det fra meg. Men nå i ettertid kan jeg godt se at det kunne ha vært en mulighet, ja. At noe eller noen kommer ut i kjørebanen, at Hale gjør en unnamanøver, at det kommer noen i motsatt retning som barker inni ham omtrent på midtstripen. Kanskje med overlegg for den saks skyld. Ja, kanskje kunne man funnet akselerasjonsspor lenger bak i motgående kjørebane hvis man hadde gått hundre meter bortover veien. Kanskje han som kom i motsatt retning speedet på for å treffe perfekt idet Hale svingte ut mot midten av veien for å unngå å kjøre på noen eller noe.»

«Og hvis dette noe er et menneske som kommer ut i veibanen, og hvis denne personen og han som kjører inn i Hale er i ledtog, så har vi ikke lenger med en ulykke å gjøre, men et mord. Og hvis så er tilfellet, er det også grunn til å stille spørsmålet om dette og Merete Lynggaards forsvinning er ledd i en og samme forbrytelse,» konkluderte Marcus Jacobsen og noterte noe på blokken sin.

«Ja, kanskje.» Baks munnviker pekte nedover. Han hadde det ikke godt nå.

Carl reiste seg. «Det er jo ingen vitner, så vi kommer ikke lenger med dette. Akkurat nå leter vi etter sjåføren.» Han snudde seg mot Bak, som nærmest var forsvunnet i det svarte lærhylsteret sitt.

«Jeg hadde en anelse om det du nettopp har fortalt, Bak, så du skal vite at dette faktisk har vært en god hjelp, tross alt. Og du husker å komme til meg hvis det skulle dukke opp noe mer, ikke sant?»

Bak nikket. Han var alvorlig i øynene. Dette handlet ikke om hans personlige prestisje, det handlet om et stykke arbeid som skulle utføres skikkelig. Han tok det profesjonelt, det skulle han ha.

Man kunne nesten få lyst til å gi ham et forsiktig klapp på skulderen.

«JEG HAR GODE og dårlige nyheter etter reise til Stevns, Carl,» sa Assad.

Carl sukket. «Rekkefølgen spiller ingen rolle, Assad. Bare fyr løs.»

Assad satte seg på kanten av skrivebordet hans. Det neste ble vel at han kom og satte seg på fanget.

«Okay, dårlige først.» Hvis dette smilet var beregnet på å ledsage de dårlige nyhetene, måtte han vel glise hele veien rundt når han kom til de gode.

«Han som kjørte inni Daniel Hale er død også,» sa han, tydelig spent på Carls reaksjon. «Lis ringte og sa det. Jeg har skrevet alt opp her.» Han pekte på en rekke arabiske tegn som like gjerne kunne bety at det ble snøvær i Lofoten i overmorgen.

Carl gadd ikke å reagere. Det var bare så fortærende typisk. Selvfølgelig var mannen død, hva annet var det å vente? At han ville dukke opp lys levende og tilstå at han hadde utgitt seg for Hale og tatt livet av Merete Lynggaard og så ekspedert Hale etterpå? Sludder og vås!

«Lis sa at han var landsbytulling, Carl. Han var råkjører og satt i fengsel mange ganger. Vet du hva betyr landsbytulling?»

Carl nikket trett.

Assad sukket og begynte å lese opp fra hieroglyfene sine. Det var vel egentlig på høy tid å få ham til å skrive dansk.

«Han bodde i Skævinge oppe i Nordsjælland,» leste han. «De fant ham død med masse oppkast i luftrør og en million promiller. Han hadde spist piller også.»

«Jaha. Når skjedde det?»

«Ikke lenge etter ulykken. I rapporten de skriver at alle problemer kommer fra ulykken.»

«At han drakk seg i hjel på grunn av ulykken, mener du?»

«Ja. På grunn av postdramatisk stress.»

«Post*trau*matisk stress heter det, Assad.» Carl trommet på bordkanten og lukket øynene. Kanskje hadde det vært tre mennesker på veien da sammenstøtet skjedde, og da var det mest trolig mord. Og hvis det var mord, hadde landsbytullingen fra Skævinge virkelig en grunn til å drikke seg i hjel. Men hvor var så den tredje personen, han eller hun som eventuelt labbet ut i veien foran Daniel Hales bil? Hadde dette mennesket også pimpet seg i hjel?

«Hva het mannen?»

«Dennis. Dennis Knudsen. Han var syvogtyve år da han døde.»

«Har du adressen til denne Knudsen? Finnes det pårørende? Familie?»

«Ja, han bodde hos foreldrene sine.» Assad smilte. «Det er mange på syvogtyve som gjør i Damaskus også.»

Carl hevet øyenbrynene. Lenger kom ikke Assad med sine kulturkomparative betraktninger i dette forumet. «Og du hadde en god nyhet også, sa du?»

Som antatt flerret smilet nå hele ansiktet fra øre til øre. Stolthet, kunne det se ut som.

«Her,» sa han og rakte Carl en svart plastsekk han hadde hatt stående ved siden av seg på gulvet.

«Ja vel, og hva har du i den, Assad? Tyve kilo sesamfrø?»

Carl reiste seg og stakk hånden ned i den og kjente med én gang håndtaket. En bestemt anelse fikk ham til å grøsse på ryggen, og han dro gjenstanden ut.

Som han hadde trodd var det en slitt attachéveske. Og som på Jonas Hess' fotografi hadde den en stor skramme, ikke bare på lokket foran, men også på baksiden.

«Hva i huleste, Assad!» sa han og satte seg langsomt ned. «Er avtaleboken der også?» Det begynte å summe i den ene armen da Assad nikket. Det føltes som om han satt med Den hellige gral.

Han stirret på vesken. Ta det rolig, Carl, sa han til seg selv, trykket låsene opp og åpnet lokket. Der lå alt sammen. TimeSystem-kalenderen i brun lærinnbinding. Skrivesakene hennes, mobiltelefonen av merket Siemens med lader, håndskrevne notater på linjert papir, et par kulepenner og en pakke Kleenex. Det *var* Den hellige gral.

«Hvordan ...?» sa han bare. Og lurte på om politiets teknikere burde hatt den inn til undersøkelser først.

Assads stemme var langt borte. «Først jeg var hos Helle Andersen, men hun var ikke hjemme. Men så mannen hennes ringte til henne. Han lå i sengen med vond rygg og sa lyder. Og da hun kom, jeg viste henne bilde av Daniel Hale, men hun kunne ikke husker å ha sett ham før.»

Carl stirret på vesken og innholdet i den. Rolig nå, tenkte han. Han kom vel til vesken snart.

«Var Uffe der da mannen med brevet kom? Husket du å spørre om det?» hjalp han Assad på vei.

Assad nikket. «Ja, hun sa at han sto like ved siden av henne hele tiden. Han var veldig interessert. Det var han alltid når det ringte på døren.»

«Syntes hun at mannen med brevet lignet på Hale?»

Han gren litt på nesen. Utmerket gjengivelse. «Ikke så mye, men litt. Fyren med brevet var yngre kanskje, litt mørkere hår og litt mer maskulin. Noe med haken og øynene og sånn. Og så hun kunne ikke si noe mer om det.»

«Og så spurte du om vesken, ikke sant?»

Assads brede smil kom tilbake. «Ja. Hun visste ikke hvor den var. Hun husket den, men visste ikke om Merete Lynggaard har hatt den med seg hjem den siste kvelden. Hun var jo ikke der heller.»

«Assad, kom til saken. Hvor fant du den?»

«Ved oljefyr i grovkjøkkenet deres.»

«Du var i huset i Magleby nede hos antikvitetshandleren?»

Han nikket. «Helle Andersen sa at Merete Lynggaard gjorde alt på samme måte hver dag. Det har hun sett alle år. Alltid samme måte. Hun satte skoene i grovkjøkkenet, men først hun så alltid gjennom vinduet. Inn til Uffe. Hver dag hun tok av seg klærne og la ved vaskemaskinen. Ikke fordi de var skitne. De bare alltid lå der. Og alltid hun tok på seg slåbroken. Og etterpå hun og broren alltid så de samme filmene på video.»

«Og vesken, hva med den?»

«Ja, hjemmehjelpen visste ikke om den, Carl. Hun så aldri hvor Merete satte den, men hun trodde hun setter den enten i gangen eller i grovkjøkken.»

«Men hvordan i huleste kunne du finne den i grovkjøkkenet når hele det jævla reiseteamet ikke kunne finne den? Var den ikke synlig? Hvorfor lå den der fortsatt? Disse antikvitetshandlergutta slomser vel ikke med rengjøringen heller, har jeg en følelse av. Hva gikk du etter?»

«Jeg fikk helt lov til å gå for meg selv hos antikvitetshandleren, og så jeg spiller hele scenen inni hodet for meg selv.» Han banket på det med knokene. «Jeg sparket skoene og hengte frakken i grovkjøkken på knaggen. Jeg bare lot som, for knaggen var borte. Men så jeg tenker inni hodet at hun har hatt noe i begge hendene, kanskje. Papirer i den ene og vesken i den andre. Og så jeg tenker at hun kan ikke henge frakken før hun legger fra seg det hun har i hendene.»

«Og fyren sto nærmest?»

«Ja, Carl, rett ved siden av.»

«Hvorfor tok hun ikke vesken med seg etterpå, inn i stuen eller på kontoret sitt?»

«Jeg kommer til det, Carl, et lite øyeblikk. Jeg så opp på fyren, men vesken var ikke der. Jeg trodde ikke det heller. Men vet du hva jeg så, Carl?»

Carl bare stirret på ham. Svaret kom han vel med selv.

«Jeg så at det var minst en hel meter luft mellom fyren og taket.»

«Fantastisk,» sa Carl matt.

«Og så tenkte jeg at hun legger den ikke på den skitne fyren, for hun har fått den av faren sin, hun er redd for den.»

«Nå er jeg ikke helt med.»

«Hun *la* den ikke, Carl, hun *satte* den fra seg oppå fyren. Akkurat som på gulvet. Det var jo masse plass.»

«Så det hadde hun gjort, og så hadde den ramlet ned bak fyren.»

Assads smil var svar nok. «Ripen på den andre siden er helt ny, se selv.»

Carl lukket vesken og snudde den. Den virket nå ikke helt ny, så vidt han kunne se.

«Ja, jeg tørket av vesken, for den var full av støv, så ripen er kanskje litt mørk nå. Men den var helt fersk da jeg fant den, det er sikkert, Carl.»

«For svingende, Assad, du tørket vel ikke av vesken? Du har kanskje tatt på det som er inni også?»

Assad nikket, men ikke fullt så ivrig nå.

«Assad.» Carl trakk pusten for ikke å si det for brutalt. «Neste gang du finner noe viktig i en sak, så holder du fingrene av fatet, okay?»

«Av fatet?»

«Ja, du rører det ikke, for svingende. Du kan ødelegge viktige spor på den måten, skjønner du?»

Han nikket. Iveren var borte. «Jeg hadde fingrene inni skjorteermet, Carl.»

«Okay. Bra tenkt, Assad. Så du mener at den andre skrammen er kommet på samme måte?» Han snudde vesken en gang til. De to ripene lignet unektelig på hverandre. Da var den første altså ikke et resultat av bilulykken i 1986.

«Ja, jeg tror det var ikke første gang den veltet ned bak fyren. Den lå klemt ned mellom masse rør. Jeg måtte dra og rive for å få den løs. Det har Merete også gjort, jeg er sikker på.»

«Men hvorfor veltet den ikke ned mange flere enn disse to gangene?»

«Det har den sikkert, for det var veldig trekk av vind i grov-

228

kjøkken når noen åpnet døren. Men da har den bare ikke falt helt ned.»

«Jeg vender tilbake til spørsmålet mitt: Hvorfor tok hun den ikke med seg inn i huset?»

«Hun ville ha fred når hun var hjemme. Hun orket ikke høre på mobiltelefonen, Carl.» Han hevet øyenbrynene så øynene ble kulerunde. «Tror du ikke?»

Carl så ned i vesken. Merete Lynggaard tok vesken med seg hjem, det var logisk nok. Her lå avtaleboken og kanskje også notater som hun kunne ha bruk for i visse situasjoner. Men som regel hadde hun papirer med seg hjem til gjennomlesning, så det var alltid nok å gjøre. Hun hadde en fasttelefon som bare noen få utvalgte kjente nummeret til. Mobilen var for publikum generelt, nummeret sto på visittkortet hennes.

«Og du tror ikke hun kunne høre mobilen inne i huset hvis den lå i vesken i grovkjøkkenet?»

«No way.»

Carl ante ikke at han kunne engelsk.

«Så her sitter dere to mannfolkene og hygger dere?» lød plutselig en lys stemme bak dem.

Ingen av dem hadde hørt Lis oppe fra drapsavdelingen komme.

«Jeg har enda et par saker til dere. De er kommet fra Sørøst-Jylland distrikt.» Hun sendte en duft inn i rommet som kunne måle seg med Assads røkelsespinne, bare med en helt annerledes virkning. «De beklager forsinkelsen, men det har vært sykdom.»

Hun rakte mappene til en nærmest overivrig Assad, og sendte Carl et blikk som kunne treffe enhver mann dypt i underlivet.

Han stirret på de fuktige leppene hennes og forsøkte å huske sist han hadde vært i nærkontakt med det motsatte kjønn. En fraskilt kvinnes lyserøde toromsleilighet dukket opp på netthinnen, med lavendelblomster i en skål med vann og levende

229

lys og et blodrødt klede over sengelampen. Men ansiktet hennes husket han ikke.

«Hva har du sagt til Bak, Carl?» spurte Lis.

Han dukket ut av det erotiske bakteppet og så inn i de lyseblå øynene hennes, som hadde blitt litt mørkere nå.

«Bak? Går han rundt og klynker der oppe?»

«Nei, han er gått hjem. Men kollegaen hans sa at han var helt hvit i ansiktet etter at dere hadde vært inne hos sjefen.»

HAN SATTE MERETE Lynggaards mobil til lading og håpet at batteriet ikke var helt dødt. Assads hyperaktive fingre hadde vært overalt – skjorteerme eller ikke – så han ga opp tanken på å la teknikerne gjennomgå vesken. Skaden var allerede skjedd.

Bare tre av notatsidene var skrevet på, resten var blanke. Notatene handlet fortrinnsvis om den kommunale hjemmehjelpsordningen og timeavtaler. Veldig skuffende, men sikkert ganske betegnende for den virkeligheten som Merete Lynggaard forlot.

Han stakk hånden ned i bunnen på en sidelomme med slaskete elastikk og dro opp tre-fire krøllete papirark. Den første lappen var en kvittering på en Jack & Jones-jakke fra tredje april 2001, mens resten var den typen trekkspillkrøllete, hvite A4-ark som man fant nederst i skolesekken til alle normale skolegutter. Håndskrevet med blyant, halvveis uleselige og selvsagt udaterte.

Han dro arkitektlampen lenger ned og glattet litt på det øverste arket. Bare åtte ord: 'Kan vi snakkes etter forslaget mitt til skattereformen?' sto det, med initialene TB under. Mange muligheter, men tro om ikke Tage Baggesen var en het kandidat? Han valgte å tro det.

Han smilte. Ja vel, Tage Baggesen ville gjerne snakke med Merete Lynggaard, tenk det.

Carl glattet ut det neste arket, leste fort det som sto og fikk en helt annen følelse i kroppen. Tonen var personlig på en helt annen måte, Baggesen var i klemme her. Det sto:

'Jeg vet ikke hva som kan skje hvis du offentliggjør det, Merete. Jeg ber deg, ikke gjør det. TB.'

Han tok det siste papiret. Skriften var nesten utvisket, som om det var tatt opp og lagt ned igjen i lommen utallige ganger. Han snudde og vendte på det og tydet ett og ett ord av gangen:

'Jeg trodde vi forsto hverandre, Merete. Hele saken sårer meg dypt. Jeg bønnfaller deg enda en gang: Ikke la det komme ut. Jeg er i ferd med å kvitte meg med det hele.'

Denne gangen sto det ingen initialer under, men han var ikke i tvil, skriften var den samme.

Han grep telefonen og tastet nummeret til Kurt Hansen. En sekretær på Høyres kontor svarte. Hun var imøtekommende, men beklaget at Kurt Hansen akkurat satt opptatt i et møte. Men kanskje han ville vente så lenge? Så vidt hun kunne se, skulle møtet være ferdig om et par minutter.

Carl betraktet papirarkene som lå foran ham mens han holdt telefonrøret mot øret. Her hadde de ligget i vesken siden mars 2002, og sannsynligvis et helt år før det. Kanskje var det en bagatell, kanskje ikke. Kanskje hadde Merete Lynggaard gjemt på dem nettopp fordi de kunne få betydning på et senere tidspunkt, kanskje ikke.

Etter et par minutters stemmesurr i den andre enden hørte han et klikk, og Kurt Hansens karakteristiske stemme var på tråden.

«Hva kan jeg gjøre for deg, Carl?» spurte folketingsmannen rett på sak.

«Hvordan kan jeg finne ut når Tage Baggesen har fremmet lovforslag til en skattereform?»

«Hva pokker vil du med en slik opplysning, Carl?» Han lo. «Ingenting kan være mer uinteressant enn hva Radikalt Sentrum mener om skatt.»

«Jeg trenger det for å kunne tidfeste noe nøyaktig.»

«Det blir ikke lett. Tage Baggesen fremmer lovforslag annethvert sekund.» Han lo. «Nei da, spøk til side. Tage Baggesen har vært samferdselspolitisk talsmann i minst fem år. Jeg vet ikke hvorfor han trakk seg som skattepolitisk talsmann, men et lite øyeblikk.» Han holdt over røret mens han tydeligvis rådførte seg med andre tilstedeværende.

«Vi tror at det var i begynnelsen av 2001, under den forrige regjeringen. På den tiden hadde han liksom litt bedre plass til den slags narrestreker. Vi tipper mars-april 2001.»

Carl nikket tilfreds. «Den er god, Kurt, det harmonerer helt med det jeg selv trodde. Takk, gamle venn. Du kunne ikke sette meg over til Tage Baggesen, forresten?»

Det tutet et par ganger i røret før han fikk kontakt med en sekretær som kunne fortelle at Tage Baggesen var på studietur til Ungarn og Sveits og Tyskland for å se på sporvognsnett. Han ville være tilbake på mandag.

Studietur? Sporvognsnett? Den måtte de dra lenger ut på landet med. Ferietur het det. Rett og slett.

«Jeg trenger mobilnummeret hans. Kunne jeg få det av Dem, er De snill?»

«Det kan jeg nok dessverre ikke oppgi.»

«Hør her, De snakker ikke med en bondetamp fra Fyn. Jeg kan skaffe meg det nummeret på fire minutter hvis det er det om å gjøre. Men det kan hende at Tage Baggesen blir lei for å høre at kontoret hans påla meg den oppgaven.»

DET SPRAKET KRAFTIG på linjen, men det var lett å høre at Tage Baggesens stemme lyste av alt annet enn begeistring.

«Jeg har noen gamle lapper som jeg gjerne skulle ha en forklaring på,» sa Carl smørblidt. Han hadde jo sett hvordan mannen kunne reagere. «Ikke noe viktig, bare for ordens skyld.»

«Og det er?» Den spisse stemmen la distanse til samtalen de hadde hatt for tre dager siden.

Carl leste opp lappene en etter en. Da han kom til den siste, var det som om Baggesen sluttet å puste i den andre enden.

«Tage Baggesen?» spurte han. «Er du der?»

I neste øyeblikk kom pipetonen.

Bare han ikke hopper i elven der nede nå, tenkte Carl og forsøkte å huske hvilken elv som rant gjennom Budapest, mens han hektet listen over mistenkte ned fra whiteboardet og føyde Tage Baggesens initialer til punkt tre: 'Kolleger på Christiansborg'.

Han hadde akkurat lagt på da telefonen på skrivebordet ringte. «Beate Lunderskov,» sa kvinnestemmen. Carl ante ikke hvem det var.

«Vi har nå undersøkt Merete Lynggaards gamle harddisk, og jeg må bare beklage at den er blitt ganske effektivt slettet.»

Nå demret det for ham. Det var en av jentene på Demokratenes folketingskontor.

«Jeg trodde dere beholdt harddiskene nettopp fordi dere ønsket å ta vare på informasjonen på dem,» sa han.

«Slik er det selvfølgelig også, men noen må tydeligvis ha glemt å informere Meretes sekretær Søs Norup om dette.»

«Hva mener du?»

«Vel, det var hun som slettet den. Det står skrevet med all ønskelig tydelighet på baksiden. 'Formatert 20/03 2002, Søs Norup', står det. Jeg står med den i hånden.»

«Det er jo nesten tre uker etter at hun forsvant.»

«Ja, det er vel det.»

Denne helvetes Børge Bak og apekattene hans. Var det *noe* i denne etterforskningen som hadde gått etter boken?

«Den kan vel sendes til nærmere analyse? Det finnes eksperter som er i stand til å gjenvinne data dypt nede.»

«Jo, men det er visst allerede gjort. Et øyeblikk.» Hun rotet litt i bakgrunnen og kom tilbake med tilfredshet i stemmen. «Jo, her er kvitteringen. Den har vært innlevert hos Down Under i Store Kongensgade i begynnelsen av april 2002. Det ligger ved en forklaring på hvorfor de ikke klarte det. Skal jeg lese den opp?»

«Det trengs ikke,» sa han. «Søs Norup har tydeligvis hatt greie på hvordan man gjorde det til gagns.»

«Tydeligvis,» svarte hun. «Hun var en svært grundig type.»
Han takket og la på.

Så ble han sittende litt og stirre på telefonen før han tente en røyk, tok Merete Lynggaards slitte avtalebok på bordet og åpnet den med en følelse som minnet om andakt. Slik hadde han det hver gang han slumpet til å sitte med en navlestreng tilbake til et drapsoffers siste tid.

I likhet med notatene var også håndskriften hennes i avtaleboken temmelig uleselig og preget av hastverk. Flyktige blokkbokstaver. N'er og G'er som ikke ble avsluttet, ord som gikk over i hverandre. Han startet med møtet med morkakedelegasjonen onsdag den tyvende februar 2002. Bankerott klokken 18.30, sto det litt lenger nede på siden. Ikke noe mer.

I dagene som fulgte var det nesten ikke en linje som ikke var utfylt. Et heseblesende program for å si det mildt, men ingenting som pekte mot noe av privat karakter.

Da han nærmet seg den siste dagen hennes på jobben, følte han desperasjonen bygge seg opp. Hittil var det absolutt ingenting som kunne hjelpe ham videre. Han snudde den siste siden. Fredag den første mars 2002. To utvalgsmøter og et gruppemøte, det var det. Alt annet lå gjemt bak tidens slør.

Han skjøv boken fra seg på bordet og kikket ned i den tomme attachévesken. Hadde den virkelig ligget fem år bak fyren til ingen nytte? Han tok avtaleboken opp igjen og begynte på ny frisk. Heller ikke Merete Lynggaard brukte annet enn kalendersidene og telefonlisten bakerst.

Han tok for seg telefonlisten grundig fra begynnelsen. Han kunne hoppet direkte til D eller H, men ville utsette skuffelsen lengst mulig. Under bokstavene A, B og C dro han kjensel på nitti prosent av navnene. Det var noe annet enn hans egen telefonbok, hvor navn som Jesper og Vigga og et hav av folk ute i Rønneholtparken dominerte. Det var ikke vanskelig å se at hun ikke hadde særlig mange private venner. Ja, sikkert ikke noen i det hele tatt. En vakker kvinne med en hjerneskadet bror og helvetes mye å gjøre, det var henne. Han kom frem til D og visste at Daniel Hales telefonnummer ikke ville være å finne der. Merete Lynggaard skrev ikke opp kontaktene sine etter fornavn slik som Vigga, det var forskjell på folk. Hvem faen ville finne på å lete etter Sveriges statsminister under G for Göran? Bortsett fra Vigga, da.

Så skjedde det. I samme øyeblikk som han bladde om til H, visste han at saken hadde snudd. Det hadde vært snakk om en ulykke, det hadde vært snakk om selvmord, og til slutt hadde etterforskningen endt på bar bakke. Underveis hadde det vært indisier som tydet på at Lynggaardsaken kanskje ikke var så helt enkel, men denne siden i telefonlisten nærmest skrek det ut. Hele avtaleboken var full av kjappe notater, rablet ned i høyt tempo. Bokstaver og tall som stesønnen hans kunne ha skrevet penere, og det sa ikke så lite. Skriften hennes var ikke noe pent syn, langt fra det man skulle tro når det gjaldt denne politiske kometens ordenssans. Men ikke noe sted hadde Merete Lynggaard angret på det hun hadde skrevet. Rettelser og strykninger forekom ikke. Hun visste hva hun skrev hver gang hun gjorde det. Veloverveid, ufeilbarlig. Bortsett fra her i telefonlisten hennes under bokstaven H. Her var det noe som var annerledes. Han kunne ikke vite sikkert at det hadde noe med Daniel Hales navn å gjøre, men dypt nede i ham, der hvor politimannen henter sine siste ressurser, visste han at det var en innertier. Hun hadde klusset ut et navn med kraftige kulepennstreker. Det kunne ikke ses, men under kludderet hadde det en gang stått Daniel Hale og et telefonnummer. Det bare visste han.

Han smilte. Så fikk han bruk for teknikerne likevel. Og de burde helst løse oppgaven både kjapt og grundig.

«Assad,» ropte han. «Kom inn hit.»

Han hørte litt skramling ute på gangen, og så sto Assad i døråpningen med vaskebøtte og grønne gummihansker.

«Jeg har en jobb til deg. Teknikerne skal finne ut hva som har stått her.» Han pekte på overstrekningen. «Lis forklarer deg hvordan du går frem. Si til dem at det haster som faen.»

HAN BANKET FORSIKTIG på Jespers dør og fikk selvfølgelig ikke noe svar. Ute og reker som vanlig, tenkte han. Ellers ville de obligatoriske hundre og tolv desibelene naturligvis ha bombardert døren fra innsiden. Men der gikk Carl fem på, viste det seg da han slo døren opp på vid vegg.

Jenta som Jesper lå og fomlet med hendene under blusen på, utstøtte et hyl som gikk gjennom marg og bein, og Jespers lynende blikk bare understreket alvoret i situasjonen.

«Unnskyld,» sa Carl motvillig. Jespers hender trakk seg kjapt ut av problemstillingen mens jentas ansiktsfarge gikk i ett med bakgrunnen på Che Guevara-plakaten på veggen bak dem. Carl kjente henne. Hun var toppen fjorten, men så ut som tyve og bodde på Cedervangen. Moren hadde sikkert sett likedan ut en gang, men hadde nok med årene bittert fått erfare at det ikke alltid var en fordel å se eldre ut enn man var.

«Faen, Carl, hva er det du *driver* med!» ropte Jesper og sprang opp fra sovesofaen.

Carl unnskyldte seg enda en gang og henviste til sine pliktskyldige bank på døren. Generasjonskløften truet med å rive huset i to.

«Bare fortsett der dere … slapp. Jeg har bare et lite spørsmål, Jesper. Vet du hvor du har lagt det gamle Playmo-leketøyet ditt?»

Stesønnen så ut som han hadde lyst til å kaste en håndgranat på ham. Spørsmålet var jo ikke særlig elegant timet, såpass skjønte Carl også.

Han nikket unnskyldende til pikebarnet: «Jeg hadde tenkt å bruke det i etterforskningen min, forstår du. Ja, det høres kanskje litt rart ut.» Han snudde seg mot Jesper igjen og kjente hvordan dolkene boret seg inn overalt. «Har du de figurene fortsatt, Jesper? Jeg kunne tenke meg å kjøpe dem av deg.»

«Stikk da, for faen, Carl. Gå ned til Morten. Kanskje du kan kjøpe noe av ham. Men det koster skjorta, kan jeg bare si deg.»

Carl rynket brynene. Kostet skjorta? Hva var det guttungen snakket om?

DET VAR KANSKJE halvannet år siden sist Carl hadde banket på nede hos Morten Holland. Selv om leieboeren kom og gikk som han ville hos familien oppe i første, hadde livet hans i kjelleren vært ukrenkelig. Han bidro tross alt ikke så rent ubetydelig til husleien, og Carl ville helst ikke vite noe om leieboerens liv og levnet som kunne rokke ved posisjonen hans. Derfor holdt han seg unna.

Men det var visst ingen grunn til bekymring, for nede hos Morten var alt både rent og ordentlig, og med unntak av noen usedvanlig bredskuldrete karer og ditto barmfagre damer på meterhøye plakater, kunne det faktisk vært en hvilken som helst eldreleilighet nede i Prins Valdemars Allé.

På spørsmål om Jespers Playmo-leketøys videre skjebne, dro Morten ham med bort til badstuen som alle husene i Rønneholtparken var født med, og som for niognitti prosents vedkommende nå enten var revet eller fungerte som lagringsplass for all verdens skitt og lort.

«Vær så god å se selv,» sa han stolt og åpnet badstudøren inn til et rom fylt fra gulv til tak med hyller stappfulle av leketøy av den typen som loppemarkedene ikke kunne bli kvitt for bare noen få år siden. Kinderegg-figurer, Star Wars-figurer, Ninja Turtles-figurer og Playmo-figurer. Halvparten av all plast som fantes i huset befant seg på de hyllene.

«Se, her er to av originalfigurene fra serien på leketøysmessen i Nürnberg i 1974,» sa Morten og løftet stolt ned to små figurer med hjelm.

«Nummer 3219 med hakke og 3220 med trafikkonstablenes kjærlighet på pinne intakt,» fortsatte han «Er det ikke sinnssykt?»

Carl nikket. Han kunne ikke funnet et bedre ord.

«Jeg mangler bare 3218, så har jeg alle håndverkersettene komplett. Jesper bidro med eske 3201 og 3203. Se her, er de ikke fantastiske? Skulle ikke tro at Jesper hadde brukt dem engang!»

Carl ristet på hodet. Det hadde nok vært spilt melk på gåsa eller hva faen det het, ingen tvil om det.

«Og tenk, han solgte meg dem bare for et par lapper, det var *så* snilt av ham.»

Carl stirret på hyllene. Egentlig kunne både Morten og Jesper hatt godt av å høre litt om hvordan det var den gangen han fikk to kroner timen for å spre møkk, og pølse med brød gikk opp til en åtti.

«Kan du låne meg et par stykker til i morgen, de der for eksempel?» sa han og pekte på en liten familie med hund og det hele.

Morten Holland så på ham som om han hadde spist noe rart. «Er du sprø, Carl? Det der er eske 3965 fra år 2000. Jeg har hele kassen med hus og balkong og alt.» Han pekte på den øverste hyllen.

Og så sannelig. Der sto hele huset i all sin plastprakt.

«Har du noen andre jeg kan låne, da? Bare til i morgen kveld?»

Morten så plutselig helt fortapt ut i ansiktet.

Det hadde antagelig ikke gjort noen forskjell om Carl hadde spurt om å få gi ham et skikkelig ballespark.

29

2007

DET TEGNET TIL å bli en travel fredag. Assad hadde en formiddagsavtale i Utlendingsservice, som regjeringen hadde valgt å omdøpe sin gamle utsorteringsmekanisme Utlendings- styrelsen til, for å glatte over realitetene, samtidig som Carl hadde ærender både hit og dit.

Kvelden før hadde han knabbet den lille Playmo-familien fra Morten Hollands skattkammer mens Morten var på jobb i videosenteret, og akkurat nå idet han svingte inn på de nord- sjællandske ødemarkene, lå de på setet ved siden av ham og stirret kaldt og bebreidende.

Huset i Skævinge hvor ulykkesbilisten Dennis Knudsen var blitt funnet kvalt i sitt eget oppkast, var i likhet med de andre husene langs veien ingen skjønnhetsåpenbaring, men fremsto likevel på sin egen småsjuskete måte som harmonisk med sine nedslitte terrasser, lecablokker og eternittak, som, hva material- valg og holdbarhet angikk, sto helt i stil med de sanerings- modne, matte vinduene.

Carl hadde ventet at døren skulle bli åpnet av en bastant jord- og betongarbeider eller et ditto kvinnelig motstykke, men i stedet åpenbarte det seg en kvinne i slutten av tredve- årene med et så ubestemmelig og delikat utseende at det ikke uten videre var mulig å avgjøre om hun vanket i direktørkon- torer og styrerom eller som escorte i dyre hotellbarer.

Jo, han måtte gjerne komme inn, og nei, dessverre var begge foreldrene hennes døde.

Hun presenterte seg som Camilla og viste ham inn i en

stue, hvor juletallerkener, nipshyller og filleryer var domine-
rende innslag i interiøret.

«Hvor gamle var foreldrene dine da de døde?» spurte han
og prøvde å overse resten av trøstesløsheten her inne.

Hun forsto hva han tenkte. Alt i huset var fra en annen tid.

«Moren min arvet huset etter mormor, så det var mest hen-
nes ting,» sa hun. Hjemme hos henne så det utvilsomt anner-
ledes ut. «Jeg arvet hele stasen og er nettopp blitt skilt, så jeg
tenkte å begynne å pusse opp her hvis jeg kan finne noen hånd-
verkere. Så du var heldig som traff meg her.»

Han tok et innrammet fotografi fra stuens fineste møbel,
et skatoll i nøttefinér, hvor hele familien sto oppstilt: Camilla,
Dennis og foreldrene. Minst ti år gammelt måtte det være,
og foreldrene strålte som soler i sølvbryllupsstasen. 'Gratule-
rer med de 25 årene, Grete og Henning', sto det. Camilla var
kledd i trange jeans som ikke overlot stort til fantasien, og
Dennis hadde lærvest og en baseballcaps som det sto Castrol
Oil på. I det hele tatt flagg og smil og glade dager i Skævinge.

På hyllen over peisinnsatsen sto det enda et par bilder. Han
spurte om personene og skjønte ut fra det hun sa at familien
ikke hadde hatt noen stor omgangskrets.

«Dennis var vill etter alt på hjul som kunne kjøre fort,» sa
Camilla og dro ham med inn på det som en gang hadde vært
Dennis Knudsens rom.

Et par lavalamper og et stereoanlegg med kjempehøyttalere
var som man kunne forvente, men bortsett fra det, var rom-
met en kontrast til resten av huset. Møblene var lyse og sto
til hverandre. Klesskapet var nytt og fullt av ordentlige plagg
på hengere. På veggene hang et hav av diplomer i glass og
ramme, og over dem, på en bjørketreshylle oppunder taket, sto
alle pokalene som Dennis hadde vunnet opp gjennom årene.
Carl estimerte antallet i farten til godt over hundre – ganske
imponerende.

«Ja,» sa hun. «Dennis vant alt han stilte opp i: speedway,
olabil, traktorløp, rally og i det hele tatt alle slags motorrace,

samme hva de kjørte med. Han var et naturtalent. God i nesten alt som interesserte ham, skriving og regning også, hva som helst. Det var veldig trist at han døde.» Hun nikket, fjern i blikket. «Mamma og pappa tok sin død av det. Han var en kjempegod sønn og lillebror, var han.»

Carl ga henne et forståelsesfullt blikk, men forsto i virkeligheten lite. Var dette virkelig den samme Dennis Knudsen som Lis hadde fortalt Assad om? «Jeg er glad for at dere har tatt opp igjen saken,» sa hun, «jeg skulle bare ønske dere hadde gjort det mens mamma og pappa levde.»

Han så på henne og forsøkte å trenge inn i hva som lå bak. «Saken? Du tenker på bilulykken?»

Hun nikket. «Ja, og det at Dennis døde ikke lenge etter. Dennis kunne godt ta seg en skikkelig fest, men han drev aldri med stoff, det sa vi jo til politiet også den gangen. Det er helt utenkelig, faktisk. Han hadde jo jobbet med ungdom og advart mot all slags narkotikabruk, men det brydde ikke politiet seg noe om. De så bare på rullebladet hans med alle fartsbøtene han hadde fått. Og da de fant de elendige ecstasypillene i sekken hans, var han dømt på forhånd.» Øynene hennes ble smale. «Det var jo helt sprøtt, for Dennis rørte ikke stoff. Det gikk jo ut over reaksjonsevnen hans når han kjørte. Han hatet de greiene.»

«Kanskje han ble fristet av raske penger og ville selge det videre? Kanskje han var nysgjerrig og ville prøve det selv? Du aner ikke hva vi i politiet ser av slikt hver evige dag.»

Draget rundt munnen hennes strammet seg plutselig. «Noen lokket det i ham, og jeg vet hvem også. Det sa jeg allerede den gangen.»

Han dro opp notisboken. «Å, ja?» Carls indre sporhund reiste hodet og snuste. En tev av noe helt uventet lå i luften. Han var hundre prosent nærværende nå. «Hvem var det, da?»

Hun gikk bort til veggen, hvor tapeten uten tvil var den originale fra da huset ble bygd tidlig på sekstitallet, og hektet et fotografi ned fra en spiker. Et lignende bilde hadde også faren til Carl tatt da Carl vant en svømmepokal oppe i Brønderslev. En fars stolte dokumentasjon på hvor stor og flink sønnen var blitt. Carl antok at Dennis var toppen ti-tolv år på bildet, tøff i go-cartdress, og stolt som en hane over det lille sølvskjoldet han sto med i hendene.

«Han der!» sa Camilla og pekte på en lyshåret gutt som sto bak med hånden på Dennis' skulder. «De kalte ham Atomos, jeg aner ikke hvorfor. De møttes på en crossbane. Dennis var vill etter Atomos, og Atomos var en dritt.»

«Så de to holdt kontakten helt fra barndommen?»

«Jeg er ikke sikker. Jeg tror de kom fra hverandre da Dennis var seksten-sytten, men de siste årene vet jeg at de hang sammen igjen, for mamma klaget alltid over det.»

«Og hvorfor tror du at denne Atomos hadde noe med din brors død å gjøre?»

Hun så på bildet med triste øyne. «Han var bare en dritt, og ond langt inn i sjelen.»

«Det var et spesielt uttrykk, hva mener du med det?»

«At han var ødelagt inne i hodet. Dennis sa at det var tull å si det, men han var det.»

«Hvorfor var broren din venn med ham, da?»

«Fordi Atomos alltid var den som oppmuntret Dennis til å kjøre. Dessuten var han et par år eldre. Dennis så opp til ham.»

«Broren din ble kvalt i sitt eget oppkast. Han hadde spist fem piller og hadde en promille på fire komma en. Jeg vet ikke hvor mye han veide, men han har i hvert fall tatt for seg med begge hendene for å si det mildt. Vet du om han hadde grunn til å drikke? Var det noe han hadde begynt med i det siste? Var han spesielt deprimert etter ulykken?»

Hun så på ham med triste øyne. «Ja, foreldrene mine sa at ulykken gikk hardt innpå ham. Dennis var fantastisk bak et ratt. Det var det første uhellet han noen gang hadde vært borti, og så døde det en mann!»

«Etter mine oppgaver hadde Dennis sittet inne to gan-

ger for råkjøring, så helt fantastisk kan han vel ikke ha
vært.»

«Ha!» Hun kikket hånlig på ham. «Han kjørte aldri uan-
svarlig. Når han kjørte race på motorveien, visste han alltid
hvor langt foran ham veien var fri. Det siste han ville, var å
sette andres liv og helse på spill.»

Hvor mange asosiale individer ville aldri blitt klekket ut hvis
familiene hadde hatt antennene ute i tide? Hvor mange idio-
ter fikk ikke lov til å klamre seg til blodets bånd? Carl hadde
hørt den samme visa tusen ganger: Min bror, min sønn, min
mann er uskyldig.

«Du har høye tanker om broren din, er ikke det litt naivt?»
Hun tok tak i håndleddet hans og gikk så tett innpå ham at
pannehåret hennes kilte ham på neseroten.

«Er du like slapp i jobben din som i underlivet, kan du bare
stikke av,» freste hun.

Protesten hennes var overraskende sterk og provoserende.
Det var visst ikke styrerommene denne jenta vanket i likevel,
tenkte han og trakk ansiktet bort.

«Broren min var okay, skjønner du det?» fortsatte hun. «Og
hvis du skal komme noen vei med det du går og pusler med,
så råder jeg deg til å høre etter hva jeg sier.»

I neste øyeblikk kløp hun ham i skrittet og trakk seg til-
bake. Metamorfosen som fulgte var nesten uhyggelig. Igjen
var hun katteblid og tillitvekkende og åpen. Faen til profesjon
han hadde sunket ned i.

Han rynket brynene og gikk et skritt frem. «Neste gang du
rører bjellene mine, så punkterer jeg silikonpuppene dine og
sier at det skjedde ved et uhell fordi du motsatte deg arresta-
sjon etter å ha truet med å slå meg i skallen med en av de jæv-
lig stygge pokalene til broren din. Når håndjernene smekker
i og du sitter og venter på legen og glor i veggen på stasjonen
i Hillerød, så vil du drømme om å ta tilbake det klypet. Skal
vi gå videre, eller var det noe mer du ville si om mine edlere
deler?»

Hun var cool. Smilte ikke engang. «Jeg sier bare at broren min var okay, og det har du å tro på.»

Carl resignerte. Hun var ikke noe siv akkurat.

«Ja vel,» sa han og rygget et par skritt unna kameleonen. «Men hvordan får jeg tak i denne Atomos? Er du sikker på at du ikke husker noe mer om ham?»

«Vet du hva, han var fem år yngre enn meg. Ingenting kunne interessert meg mindre den gangen.»

Han smilte skjevt. Rart hvordan interessene skiftet med årene.

«Spesielle kjennetegn? Arr, hår, tenner? Var det andre her i området som kjente ham?»

«Det tror jeg ikke. Han kom fra et barnehjem oppe i Tisvildeleje.»

Hun sto et øyeblikk med bortvendt blikk og tenkte. «Jo. Jeg tror faktisk at stedet heter Godhavn.» Hun tok det innrammede fotografiet og holdt det frem mot ham. «Hvis du lover å komme tilbake med det, kan du ta det med og vise det til dem på barnehjemmet. Kanskje de kan svare på spørsmålene dine.»

CARL STANSET HELT opp foran et solsprakende veikryss og ble sittende og tenke. Han kunne kjøre nordover til Tisvildeleje og snakke med noen på et barnehjem om det var noen som kunne huske en guttunge som ble kalt Atomos for tyve år siden. Eller han kunne kjøre sørover ned mot Egely og leke fortid med Uffe. Men han kunne også la kareten stå her og sette hjernen på cruise control og ta et par timer på øyet. Spesielt det siste var ganske fristende.

På den annen side var det dessverre et faktum at hvis han ikke fikk satt disse Playmo-dukkene på plass igjen i badstuen før Morten Holland kom hjem, var faren stor for at han kunne miste leieboeren, og dermed en ikke ubetydelig del av inntektsgrunnlaget.

Ergo slapp han håndbrekket og satte kursen mot sør.

PÅ EGELY VAR det lunsjtid, og det lå en duft av timian og tomatsaus over landskapet da Carl parkerte bilen og steg ut. Han fant forstanderen sittende alene ved et langt teakbord på terrassen utenfor kontoret sitt. Som sist var han ulasteligheten selv. Solhatt på hodet og serviett i halsen, forsiktig nippende til lasagnen som lå ute på kanten av tallerkenen. Han var ingen dyrker av de verdslige gleder. I klar motsetning til resten av administrasjonen og et par sykepleiere som satt ti meter unna med bugnende tallerkener og skravla i full gang.

De så ham runde hjørnet, og plutselig ble det stille. Nå hørtes tydelig de vårkåte redebyggerne som grasserte i buskaset og lyden av klirrende tallerkener inne fra spisesalen.

«Vel bekomme,» sa han og dumpet ubedt ned ved forstanderens bord. «Jeg er kommet for å spørre om De var klar over at Uffe Lynggaard gjennom lek skal ha gjenopplevd ulykken som invaliderte ham. Det er Karen Mortensen, en saksbehandler på Stevns, som har vært vitne til dette, var De klar over det?»

Forstanderen nikket langsomt og tok en bit til. Carl så på tallerkenen. Det var tydelig at de siste munnfullene også måtte ned før Egelys ubestridte konge kunne nedlate seg til å snakke med en av folket.

«Står dette i Uffes journal?» spurte Carl videre.

Igjen nikket forstanderen mens han tygde ganske langsomt.

«Har det skjedd siden?»

Langsom hoderisting.

«Jeg vil gjerne være litt alene med Uffe i dag. Ti-femten minutter, hvis det er mulig?»

Ikke noe svar.

Carl ventet til forstanderen ble ferdig og hadde tørket seg rundt munnen med stoffservietten og gått over tennene med tungen. En liten slurk av isvannet, endelig ble blikket løftet.

«Nei, De kan ikke være alene med Uffe,» kom det.

«Og hvorfor ikke det?»

Forstanderen så nedlatende på ham. «Er ikke yrket Deres

nokså fjernt fra vårt?» Han ventet ikke på svar. «Vi kan risikere at De setter Uffe Lynggaard tilbake i utviklingen, det er saken.»

«Så det er en utvikling? Det visste jeg ikke.»

Han så en skygge falle over bordet og snudde seg mot oversykepleieren, som nikket vennlig til ham og straks vakte erindringer om en helt annen behandling enn den forstanderen var i stand til å gi.

Hun så myndig på sjefen. «Jeg kan ta meg av det. Uffe og jeg skal ut og gå tur likevel. Så kan herr Mørck slå følge hvis han vil.»

DET VAR FØRSTE gang han gikk ved siden av Uffe Lynggaard, og Uffe var høy. Lange, skranglete lemmer og med en kroppsholdning som om han alltid satt og hang over bordet.

Oversykepleieren hadde tatt hånden hans, men det lot ikke til at han var så begeistret for det. Da de nådde skogholtet foran fjorden, slapp han henne og satte seg i gresset.

«Han er så glad i å se på skarvene, ikke sant, Uffe?» sa hun og pekte mot kolonien av fortidsfugler som satt i klyngen av halvdøde, nedskitte trær.

«Jeg har med noe som jeg godt kunne tenke meg å vise Uffe,» sa Carl.

Hun så mistroisk på de fire Playmo-figurene og den tilhørende bilen som han tok opp av plastposen. Hun var oppvakt – det så han allerede ved det første møtet – men kanskje ikke fullt så medgjørlig som han hadde håpet.

Hun førte hånden opp til sykepleieremblemet, kanskje for å gi ordene større tyngde. «Jeg kjenner til episoden som Karen Mortensen har beskrevet. Jeg tror ikke det er noen god idé å forsøke å gjenta det.»

«Hvorfor ikke?»

«De vil prøve å gjengi ulykken mens han ser på, ikke sant? De håper at det skal åpne opp noe i ham?»

«Ja.»

Hun nikket. «Jeg kunne tenke meg det. Men for å være helt ærlig, jeg er i tvil.» Hun gjorde mine til å ville reise seg, men drøyde likevel.

Carl la forsiktig hånden på Uffes skulder og satte seg på huk ved siden av ham. Øynene hans lyste salig i gjenskinnet fra bølgene der ute, og Carl forsto ham. Hvem ville ikke gjerne forsvinne inn i den vakre marsdagen, som var så skinnende klar og blå som noen?

Han satte Playmo-bilen i gresset foran Uffe og tok figurene og plasserte dem på setene etter tur. Far og mor i forsetet og datter og sønn i baksetet.

Sykepleieren fulgte med på hver bevegelse. Kanskje han ble nødt til å komme igjen enda en gang og gjenta eksperimentet. Men han ville i det minste forsøke å overbevise henne om at han visste at det ikke nyttet å forsøke å misbruke tilliten hennes. At han så på henne som en alliert.

«Brrrm,» sa han forsiktig og kjørte bilen frem og tilbake i gresset foran Uffe, til stor irritasjon for et par humler i blomsterdans.

Carl smilte til Uffe og glattet ut sporene etter bilen. Det var tydeligvis det som interesserte Uffe mest. Det flattrykte gresset som ble rettet opp igjen.

«Nå skal vi ut og kjøre sammen med Merete og far og mor, Uffe. Oj, se her, vi er der alle sammen. Se, hvordan vi kjører gjennom skogen! Se, så deilig vi har det.»

Han kikket bort på den hvitkledde kvinnen. Hun var anspent, og rynkene rundt munnen tegnet skygger av tvil. Han måtte ikke la seg rive med. Hvis han ropte, ville hun skvette til. Hun var mye mer oppslukt av leken enn Uffe, som bare satt med solglimt i øynene uten å la seg affisere av omgivelsene.

«Pass opp, far,» advarte Carl med lys kvinnestemme. «Det er glatt, du kan få skrens.» Han rykket litt i bilen. «Pass deg for den andre bilen, den skrenser også. Hjelp, vi kræsjer.»

Han etterlignet bremselyder og lyden av metall som skrapte mot underlaget. Nå så Uffe på opptrinnet. Carl lot bilen velte, og figurene ramlet ut på bakken. «Pass deg, Merete, pass deg, Uffe!» ropte han med lys stemme, og oversykepleieren bøyde seg frem og la hånden på skulderen hans.

«Jeg tror ikke ...» sa hun og ristet på hodet. Om et øyeblikk ville hun ta tak i Uffe og dra ham opp.

«Bang!» sa Carl og lot bilen rulle bortover gresset, men Uffe reagerte ikke.

«Han er ikke helt til stede, tror jeg,» sa Carl og forsikret henne med en håndbevegelse om at forestillingen var over nå.

«Jeg har et bilde som jeg gjerne vil vise Uffe, hvis det er i orden,» fortsatte han. «Etterpå skal jeg la dere i fred for denne gang.»

«Et fotografi?» spurte hun mens han dro alle bildene ut av plastposen. Han la fotografiene han hadde lånt av Dennis Knudsens søster til side i gresset og holdt firmabrosjyren med bildet av Daniel Hale opp foran ansiktet til Uffe.

Det var tydelig at Uffe var nysgjerrig. Som en ape i bur som etter tusen flirende ansikter endelig ser noe nytt.

«Kjenner du denne mannen, Uffe?» spurte han og så opp-merksomt på ansiktet hans. En bitte liten trekning kunne være det eneste signalet han fikk. Hvis det overhodet var en åpning inn til Uffes sløvede sinn, måtte Carl for all del sørge for å se den.

«Var han hjemme hos dere i huset i Magleby, Uffe? Kom denne mannen og leverte et brev til deg og Helle? Husker du ham?» Han pekte på Daniel Hales krystalløyne og lyse hår. «Var det ham?»

Uffe stirret tomt. Så flakket blikket hans skrått nedover til det traff bildene på gressplenen foran ham.

Carl fulgte blikket hans og registrerte hvordan Uffes pupil-ler plutselig trakk seg sammen mens leppene gled fra hver-andre. Reaksjonen var påtagelig. Like virkelig og synlig som om han hadde sluppet et jernlodd ned på tærne.

«Hva med han her, har du sett *ham* før?» sa han og skyndte seg å holde sølvbryllupsfotografiet med Dennis Knudsen opp foran Uffes ansikt. «Har du?» Han merket at sykepleieren reiste seg bak ham, men han ga blaffen. Han ville se Uffes pupiller trekke seg sammen en gang til. Det var som å stå med en nøkkel og vite at den passet et sted, bare ikke hvor.

Men Uffe så bare opp nå, med rolige, ufokuserte øyne.

«Jeg tror vi stanser her,» sa oversykepleieren og la hendene forsiktig rundt skuldrene til Uffe. Tyve sekunder til ville kanskje vært nok. Hvis bare Carl kunne vært alene med ham litt, ville han kanskje klart å nå ham.

«Så De ikke reaksjonen hans?» spurte han.

Hun ristet på hodet. Faen også.

Han la bildet ned igjen på bakken ved siden av det andre han hadde lånt i Skævinge.

I det samme gikk det et støt gjennom Uffe. Først i overkroppen, der brystkassen formelig ble sugd inn, så i den høyre armen som ble trukket opp i en rett vinkel foran mellomgulvet.

Sykepleieren forsøkte å berolige Uffe, men han enset henne ikke. Så begynte han å trekke pusten fort og overfladisk. Både sykepleieren og Carl hørte det, og hun begynte å protestere høylytt. Men det var bare Carl og Uffe nå. Uffe i sin verden, på vei inn i hans. Carl så øynene hans spiles langsomt opp. Som lukkemekanismer i et gammelt kamera åpnet de seg og tok alt inn.

Uffe så ned igjen, og denne gangen fulgte Carl blikket hans ned mot gresset. Uffe var virkelig nærværende nå.

«Du kjenner ham altså?» spurte Carl og pekte på Dennis Knudsen på foreldrenes sølvbryllupsbilde igjen. Men Uffe feide bildet til side som et utilfreds barn og begynte å utstøte lyder som ikke minnet om vanlige barneklynk, men snarere om en astmatiker som ikke kunne få nok luft. Åndedrettet ble mer og mer pesende, og sykepleieren ropte at Carl skulle fjerne seg.

Han fulgte Uffes blikk enda en gang, og denne gangen var det ikke tvil. Det var stivt rettet mot det andre bildet han hadde fått med. Bildet av Dennis Knudsen med vennen Atomos, som sto i bakgrunnen og lente seg over Dennis' skulder.

«Skal han se slik ut i stedet?» spurte han og pekte på unggutten Dennis i go-cartdrakten.

Men Uffe så på gutten bak Dennis. Aldri hadde Carl sett et menneske stirre så intenst på noe. Det var som om gutten på bildet hadde bemektiget seg Uffes aller innerste, som om disse øynene på det gamle fotografiet brente Uffe som ild, samtidig som de også ga ham liv.

Plutselig skrek Uffe. Han skrek så sykepleieren løp Carl over ende i gresset og slo armene om Uffe. Skrek så de begynte å rope oppe ved bygningene på Egely.

Skrek så skoger av skarv lettet fra trærne og etterlot alt øde.

30

2005–2006

DET HADDE TATT MERETE tre dager å rugge løs tannen, tre marerittaktige helvetesdøgn. Hver gang hun lirket tangen på plass rundt det dunkende beistet og betennelsens trykkbølger sugde all kraft ut av henne, måtte hun overvinne seg selv til det ytterste. Et lite rykk til siden, og hele organismen gikk i vranglås. Så noen sekunders hjertepumpende angst for neste rykk, og slik fortsatte det i det uendelige. Flere ganger forsøkte hun å ta i så det monnet, men kreftene og motet sviktet så snart det rustne metallet klirret mot tannen.

Da hun endelig kom så langt at blodet fosset og trykket lettet for en stund, knakk hun sammen i takknemlighetstårer.

Hun visste at de observerte henne der ute. Han de kalte Lasse var ennå ikke kommet, og knappen til callinganlegget hang fortsatt fast. De sa ingenting, men hun hørte at de beveget seg og pustet. Jo mer hun led, desto tyngre ble åndedrettet deres, som om synet av henne hisset dem opp seksuelt, og hatet hennes bare økte. Når hun bare fikk ut tannen, ville hun se fremover. Hun skulle nok få hevn. Men først måtte hun bli i stand til å tenke.

Og igjen la hun de illesmakende stålkjevene rundt tannen og rugget, aldri i tvil om at arbeidet måtte gjøres ferdig. Den tannen hadde gjort nok skade, nå skulle det være slutt.

Hun fikk den ut en natt da hun var alene. Hun hadde ikke hørt livstegn utenfra på flere timer, så den lettelsens latter hun slapp løs i det gjallende buret, var hennes og bare hennes. Smaken av betennelse føltes befriende. Dunkene som fikk blodet til å strømme fritt i munnen, var som kjærtegn.

Hun spyttet i håndflatene hvert tyvende sekund og smurte den blodige massen først på den ene og så på den andre speilglassruten, og da blodet ikke fløt lenger, var jobben gjort. Et lite felt på tyve ganger tyve centimeter på det høyre koøyet var alt som var igjen. Nå hadde hun torpedert tilfredsstillelsen deres over å kunne se henne utstilt akkurat når det passet dem. Endelig kunne hun selv bestemme når hun ville eksponere seg for blikkene deres.

Neste morgen våknet hun av kvinnens forbannelser da de skulle sende maten inn gjennom slusen.

«Den jævla purka har griset til vinduene. Se! Hun har smurt dritt utover hele glasset, det svinet.»

Hun hørte mannen si at det så mer ut som blod, og kvinnen freste inn til henne: «Er *det* takken for at vi ga deg tangen? Å smøre det bedritne blodet ditt utover? Hvis det skal være på den måten, får du ta konsekvensene. Vi slukker lyset, så får vi se hva du sier. Kanskje du tørker vekk svineriet ditt igjen da. Ja, du kan få sulte til du tørker av rutene igjen, er det forstått?» I neste øyeblikk sluknet lysstoffrørene over henne.

Merete satt en stund og stirret opp på det brunaktige blodsølet som lyste svakt på speilglassrutene, og på det lille rene feltet som skinte litt kraftigere. Hun hørte at kvinnen forsøkte å nå opp for å kunne se inn gjennom det, men hun hadde med overlegg plassert det for høyt. Hun kunne ikke huske sist hun hadde kjent en slik sødmefylt skadefryd strømme gjennom seg. Det ville ikke vare lenge, visste hun, men slik tilværelsen hadde blitt, var disse øyeblikkene det eneste hun hadde å leve for.

Det og forestillingene om hevn, drømmen om et liv i frihet og om en dag å stå ansikt til ansikt med Uffe igjen.

SAMME NATT TENTE hun lommelykten for siste gang. Hun gikk bort til det lille, rene feltet i den ene ruten, gapte og lyste seg inn i munnen med lommelykten. Hullet i tann-kjøttet var enormt, men det så bra ut så vidt hun kunne bedømme under de dårlige forholdene. Tungespissen sa det samme. Helingsprosessen var allerede i gang.

Etter få minutter ble lyset i lommelykten svakere, og hun la seg på kne og undersøkte lukkemekanismen rundt slusen. Hun hadde gjort det tusen ganger før, men kanskje var det nå det gjaldt å huske detaljene for alvor. Hvem kunne vite om taklyset noen gang ville bli tent igjen?

Slusedøren var buet og trolig konisk, slik at den lukket hermetisk tett. Den nederste delen, selve lemmen til slusen, var kanskje femogsytti centimeter høy, og også her var sprekkene nesten umulige å føle seg frem til. På fronten nederst var det sveiset fast en metalltapp som fikk sluseporten til å stanse i helt åpen posisjon. Hun undersøkte den grundig helt til lyset fra lykten døde ut.

Etterpå satt hun i mørket og tenkte på hvilke muligheter hun hadde.

Det var tre ting hun ville være herre over selv. For det første hva omgivelsene skulle se av henne; det problemet var allerede løst. For lenge, lenge siden, helt i begynnelsen etter at de kidnappet henne, hadde hun finkjemmet alle flater og vegger etter noe som kunne ligne et spionkamera, men ikke funnet noe. Udyrene der ute hadde satt sin lit til speilglassvinduene. Det skulle de ikke ha gjort. Derfor kunne hun nå bevege seg usett rundt.

For det andre ville hun sørge for at hun ikke klappet sammen mentalt. Det hadde vært dager og netter da hun hadde forsvunnet inn i seg selv, og det hadde vært uker hvor tankene bare gikk rundt i ring, men aldri hadde hun gitt seg over. Når pessimismen og dødsangsten meldte seg, tvang hun seg til å tenke på andre som hadde klart det før henne. Mennesker som hadde sittet isolert i årtier uten lov og dom. Verdenshistorien og litteraturen hadde eksempler. Papillon, Greven av Monte Cristo og mange andre. Når de kunne, kunne hun også. Og hun hadde med vold og makt tvunget tankene inn i bøker og filmer og de beste minnene hun hadde i livet, og så hadde hun kommet ut av det igjen.

Hun ville være seg selv, Merete Lynggaard, helt til den dagen hun skulle herfra. Det var et løfte hun aktet å holde.

Og når dagen endelig kom, ville hun selv være herre over hvordan hun skulle dø. Det var den tredje tingen. Kvinnen der ute hadde tidligere sagt at det var denne Lasse som bestemte, men i en krisesituasjon kunne hunnulven være troende til å ta skjeen i egen hånd. Hatet hadde tatt kontrollen over henne før, og det kunne skje igjen. Hun var fullt kapabel til å åpne slusene for alvor og utligne trykket, det krevdes bare et øyeblikks galskap. Og det øyeblikket ville nok komme.

I løpet av de fire årene Merete hadde sittet i buret sitt, var også kvinnen blitt merket av tiden. Kanskje hadde øynene sunket litt dypere enn før, kanskje var det noe med stemmen. Det var vanskelig under de gitte forholdene å bedømme hvor gammel kvinnen var, men hun var definitivt gammel nok til ikke å frykte hva livet kunne bringe. Og det gjorde henne farlig.

Imidlertid virket det ikke som om de to der ute hadde særlig peiling på det tekniske. Når de ikke engang klarte å fikse en knapp som hadde hengt seg opp, kunne de sikkert heller ikke utligne trykket på annen måte enn ved å åpne hele slusekarusellen, det håpet hun i hvert fall ikke. Så hvis hun nå sørget for at de ikke kunne åpne denne slusen uten at hun selv ville det, da ville hun kunne vinne tid til å begå selvmord. Tangen var redskapet. Hun ville sikkert kunne få tak rundt pulsårene sine med spissen og rive dem over, hvis de to der ute bestemte seg for å fjerne trykket i rommet. Hun visste ikke mye om hva som ville skje, men kvinnens trussel om at Merete ville bli sprengt innenfra, var forferdelig. Ingen død kunne være verre. Derfor ville hun selv ha kontrollen over når og hvordan.

Om så skulle skje at denne Lasse kom og ville det annerledes, gjorde hun seg ingen illusjoner. Selvfølgelig hadde rommet andre trykkutligningskanaler enn gjennom karusellen. Kanskje kunne friskluftanlegget også brukes. Hun visste jo ikke hva rommet opprinnelig var konstruert for, men billig hadde det helt sikkert ikke vært. Det var altså trolig at formålet med hele arrangementet måtte være av en viss betydning og viktighet. Ergo måtte det finnes nødforanstaltninger. Hun hadde sett noe som lignet små metalldyser oppe under lysarmaturene som hang i taket. Knapt større enn en lillefinger, men ville ikke det være nok? Kanskje var det gjennom dem den friske luften ble pumpet inn til henne, hun visste ikke, det kunne også være innretninger for å regulere trykket. Men én ting var sikkert: Hvis denne Lasse ville skade henne, visste han uten tvil hvor knappene befant seg.

Inntil videre kunne hun bare fokusere på å avverge de truslene som syntes mest overhengende. Derfor skrudde hun bunndekselet ut av den lille metallommelykten, tok ut batteriene og konstaterte tilfreds at metallet i lommelyktrøret virket både hardt og kraftig og skarpt.

Avstanden fra kanten av slusen og ned til gulvet var bare et par centimeter, så hvis hun fikk gravd ut et hull nøyaktig under denne tappen som var sveiset fast for å stoppe slusedøren når den var i åpen stilling, ville hun kunne plassere lykten i hullet og dermed hindre døren i å åpne seg.

Hun knuget den lille lykten. Her satt hun med et redskap som ga henne følelsen av å kunne styre noe i livet sitt, og det var en ubeskrivelig god følelse. Som den gangen hun tok sin første p-pille. Som den gangen hun gjorde opprør mot fosterfamilien og stakk av med Uffe på slep.

GRAVINGEN I BETONGEN var mye, mye hardere enn hun hadde forestilt seg. De første par dagene med mat og drikke gikk lett, men da spannet med den gode maten var tomt, gikk hun raskt tom for krefter. Hun hadde ikke mye å stå imot med, det visste hun, men maten de hadde sendt inn de siste par dagene hadde vært helt uspiselig. De hadde virkelig hevnet seg på henne. Bare stanken holdt henne på god avstand fra spannene. Det minnet om selvdøde dyr som lå og råtnet. Hver natt hadde hun sittet fem-seks timer og latt rørkanten på lommelykten krafse mot betongdekket, og det tok på kreftene. Men å slakke av på innsatsen var i hvert fall ingen løsning. Hullet måtte bare ikke bli for vidt slik at lykten ikke kunne sitte fast, og ettersom lommelykten var selve graveredskapet, måtte hun formelig vri den ned i underlaget for at hullets diameter skulle bli riktig og så skrape vekk betongen i papirtynne lag etterpå.

Den femte dagen hadde hun ennå ikke kommet så mye som to centimeter ned, og magesyren brant i mellomgulvet.

Heksa der ute hadde gjentatt kravet sitt hver dag på nøyaktig samme tid. Hvis ikke Merete pusset vinduene, kom de til å holde lyset slokket, og Merete ville ikke få noe skikkelig mat inn til seg. Mannen hadde prøvd å megle, men ingenting hjalp. Og nå sto de der igjen og krevde sin rett. Mørket blåste hun i, men tarmene hennes skrek. Hvis hun ikke spiste, kom hun til å bli syk, og det ville hun ikke.

Hun så opp på det rødlige belegget som lyste svakt oppe i feltet på ruten.

«Jeg har ikke noe å tørke av rutene med, hvis det er så fordømt viktig for dere,» ropte hun til slutt.

«Bruk piss og gni med jakkeermet, så tenner vi lyset og sender inn mat igjen,» ropte kvinnen tilbake.

«Da får dere skaffe meg en ny jakke også.»

Kvinnen lo den motbydelige, støyende latteren som gikk gjennom marg og bein. Hun svarte ikke, bare lo til lungene var tomme, og så ble det stille igjen.

«Nei vel, da gjør jeg det ikke,» sa hun. Men hun gjorde det.

Og det var fort gjort, men føltes som år av nederlag.

SELV OM DE nå sto foran vinduene igjen en gang iblant, kunne de ikke se hva hun drev med. Slusedøren befant seg i en dødvinkel fra der de sto, akkurat som når hun klemte seg mot veggen under speilglassrutene. Hvis de hadde kommet uanmeldt om natten, ville de straks ha hørt skrapingen hennes, men det gjorde de ikke. Det var fordelen med den systematiske oppfølgingen av henne. Hun visste at natten var hennes egen.

Da hun hadde kommet nesten fire centimeter ned i betongen, forandret den ellers så forutsigelige tilværelsen hennes seg radikalt. Hun hadde sittet under de blinkende lysstoffrørene og ventet på maten og regnet seg frem til at Uffes fødselsdag var like rundt hjørnet. De var i hvert fall kommet ut i mai. Den femte maimåneden i fangenskapet. Mai 2006. Hun hadde sittet ved siden av dobøtta og renset tennene sine og tenkt på Uffe og tydelig sett for seg hvordan solen der ute danset på en skyblå himmel. «Happy birthday to you,» sang hun med hes stemme og så for seg Uffes glade ansikt. Et eller annet sted der ute hadde han det godt, det visste hun. Selvfølgelig hadde han det godt. Det hadde hun overbevist seg selv om utallige ganger.

«Det er denne knappen, Lasse,» lød plutselig kvinnens stemme utenfor. «Vi får den ikke ut igjen, så hun har kunnet høre alt vi sier.»

Visjonen av himmelen forsvant øyeblikkelig, og hjertet begynte å hamre. Det var første gang hun hørte kvinnen snakke direkte til denne mannen de kalte Lasse.

«Hvor lenge?» spurte en dempet stemme som fikk henne til å holde pusten.

«Siden du dro forrige gang. Fire-fem måneder.»

«Har dere snakket over dere?»

«Er du gal. Selvfølgelig ikke.»

Et øyeblikk var det stille. «Det kan vel snart være det samme, uansett. Bare la henne høre hva vi sier. I hvert fall til jeg bestemmer noe annet.»

Hun følte setningen som et øksehugg. «Det kan vel snart være det samme, uansett.» Hva kunne det være det samme med? Hva mente han? Hva skulle skje?

«Hun har vært et troll den tiden du har vært borte. Hun har prøvd å sulte seg i hjel, og en gang blokkerte hun slusen. Det siste var at hun smurte inn vinduene med sitt eget blod så vi ikke kunne se inn.»

«Lillebror sier at hun hadde tannpine en periode. Det skulle jeg gjerne ha sett,» sa Lasse.

Kvinnen der ute lo en tørr latter. De visste jo at hun satt her og hørte alt de sa. Hvordan hadde de blitt slik? Hva hadde hun gjort dem?

«Hva har jeg gjort dere, djevler?» ropte hun så høyt hun kunne og reiste seg opp. «Slukk lyset her inne så jeg kan se dere! Slukk lyset så jeg kan se øynene deres mens dere snakker!»

Igjen hørte hun kvinnens latter. «Du drømmer, jente,» ropte hun tilbake.

«Skal vi slukke lyset, sier du?» Lasse lo kort. «Tja, hvorfor ikke? Det er jo nå det begynner for alvor. På den måten kan vi se frem til noen virkelig interessante dager nå mot slutten.»

Ordene var forferdelige. Kvinnen forsøkte å protestere, men mannen avfeide henne bryskt. Så forsvant plutselig de blinkende lampene i taket over henne.

Hun sto et øyeblikk med hamrende puls og prøvde å venne seg til det svake skjæret som strømmet inn utenfra. Først ante hun djevlene der ute som skygger, men så ble omrissene gradvis klarere. Kvinnen nesten nede mot kanten av koøyet og mannen adskillig høyere oppe. Hun tenkte at dette var Lasse. Langsomt gikk hun nærmere. Den utydelige skikkelsen fikk karakter. Brede skuldre, velproporsjonert. Helt annerledes enn den andre høye, tynne mannen.

Hun hadde lyst til både å forbanne dem og appellere til medlidenheten deres. Hva som helst som kunne få dem til å si hvorfor de gjorde dette mot henne. Endelig var han her, han som bestemte. Det var første gangen hun så ham, og det var på en forunderlig måte opphissende. Bare han kunne bestemme om hun skulle få vite mer, det følte hun, og nå ville hun kreve sin rett. Men da han kom et skritt nærmere og hun så ham, satte ordene seg ubønnhørlig fast i halsen på henne.

Hun så sjokkert på munnen hans. Så det skjeve smilet bre seg ut. Så de hvite tennene blotte seg langsomt. Så alt samle seg til et hele som sendte elektriske sjokkbølger gjennom kroppen hennes.

Nå visste hun hvem Lasse var.

31

2007

PÅ GRESSPLENEN UTENFOR Egely var Carl rask med å unnskylde episoden med Uffe overfor sykepleieren, så slengte han bilder og Playmo-figurer tilbake i plastposen og gikk med lange skritt mot parkeringsplassen, hele tiden med Uffes frenetiske skrik i bakgrunnen. Det var først da han startet bilen at han oppdaget flokken med pleiepersonale i fullt firsprang nedover bakken. Dermed var det nok satt bom for videre etterforskning på jordene rundt Egely. Greit nok.

UFFE HADDE REAGERT kraftig. Nå visste Carl at Uffe i en eller annen forstand var til stede i samme verden som andre. Uffe hadde stirret inn i øynene på gutten Atomos på fotografiet, og det hadde rystet ham, ingen tvil om det. Det var et syvmilssteg fremover.

Han stanset bilen ved en gårdsvei og tastet inn institusjonen Godhavn på tjenestebilens lille datamaskin. Nummeret poppet opp øyeblikkelig.

Presentasjonen var fort unnagjort. Folkene der opp var tydeligvis vant til at politiet tok kontakt med dem, så det var bare å gå rett på sak.

«Bare ta det rolig,» sa han, «det er ingen av beboerne deres som har gjort noe galt. Det dreier seg om en gutt som bodde hos dere tidlig på åttitallet. Jeg kjenner ikke navnet, men han ble kalt Atomos. Ringer det noen bjeller?»

«Tidlig på åttitallet?» svarte vakthavende. «Nei, så lenge har ikke jeg vært her. Men vi har mapper på alle beboerne, men neppe på et sånt navn. Du er sikker på at du ikke har et annet navn vi kan søke på?»

«Dessverre.» Han så utover de gjødselstinkende markene. «Er det ingen oppe hos dere som har vært ansatt så lenge?»

«Godt spørsmål. Ikke blant de faste, det tror jeg at jeg kan si ganske sikkert. Men øh … jo, vi har faktisk en pensjonist, John, som kommer et par ganger i uken. Han kan ikke unnvære guttene, og de kan ikke unnvære ham. Han var her helt sikkert den gangen.»

«Han skulle ikke tilfeldigvis være der i dag?»

«John? Nei, han er på ferie. Gran Canaria til 1295 kroner, kan man stå for det? som han pleier å si. Men han kommer hjem på mandag, så skal jeg se om jeg kan få lokket ham opp hit. Han kommer jo mest for å hyggeprate med guttene. De liker ham. Ring igjen på mandag, så skal jeg se hva jeg kan gjøre.»

«Kanskje jeg kunne få hjemmenummeret hans?»

«Nei, dessverre. Vi oppgir av prinsipp ikke privatnumrene til medarbeiderne. Du vet jo aldri hvem som ringer, ikke sant.»

«Jeg heter Carl Mørck, jeg tror jeg nevnte det i sted. Og jeg er kriminalbetjent, hvis du fikk med deg det.»

Hun lo. «Da kan du sikkert finne nummeret hans også, hvis du er så flink. Men jeg vil foreslå at du venter til mandag og ringer oss igjen da. Okay?»

Han lente seg tilbake i setet og så på klokken. Litt over ett. Han kunne fortsatt rekke innom kontoret og sjekke mobilen til Merete Lynggaard, om batteriet fortsatt skulle virke etter fem år, det var vel tvilsomt. I motsatt fall måtte de forsøke å få skaffet et nytt.

Ute på jordene bak de bølgende ryggene steg måkene til værs i skrikende klynger. Et kjøretøy brummet under dem og pisket opp den støvete jorden. Det var en traktor, en massiv Landini med blå førerhytte som rumlet sindig av sted over åkeren. Slikt hadde han greie på, han som hadde vokst opp med møkk på trebånnene. Våronn måtte til, tenkte han, og startet opp og ville kjøre før stanken blåste mot ham og satte seg i airconditionanlegget.

I det samme fikk han øye på bonden der inne bak plexiglassrutene. Skjermlua på hodet, helt oppslukt av jobben og utsiktene til å sprenge alle rekorder for kornavlingen til sommeren. Rødmusset i ansiktet, rødrutet skjorte. En god, gammeldags rødrutet flanellsskjorte som han hadde sett før.

Helvete, tenkte han. Han hadde glemt å ringe kollegene i Sorø og fortelle hvilken av de rødrutete skjortene han mente å huske at gjerningsmannen ute på Amager hadde hatt på seg. Han sukket ved tanken. Bare de hadde holdt ham utenfor det der. Det neste ble vel at han måtte ned for å peke ut skjorten enda en gang. Han tastet nummeret og fikk tak i vakthavende og ble straks satt over til sjefen for etterforskningen, han de kalte Jørgensen.

«Det er Carl Mørck fra København. Jeg tror jeg kan bekrefte nå at en av skjortene dere viste meg, var maken til den som en av gjerningsmennene på Amager hadde på seg.»

Ikke en lyd i den andre enden. Hvorfor i helvete kremtet han ikke eller et eller annet, så man i hvert fall skjønte at han var der?

«Øhøm,» sa Carl, det kunne jo hende at det smittet, men Jørgensen var like taus. Hadde han trykket på en eller annen knapp og sjaltet ut lyden?

«Jeg har drømt en del de siste nettene,» sa Carl. «Flere av scenene fra skuddepisoden har kommet tilbake til meg. Også glimtet av denne skjorten. Jeg kan se det hele tydelig for meg nå.»

«Jaså,» sa Jørgensen etter enda en dose rungende taushet i den andre enden. Burde han ikke heller ha jublet? Et lite hurra, om ikke annet?

«Du vil ikke vite hvor på bordet den aktuelle skjorten lå?»

«Og det mener du at du kan huske?»

«Hvis jeg kan huske skjorten etter å ha fått en kule i hodet og ett hundre og femti kilo kjøttvekt over meg og blitt oversprøytet av halvannen liter blod fra de beste kameratene mine, så kan jeg vel huske rekkefølgen på de elendige skjortene etter fire dager?»

«Det virker ikke helt normalt.»

Carl talte til ti. Meget mulig at det ikke var normalt i Storgaten på Sorø. Men så var det kanskje heller ikke helt tilfeldig at han hadde havnet i en avdeling med tyve ganger så mange drapssaker som Jørgensen?

«Jeg er ganske god i Memory også,» var alt han sa.

Ny, trykkende stillhet. «Sier du det! Ja,ja, da får vi høre, da,» kom konklusjonen.

Fy faen, for en landsbytulling.

«Det var skjorten som lå ytterst til venstre,» sa Carl. «Altså den som lå nærmest vinduet.»

«Ja vel,» sa Jørgensen. «Det var også det vitnet helt klart mente.»

«Fint, det gleder meg å høre. Vel, det var det hele. Jeg sender deg en mail så du har det skriftlig.» Nå hadde traktoren ute på jordet nærmet seg betenkelig. Skvettene av piss og møkk banket ut av slangene som slepte langs bakken så det var en fryd.

Han rullet opp passasjervinduet og skulle til å legge på.

«Bare én ting til,» sa Jørgensen. «Vi har pågrepet en mistenkt. Ja, mellom kolleger kan jeg vel si at vi er temmelig sikre på at vi har tatt en av gjerningsmennene. Når kan du komme nedover til en konfrontasjon, tror du? I morgen en gang?»

«Konfrontasjon? Nei, det kan jeg ikke.»

«Hva mener du?»

«I morgen er det lørdag og jeg har fri. Når jeg våkner, står jeg opp og lager meg en kopp kaffe og går og legger meg igjen. Og sånn kan det godt fortsette utover hele dagen, man vet aldri. Dessuten så jeg aldri noen av gjerningsmennene på Amager, noe jeg faktisk har gjentatt rimelig mange ganger hvis du leser rapportene. Og ettersom jeg ikke har fått fjesene deres åpenbart i et drømmesyn så langt, og neppe vil få det til i morgen heller, så kommer jeg ikke. Er det greit, Jørgensen?»

Der ble det gud hjelpe meg stille igjen. Dette var mer ener-verende enn de manierte kunstpausene til politikerne når de snakket i sirup med øh ... øh ... etter annethvert ord.

«Om det er greit, vet du vel best selv,» svarte Jørgensen. «Det var jo dine venner som ble lemlestet der ute. Vi har i hvert fall foretatt ransaking på mistenktes bopel, og flere av effektene som ble funnet, peker mot at hendelsesforløpene på Amager og Sorø henger sammen.»

«Det er bra, Jørgensen, lykke til videre. Jeg lover å følge med i avisene.»

«Du vet at du skal vitne når saken kommer for retten? Det er din gjenkjennelse av skjorten som er det primære bindeled-det mellom de to forbrytelsene.»

«Ja, ja, det er klart. God jakt!»

Han la på røret og merket et ubehag i brystregionen. En mer voldsom følelse enn før. Kanskje skyldtes det den ufatte-lige stanken som plutselig hadde sneket seg inn i kupeen, men på den annen side kunne det også være noe annet og verre som var i anmarsj.

Han satt et minutts tid og ventet til trykket hadde avtatt litt. Så gjengjeldte han bondens hilsen fra plexiglassfortet og satte bilen i bevegelse. Da han hadde kommet fem hundre meter bortover veien, saktnet han farten, åpnet vinduet og begynte snappe etter luft. Han tok seg til brystet og krum-met ryggen alt han kunne for å få ut spenningen. Han gled ut i veikanten og begynte å trekke luften dypere og dypere ned i lungene. Han hadde sett den slags panikkanfall hos andre, men å ha det inne i sin egen kropp, var helt surrealistisk. Han åpnet dørlåsen, foldet hendene over munnen slik at effekten av hyperventileringen skulle bli mindre og skjøv døren helt opp.

«For helvete,» ropte han og vaklet tvekroket ut i grøftekan-ten med et hardtpumpende stempel bak bronkiene. Over ham hvirvlet skyene rundt, og himmelen kom ned mot ham. Så lot han seg falle pladask i bakken med bena ut til siden og famlet etter mobiltelefonen i jakkelommen. Ikke faen om han skulle dø av et hjerteattakk uten å ha et ord med i laget.

En bil saktnet farten ute på veien. De kunne ikke se ham der han satt halvveis nede i grøfta, men han kunne høre dem. «Det ser merkelig ut,» sa en stemme, og så kjørte de bare videre. Hadde jeg hatt registreringsnummeret deres, skulle de fått seg en saftig lærepenge, var det siste han tenkte før det svartnet for ham.

HAN VÅKNET MED mobiltelefonen klemt mot øret og en helvetes masse jord rundt munnen. Han fuktet leppene og spyttet, så seg forvirret rundt. Tok seg til brystet hvor presset ennå ikke var helt borte, og konstaterte at det sto til liv tross alt. Han karet seg på bena og ramlet inn bak rattet. Klokken var ikke engang halv to. Da hadde han bare ligget en liten stund.

«Hva er det, Carl?» spurte han seg selv, tørr i munnen og med en tunge som føltes dobbelt så tykk som normalt. Bena var kalde som is mens overkroppen badet i svette. Et eller annet i kroppen var riv ruskende galt.

Du holder på å miste kontrollen, brølte det inne i ham der han satt. I det samme ringte mobilen. Assad spurte ikke hvordan han hadde det, hvorfor skulle han det? «Vi har et problem, Carl,» sa han bare. Carl bannet innvendig.

«Teknikerne tør ikke fjerne overstrykning i Merete Lynggaards telefonliste,» fortsatte Assad uanfektet. «De sier at nummer og overstrykning er laget med samme kulepenn, så selv om de er tørket forskjellig, faren er stor for at begge lagene forsvinner.»

Carl tok seg til brystet. Det føltes akkurat som om han hadde slukt luft. Faen så vondt det gjorde. Kunne det være et infarkt likevel? Eller kjentes det bare slik?

«De sier vi må sende hele greia til England. På grunn av masse teknisk, de kombinerer digitaliseringsprosess med kjemisk bløtlegging, eller hva de sa.» Han ventet på at Carl skulle korrigere ham, men det kunne han bare glemme. Carl hadde nok med å knipe øynene sammen og forsøke å tenke vekk de vemmelige spasmene som pumpet gjennom brystet.

«Jeg synes hele greia tar for lang tid. De sier vi får ikke resultat før om tre-fire uker. Er du ikke enig?»

Carl prøvde å konsentrere seg, men Assad hadde ikke den typen tålmodighet.

«Kanskje jeg skulle ikke si det til deg, Carl, men jeg tror vi er gode venner, jeg stoler på deg. Jeg kjenner en fyr som kan gjøre det for oss.» Her ventet nok Assad en respons, men der forregnet han seg. «Er du der ennå, Carl?»

«Ja, for faen,» stønnet Carl halvkvalt og trakk pusten så dypt at lungene spilte seg ut. Fy faen, så vondt det gjorde et øyeblikk før trykket lettet. «Hvem er han?» spurte han og prøvde å slappe av.

«Det vil du ikke vite, Carl. Men han er flink mann som kommer fra Midtøsten. Jeg kjenner ham veldig godt, han er veldig flink. Skal jeg gi ham jobben?»

«Bare vent litt, Assad, jeg må tenke.»

Han vaklet ut av bilen og ble stående en stund tvekroket med hodet hengende og hendene på knærne. Nå kom blodet tilbake til hjernen. Han fikk farge i kinnene og presset i brystet fortok seg. Åh, så godt det var. Til tross for stanken som drev i luften som en sykdom, føltes luften der ute mellom de inngjerdete markene nærmest forfriskende.

Han rettet seg opp og følte seg fin igjen.

«Ja, Assad, nå er jeg her,» sa han. «Vi kan ikke ha en passforfalsker til å jobbe for oss, det skjønner du vel.»

«Hvem sier han er passforfalsker? Ikke jeg.»

«Hva er han da?»

«Han var bare flink til sånne ting der han kom fra. Han fjerner stempel så du kan ikke se dem. Så han kan fjerne litt blekk også sikkert. Du trenger ikke vite mer enn det. Og han får ikke vite hva den saken er om. Han er rask, Carl, og det koster ingenting. Han skylder meg tjenester.»

«Hvor rask?»

«Vi har det på mandag hvis vi vil det.»

«Okay, gi ham dritten, Assad. La ham få det.»

Han hørte en mumling i den andre enden. Sikkert okay på arabisk.

«En ting til, Carl. Jeg skal si fra fru Sørensen på drapsavdelingen at hun vitnet i syklistmordet begynner å snakke lite grann. Hun sa til meg at hun …»

«Assad, glem det. Det er ikke vår sak.» Han satte seg inn i bilen igjen. «Vi har evig nok med vårt eget.»

«Fru Sørensen ville ikke si det direkte til meg, men jeg tror dem oppe i tredje vil gjerne høre hva du mener, altså uten å spørre deg direkte.»

«Pump henne for hva hun vet om det, Assad. Og dra opp til Hardy mandag morgen og fortell ham alt sammen. Jeg er sikker på at han vil ha større glede av det enn meg. Ta en taxi, så ses vi etterpå på Huset, okay? Du kan ta fri nå. Ha det godt så lenge, Assad. Hils Hardy og si at jeg kommer en dag i neste uke.»

Han la på og kikket ut gjennom frontruten som så ut til å ha fått seg en real dusj. Men regn var det ikke, det kjente han på lukten. Grisepiss à la carte. Det var vårens spesialitet her ute på landet.

DET STO ET rikt ornamentert monstrum av en tekoker og sydet på Carls skrivebord. Hvis Assad hadde tenkt at oljeflammen skulle holde mynteteen god og varm til Carl kom, hadde han forregnet seg, for nå var kjelen i hvert fall så tørr at det knaste i bunnen på den. Han blåste ut flammen og satte seg tungt ned på stolen. Trykket i brystet var der igjen. Han hadde hørt det før: en advarsel, så lettelsen. Kanskje enda en kort advarsel og så: bang død! Lyse utsikter for en mann som hadde bøttevis av år å tømme ut før pensjonsalderen.

Han tok opp Mona Ibsens visittkort og veide det i hånden.

Tyve minutter med den myke, varme kroppen hennes ville gjøre underverker. Men han var redd han måtte nøye seg med det myke, varme blikket hennes i beste fall, og hva ville det gi ham?

Han tok av røret og slo nummeret hennes, og mens det ringte, kom trykket igjen. Var det livsbejaende hjertebank eller et varsel om det motsatte? Var det mulig å vite forskjell?

Han snappet etter været da hun sa navnet sitt.

«Carl Mørck,» sa han halvkvalt. «Jeg er klar til å avlegge fullt skriftemål.»

«I så fall er det Peterskirken du bør henvende deg til,» svarte hun tørt.

«Nei, seriøst, jeg tror jeg hadde et angstanfall i dag. Jeg føler meg ikke særlig bra.»

«Vel, da sier vi mandag klokken elleve. Skal jeg ringe inn noe beroligende til deg, eller klarer du deg over weekenden?»

«Jeg klarer meg,» sa han, og følte seg ikke helt overbevist da han la på røret.

Klokken tikket nådeløst. Nå var det bare knappe to timer til Morten Holland kom hjem fra ettermiddagsvakten i video-butikken.

Han koblet Merete Lynggaards mobil fra laderen og slo den på. 'Tast pinkode', sto det. Jammen virket batteriet fortsatt. Gode, gamle Siemens fornektet seg ikke.

Han slo 1-2-3-4 og fikk feilmelding. Så prøvde han 4-3-2-1 og fikk samme beskjed. Da var det bare én ladning igjen i løpet før han ble nødt til å sende dritten til ekspertene. Han åpnet saksmappen og fant Merete Lynggaards fødselsdato. På den annen side kunne hun like gjerne ha brukt Uffes fødsels-dato. Han bladde litt og fant den også. Selvfølgelig kunne det være en kombinasjon av de to, eller noe helt annet. Han valgte å kombinere de to første sifrene i fødselsdatoene deres, Uffes først, og tastet inn tallene.

Da skjermbildet tonte frem med en smilende Uffe som holdt Merete om halsen, lettet trykket i brystet et øyeblikk.

Andre ville ha satt i et seiersbrøl, men Carl orket ikke. I stedet slengte han bena opp på bordet.

Hemmet av den ubekvemme stillingen åpnet han telefonregisteret og gjennomgikk mobilens utgående og innkomne oppringninger i perioden femtende februar 2002 til den dagen Merete Lynggaard forsvant. Det var temmelig mange. Noen av dem måtte han nok inn i selskapenes arkivregistre for å finne. Numre som var blitt skiftet ut og kanskje skiftet ut igjen siden den gangen. Det virket komplisert, men etter en times tid sto mønsteret klart: Merete Lynggaard hadde utelukkende kommunisert med kolleger og talsmenn for interesseorganisasjoner i hele denne perioden. Hele tredve oppringninger kom fra hennes eget sekretariat, deriblant den aller siste, på første mars.

Altså måtte eventuelle oppringninger fra den falske Daniel Hale ha kommet til fasttelefonen hennes på Christiansborg. Hvis det da i det hele tatt hadde vært noen oppringninger.

Han sukket og skjøv til en dokumentstabel på bordet med foten. Høyrebenet hans verket etter å gi Børge Bak et spark i baken. Hvis etterforskningsteamet hans hadde laget en anropsliste for Merete Lynggaards kontortelefon, så måtte den være forsvunnet, for i saksmappen var det ingenting.

Vel, den siden av saken måtte han overlate til Assad på mandag, mens Mona Ibsen tok ham under behandling.

PÅ BRUGSEN I Allerød var utvalget av Playmo-leketøy ikke dårlig, snarere tvert imot, men så var prisen også deretter. Hvordan vanlige folk hadde råd til å sette unger til verden, var ham en gåte. Han valgte det desidert billigste settet, en politibil med to tjenestemenn til kroner 269,75 og ba om kvittering. Morten Holland måtte selvfølgelig kunne ta det med tilbake og få byttet det.

Straks han så Morten hjemme på kjøkkenet, krøp han til korset. Dro de tyvlånte effektene ut av plastposen sammen med den nye esken. Sa til Morten at han var fryktelig lei seg og bedyret at det aldri skulle skje igjen. Ja, at han i det hele tatt aldri skulle gå inn på Mortens enemerker igjen når han ikke var hjemme. Mortens reaksjon var helt som man kunne vente, men det kom likevel som en overraskelse at dette kvapsete produktet av fettrik mat og mangel på mosjon til de grader var i stand til å blåse seg opp i fysisk vrede. At en kropp kunne dirre slik av forurettelse, og at skuffelse kunne uttrykkes i så mange forskjellige ord. Det var ikke bare at han hadde tråkket Morten på de rekordlange tærne, han hadde tydeligvis også most dem fullstendig ned i laminatparketten.

Carl så ergerlig på den lille plastfamilien som sto oppstilt på kanten av kjøkkenbordet og ønsket at dette aldri hadde skjedd. I det samme kom trykket i brystet tilbake i en helt ny form.

Midt i sin fnysende tirade om at Carl bare kunne begynne å se seg om etter ny leieboer, merket ikke Morten hvordan det sto til med Carl. Ikke før han sank om på gulvet med kramper fra halsen og ned til navlen. Det var ikke bare brystsmerter denne gangen. Selve huden virket for trang, musklene kokte av blodtilstrømning, magen knyttet seg i krampe og presset innvollene mot ryggraden. Det gjorde egentlig ikke så vondt, det bare hindret ham i å trekke pusten.

Det gikk ikke mange sekundene før Morten lå over ham med oppspilte griseøyne og spurte om han ville ha et glass vann. Et glass vann, hva faen skulle han med det, tenkte han, mens pulsen danset i sin egen utakt. Ville han tømme det over ham slik at kroppen kunne få en hyggelig, liten minnelse om plutselig sommerregn, eller hadde han tenkt å tvinge det inn mellom de sammenbitte tennene hans, hvor det akkurat nå sydet av undertrykk fra den kaputte indre blåsebelgen.

«Ja takk, Morten,» tvang han seg til å svare. Alt for at de kunne møtes et sted på halvveien her midt på kjøkkengulvet.

Da han befant seg i oppreist tilstand igjen i det mest nedsølte hjørnet av sofaen, var Mortens forskrekkelse avløst av pragmatisme.

Hvis en så kul fyr som Carl kunne la unnskyldningene ledsages av et så eklatant sammenbrudd, så mente han det nok.

«Okay, da er vi enige om å slå en strek over hel denne greia, ikke sant, Carl?» sa han med tunge øyelokk.

Carl nikket. Hva som helst, bare han kunne sikre husfreden og få seg noen timer på øyet før Mona Ibsen skulle begynne å spa i ham.

32

2007

BAK BØKENE I bokhyllen i stuen hadde Carl gjemt unna et par halvtomme flasker gin og whisky, som Jesper ennå ikke hadde klart å snuse opp og sette i omløp på kameratenes improviserte fester.

Han drakk mesteparten av begge før roen falt over ham, og hele den uendelige weekenden slepte seg av sted i dyp, dyp søvn. Bare tre ganger på to dager sto han opp, og tre ganger langet han i seg det kjøleskapet hadde å by på. Jesper var uansett ikke hjemme, og Morten var på besøk hos foreldrene i Næstved, så hvem brydde seg om utløpsdatoer og riktig sammensatt kosthold?

Da mandagen kom, var det Jesper som måtte ruske i Carl, og ikke omvendt. «Carl, stå opp da, mann, hva er det som skjer? Jeg må ha penger til mat, det er jo ikke en dritt i kjøleskapet.»

Han så på stesønnen med øyne som nektet å ta innover seg og akseptere dagslyset. «Hva er klokka?» mumlet han og visste ikke engang hvilken dag det var.

«Carl, kom igjen. Jeg kommer sykt mye for sent bare på grunn av deg.»

Han så på vekkeklokken som Vigga aller nådigst hadde latt ham beholde. Selv hadde hun ingen respekt for nattens utstrekning.

Han spilte opp øynene, plutselig lysvåken. Klokken var ti minutter over ti. Om mindre enn femti minutter skulle han sitte og se inn i Mona Ibsens seriøse behandlerblikk.

«DU HAR TUNGT for å stå opp for tiden?» konstaterte hun og kastet et raskt blikk på armbåndsuret. «Jeg kan se at du fortsatt sover dårlig,» fortsatte hun, som om hun hadde stått i løpende kontakt med hodeputen hans.

Han ergret seg. Kanskje hadde det hjulpet hvis han hadde rukket å dusje før han stormet på dør. Bare jeg ikke stinker, tenkte han og trakk nesen forsiktig ned mot armhulene.

Hun satt rolig og så på ham med hendene hvilende i fanget, fløyelsbena over kors i de svarte langbuksene. Håret var tjafsete klippet og kortere enn sist, øyenbrynene tordnende svarte. Alt sammen veldig skremmende.

Han fikk vristet ut av seg historien om sammenbruddet i veikanten ved jordet til Lars Møkkaspreder og hadde kanskje håpet på en anelse sympati.

«Føler du at du sviktet kollegene dine i skuddramaet?» smalt hun i stedet til med.

Carl svelget et par ganger og mumlet noe om en pistol han nok kunne ha kommet raskere på banen med, og om instinkter som kanskje var blitt sløvet etter års omgang med kriminelle.

«Du føler at du sviktet vennene dine, det er jeg overbevist om. I så fall vil du måtte slite med det, med mindre du erkjenner at tingene ikke kunne ha gått annerledes.»

«Ting kan alltid gå annerledes,» svarte han.

Hun overhørte det. «Du skal vite at Hardy Henningsen også er min klient. Jeg ser derfor saken fra to sider og burde erklært meg inhabil. Det er imidlertid ingen formelle regler som krever det, så derfor må jeg spørre deg om du fortsatt er interessert i å snakke med meg på disse betingelsene. Vær klar over at jeg ikke kan komme inn på hva Hardy Henningsen har sagt til meg, og på samme måte er du naturligvis beskyttet av min taushetsplikt den andre veien.»

«Det er greit,» sa han, men mente det ikke. Hadde ikke kinnene hennes vært dekket av fine dun, og hadde ikke leppene hennes til de grader skreket etter å bli kysset, ville han

273

bedt henne dra til helvete. «Men jeg vil snakke med Hardy om det,» sa han. «Hardy og jeg kan ikke ha hemmeligheter for hverandre, det lar seg ikke gjøre.»

Hun nikket og ranket seg. «Har du opplevd andre situasjoner hvor du har følt deg overmannet?»

«Ja,» sa han.

«Når da?»

«Her og nå.» Han sendte henne et dypt blikk.

Hun ignorerte det. Iskald dame.

«Hva ville du gitt for at Anker og Hardy kunne vært sammen med deg her på huset fortsatt?» spurte hun, og kom med enda fire spørsmål som konstruerte en underlig sorgfølelse i ham. For hvert spørsmål så hun ham i øynene og noterte svarene hans på en blokk. Det føltes som hun ville drive ham over kanten. Som om han måtte falle for alvor før hun følte seg kallet til å gripe etter ham.

Hun oppdaget dråpene som rant fra nesen før han selv gjorde det. Så løftet hun blikket og registrerte vannansamlingen som sprengte på bak øyelokkene. Et blunk nå, og det ville renne som faen. Det skulle ikke skje! Han forsto ikke hva som skjedde med ham. Ikke at han var redd for å gråte, han hadde heller ikke noe imot at hun så det, men han skjønte bare ikke hvorfor det absolutt skulle være nå.

«Bare gråt,» sa hun på samme verdenskloke måte som man ville oppfordre et glupsk spedbarn til å rape.

DA TIMEN VAR slutt tyve minutter senere, hadde Carl fått nok av å blottstille seg. Mona Ibsen, derimot, virket fornøyd og rakte ham hånden og ga ham en ny tid. Hun gjentok enda en gang at utfallet av skuddramaet var uavvendelig, og at han nok ville finne tilbake til sitt gamle jeg etter noen flere samtaletimer.

Han nikket og følte seg på sett og vis bedre. Kanskje fordi duften hennes overskygget hans egen, og fordi håndtrykket føltes så lett og mykt og varmt.

«Bare ta kontakt hvis du har noe på hjertet, Carl, smått eller stort, det spiller ingen rolle. Det kan uansett være viktig for det videre samarbeidet vårt.»

«Da har jeg et spørsmål allerede nå,» sa han og forsøkte å synliggjøre sine senete og etter sigende sexy hender. Mer enn en kvinne hadde rost ham for dem opp gjennom årene.

Hun oppdaget poseringen hans og smilte for første gang. Bak de myke leppene ante han en rad tenner som var enda hvitere enn hva Lis kunne vise til oppe i tredje. Et sjeldent syn i en tid hvor rødvin og kaffe fikk de fleste kvinners tenner til å minne om røykfarget glass.

«Og det er?» sa hun.

Han tok seg sammen. Det fikk briste eller bære. «Er du opptatt på annet hold?» Han ble helt forskrekket over hvor klosset det hørtes ut, men nå var det for sent. «Ja, unnskyld,» han ristet fortapt på hodet. «Jeg ville bare spørre om du kanskje kunne være mottagelig for en middagsinvitasjon en dag?»

Smilet hennes stivnet. Borte var de hvite tennene og mykheten i ansiktet.

«Jeg tror du bør komme deg til hektene før du begynner med den slags utspill, Carl. Og ikke minst bør du velge dine ofre med større omhu.»

Han kjente irritasjonen forplante seg gjennom hele kjertelsystemet da hun snudde ryggen til og åpnet døren ut til gangen. Faen også. Han brummet etter henne: «Hvis du ikke synes at du hører hjemme i kategorien 'et valg med stor omhu', så vet du ikke hvor fantastisk du virker på det motsatte kjønn.»

Hun snudde seg og rakte frem en hånd mot ham og pekte megetsigende på ringfingeren.

«Jo, faktisk vet jeg det,» sa hun og trakk seg baklengs ut av slagmarken.

Der sto han med hengende skuldre – i egne øyne en av de beste etterforskerne som kongeriket Danmark hadde fostret – og lurte på hvordan i all verden han hadde kunnet overse noe så elementært.

DE RINGTE FRA institusjonen Godhavn og meldte at de nå hadde fått kontakt med sin pensjonerte medarbeider John Rasmussen, og at han skulle til København dagen etter og besøke søsteren. De skulle hilse og si at han alltid hadde hatt lyst til å se Politihuset og at han derfor mer enn gjerne ville avlegge Carl et besøk i ti-halv ellevetiden hvis det var greit. Carl kunne ikke ringe ham, for slik var nå engang politikken deres, men han kunne ringe institusjonen hvis det kom noe i veien.

Det var først da han la på røret at han kom tilbake til virkeligheten. Fiaskoen med Mona Ibsen hadde koblet hjernedelene hans fra hverandre, og først nå begynte puslerriet med å få dem på plass igjen. Miljøarbeideren fra Godhavn som hadde vært på Grand Canaria, ville altså komme. Det hadde unektelig vært greit å vite på forhånd om mannen husket gutten som ble kalt Atomos før Carl påtok seg å være guide på Politihuset. Men skitt.

Han trakk pusten helt ned i lungedypet og forsøkte å få Mona Ibsen og katteøynene hennes ut av systemet. Det var massevis av små tråder i Lynggaardsaken som det skulle bindes knuter i enden på, så det var bare å komme videre før selvmedlidenheten fikk klørne i ham.

Noe av det første som måtte gjøres, var å få hjemmehjelpen Helle Andersen fra Stevns til å se på bildene han hadde fått hjemme hos Dennis Knudsen. Kanskje hun også kunne lokkes hit med løfte om en visekriminalkommissær-guidet omvisning på Politihuset. Hva som helst for å slippe å krysse Tryggevælde Å en gang til.

Han ringte til henne og fikk tak i gemalen, som altså fortsatt var sykemeldt med utrolige smerter i ryggen, men ellers hørtes forbausende frisk og sprek ut. Han sa «hei Carl», som om de hadde vært kompiser på speiderleir i hine hårde dager og spist av samme gryte.

Å høre på ham var som å sitte ved siden av tanten som aldri ble gift: Jo, han skulle så gjerne ropt på Helle hvis hun bare hadde vært hjemme. Nei, hun var alltid ute på klientbesøk til klokken ble …! Heisann, nå hørte han visst bilen hennes nede i innkjørselen. Jo da, ny bil til og med, du hørte alltid forskjell på en 1,3'er og en 1,6'er. Hva var det han sa han karen på TV? Kjøper du Suzuki, vet du jammen meg hva du får, sa han, og det hadde han rett i. Toppers, rett og slett, særlig at de hadde fått så bra pris på den gamle Opelen … Endelig meldte kona sin ankomst i bakgrunnen med et skingrende: «Hei, Ooooleeee! Er du hjemme? Fikk du stablet all veden?»

Bra for Ole at det ikke var sosialkontoret som satt og hørte på dette.

Helle Andersen var hjertelighetsen selv da hun endelig fikk igjen pusten, og Carl takket henne for mottagelsen av Assad forleden dag og spurte om hun hadde mulighet til å ta imot et par bilder på e-mail som han hadde scannet.

«Nå?» spurte hun og ville tydeligvis i neste åndedrag fortelle ham hvorfor det ikke passet. «Du skjønner jeg har med meg et par pizzaer hjem,» kom det. «Ole liker dem best med salat, og de blir så kjedelige hvis det grønne først har sunket ned i ostemassen.»

Tyve minutter senere ringte hun opp igjen og hørtes ut som hun fortsatt ikke hadde fått i seg den siste biten.

«Har du åpnet e-mailen din?»

«Ja,» bekreftet hun, hun satt akkurat og så på de tre filene.

«Klikk på den første. Hva ser du?»

«Det er han Daniel Hale, som assistenten din viste meg bilde av forleden. Han hadde jeg ikke sett før.»

«Klikk på det andre bildet. Hva med det?»

«Hvem er det?»

«Ja, det spør jeg deg om. Han heter Dennis Knudsen. Har du sett ham før? Kanskje litt eldre enn på dette bildet?»

Hun lo. «Ikke med den tåpelige lua i hvert fall. Nei, jeg har ikke sett ham, det er jeg ganske sikker på. Han minner meg litt om fetter Gorm, bare at Gorm er dobbelt så tykk.»

Det lå nok i familien.

«Hva med det tredje? Du ser en mann som står og snakker med Merete inne på Christiansborg like før hun forsvant. Vi ser ham riktignok bare bakfra, men sier det deg noe? Klærne, håret, kroppsholdningen, høyden, figuren, hva som helst?»

Det kom en liten pause, det lovet godt.

«Jeg vet ikke. Vi ser ham jo bare bakfra, som du sier. Men det er mulig jeg har sett ham før. Hvor tenkte du at jeg kunne ha sett ham?»

«Det var nå helst du som skulle si det, da.»

Kom igjen nå, Helle, tenkte han. *Så* mange episoder kunne det ikke være snakk om?

«Jeg skjønner jo at du tenker på ham som kom med brevet. Og jeg så ham bakfra også, men da hadde han på seg helt andre klær, så det er ikke så lett. Men mye stemmer, jeg er bare ikke helt sikker.»

«Da skal du ikke si noe heller, skatt,» kom det i bakgrunnen fra den liksom-ryggplagede pizzaspiseren. Det var vanskelig å la være å sukke oppgitt.

«Okay,» sa Carl. «Da har jeg et siste bilde jeg gjerne vil sende deg. Han klikket på send-boksen.

«Jeg har det nå,» sa hun i den andre enden ti sekunder senere.

«Få høre hva du ser.»

«Jeg ser et bilde av han som også var på bilde nummer to, tror jeg. Dennis Knudsen, var det ikke det han het? Han er bare guttungen her, men det herlige uttrykket er ikke til å ta feil av. Sånne morsomme kinn på ham. Han kjørte nok go-cart, ja, det kan jeg levende forestille meg. Det gjorde fetter Gorm også, pussig nok.»

Det var vel før han kom opp i fem hundre kilo, var Carl fristet til å tilføye. «Se på han andre som står bak Dennis Knud-sen. Sier han deg noe?»

Det ble stille i den andre enden. Selv rygg-ekvilibristen holdt kjeft. Carl lot tiden gå. Tålmodighet var etterforskerens dyd, het det, han fikk prøve å leve opp til det.

«Det er faktisk ganske uhyggelig,» kom det endelig. Stemmen til Helle Andersen var plutselig liksom skrumpet inn. «Det er ham. Jeg er faktisk temmelig sikker på at det er ham.»

«Han som leverte brevet på døren til Merete, mener du?»

«Ja.» Hun ble stille igjen, som om hun først måtte modellere bildet av gutten med tidens tann. «Er det han dere leter etter? Har han noe med det som skjedde med Merete å gjøre, mener du? Er han farlig?» Hun hørtes oppriktig bekymret ut. Og kanskje hadde hun også på et tidspunkt hatt grunn til å være det.

«Det er fem år siden, så du har ingenting å frykte, Helle. Bare ta det rolig.» Han hørte henne sukke. «Du tror det er den samme personen som leverte brevet, sier du. Er du helt sikker?»

«Det må være det. Ja, absolutt. Øynene er så spesielle, merker du ikke det? Huff, jeg blir nesten helt rar.»

Det er nok pizzaen, tenkte Carl og takket, la på røret og lente seg tilbake i stolen.

Han så ned på et ukebladfoto av Merete Lynggaard som lå oppå saksmappen. Akkurat nå følte han sterkere enn noen gang før i denne saken at han sto som et bindeledd mellom offer og gjerningsmann. Ja, for første gang var han sikker i sin sak. Denne Atomos hadde sluppet taket i barndommen og utviklet seg frem mot djevelens gjerninger, fargerikt sagt. Ondskapen i ham hadde ført ham til Merete Lynggaard, spørsmålene var bare hvorfor, hvor og hvordan. Kanskje ville Carl aldri få svar på det, men lysten til det var i hvert fall til stede.

Så kunne en størrelse som Mona Ibsen sitte og gnikke på ringen sin imens.

ETTERPÅ SENDTE HAN bildene til Bille Antvorskov. Det gikk mindre enn fem minutter, så lå svarene der på e-mail: Jo, den ene gutten på bildene kunne minne om mannen han hadde hatt med seg inne på Christiansborg. Men han kunne ikke med hundre prosent sikkerhet skrive under på at det var ham.

Carl var fornøyd. Han var sikker på at Bille Antvorskov aldri skrev under på noe som helst uten å ha sjekket det temmelig grundig både foran og bak.

I det samme ringte telefonen, og det var verken Assad eller mannen fra Godhavn, som han trodde, men gud bedre Vigga, av alle mennesker.

«Hvor blir det av deg, Carl?» Stemmen vibrerte.

Han prøvde å dechiffrere hva det dreide seg om, men rakk det ikke før kaklingen brøt løs.

«Åpningen startet for en halvtime siden, og det er ikke kommet en sjel. Vi har ti flasker vin og tyve poser snacks. Hvis du heller ikke kommer, vet jeg ikke hva jeg gjør.»

«I galleriet ditt, mener du?»

Et par heftige snøft, røpet at hun var nesten på gråten.

«Jeg har ikke hørt et kvekk om noen åpning.»

«Hugin sendte ut femti invitasjoner i forgårs.» Hun snøftet en siste gang og trakk den virkelige Vigga opp av hatten: «Fy faen, jeg trodde i hvert fall jeg kunne regne med *din* støtte, du som har investert penger i det og alt!»

«Snakk med det omvandrende spøkelset ditt.»

«Spøkelset? Er det Hugin du mener?»

«Har du flere eksemplarer av arten hengende rundt?»

«Hugin er minst like interessert i at dette fungerer som meg.»

Det tvilte han ikke på. Hvor kunne han ellers få utstilt de utrevne undertøysannonsene sine og disse maltrakterte Happy Meal-figurene fra McDonald's, oversmurt med Bilkas billigste maling?

«Vigga, jeg sier bare at hvis dette geniet i det hele tatt husket å poste innbydelsene på lørdag, som han påstår, så finner jo ikke folk dem i postkassene før i ettermiddag når de kommer hjem fra jobben.»

«Ååå, nei, helvete også!» stønnet hun.

Da var det i hvert fall en svartkledd dust som det ikke ble noe på i kveld.

Herlig!

TAGE BAGGESEN BANKET på dørkarmen til Carls kontor i samme øyeblikk som Carl hadde satt tennene i en sigarett av den typen som har ropt og skreket på en i timevis.

«Ja,» sa han med lungene fulle av røyk og dro kjensel på mannen som seilte pen i tøyet, men synlig beruset inn i rommet i en aura av konjakk og øl.

«Ja, jeg beklager at jeg avbrøt telefonsamtalen vår så brått forleden dag. Jeg hadde behov for å tenke, nå når tingene likevel kommer for en dag.»

Carl pekte på en stol og spurte om han ville ha noe å drikke, men folketingsmannen veivet avvergende med den ene hånden og fant stolen med den andre. Nei, tørst var han nok ikke.

«Hvilke ting er det særlig du tenker på?» Carl sa det som om han hadde litt av hvert på mannen, noe som slett ikke var tilfellet.

«I morgen kommer jeg til å trekke meg fra folketingsvervet,» sa Baggesen og så seg om i rommet med tunge øyne. Jeg går til partiformannen rett etter denne samtalen. Merete fortalte meg at det kom til å gå slik hvis jeg ikke hørte, og jeg hørte ikke. På tross av advarslene gjorde jeg det jeg aldri skulle ha gjort.»

Carl knep øynene sammen. «Da er det bra at vi to får skværet opp før du går til bekjennelse for gud og hvermann.»

Den storvokste mannen nikket og bøyde hodet. Jeg kjøpte aksjer i 2000 og 2001 og tjente på det.

«Hvilke aksjer?»

«Alt mulig dritt og lort. Og så fikk jeg en ny aksjerådgiver som sa jeg burde investere i våpenfabrikker i USA og Frankrike.»

Et slikt råd for plassering av sparepengene kunne nok ikke rådgiveren i bankfilialen i Allerød funnet på å gi Carl. Han tok et dypt drag og stumpet sigaretten. Nei, det var nok ikke slike disposisjoner som toppene i det pasifistiske Radikalt Sentrum ønsket å bli assosiert med, det hadde ikke Carl problemer med å forstå.

«Jeg leide også ut to av eiendommene mine til massasjeinstitutter. Jeg var riktignok ikke klar over det til å begynne med, men jeg fikk vite det. De lå nede i Strøby Egede, ikke langt fra der Merete bodde, og det ble snakket om det der nede. Jeg hadde mange ting på gang i den perioden. Dessverre skrøt jeg av forretningene mine overfor Merete. Jeg var så forelsket, og hun så likegyldig overfor meg. Kanskje håpet jeg at hun ville bli litt mer interessert hvis jeg spilte bigshot, men det ble hun selvfølgelig ikke.» Han masserte nakken med den ene hånden. «Hun var jo ikke den typen i det hele tatt.»

Carl fulgte røyken med øynene til rommet hadde oppslukt den. «Og hun ba deg om å avvikle?»

«Nei, hun ba ikke om det.»

«Hva sa hun, da?»

«Hun sa at hun kunne komme til å røpe det av vanvare til sekretæren sin, Marianne Koch. Meningen var klar nok. Med en slik sekretær ville alle vite det før det var gått to timer. Merete advarte meg bare.»

«Hvorfor interesserte hun seg i det hele tatt for dine saker?»

«Hun gjorde jo ikke det. Det var nettopp det som var årsaken til alt sammen.» Han sukket og støttet hodet i hendene. «Jeg hadde lagt an på henne så lenge at hun til slutt bare ønsket å bli kvitt meg. Og på den måten fikk hun viljen sin. Jeg er sikker på at hvis jeg hadde fortsatt å trenge meg på, ville hun ha lekket opplysningene om meg. Jeg bebreider henne ikke. Hva pokker skulle hun ellers ha gjort?»

«Så du lot henne være i fred, men til gjengjeld fortsatte du forretningene?»

«Jeg sa opp leiekontraktene med massasjeinstituttene, men aksjene beholdt jeg. Jeg solgte dem først litt etter ellevte september.»

Carl nikket. Den katastrofen var det mange som hadde skodd seg på.

«Hva tjente du på det?»

Baggesen så opp. «Godt og vel ti millioner.»

Carl skjøt frem underleppen. «Og så tok du livet av Merete for at hun ikke skulle røpe det?»

Folketingsmannen rykket til. Nå kjente Carl igjen ansiktsuttrykket hans fra forrige gang han gikk ham på klingen.

«Nei, nei! Hvorfor skulle jeg det? Det var jo ikke ulovlig, det jeg hadde gjort. Det ville jo ikke skjedd annet enn det som likevel skjer i dag.»

«Du vil blitt bedt om å forlate folketingsgruppen i stedet for å gå selv?»

Blikket hans flakket rundt i rommet og falt først til ro da han fant sine egne initialer på listen over mistenkte på whiteboardet.

«Det der kan du bare stryke,» sa han og reiste seg.

ASSAD KOM IKKE på jobb før ved tretiden. Adskillig senere enn man kunne forvente av en mann med hans beskjedne kvalifikasjoner og utsatte posisjon. Carl overveide et øyeblikk om det ville ha noe for seg å gi ham en oppstrammer, men Assads glade ansikt og begeistring innbød ikke til bakholdsangrep.

«Hva i huleste har du drevet med hele denne tiden?» spurte han i stedet og pekte på armbåndsuret.

«Jeg skal hilse fra Hardy. Du sa selv jeg skulle besøke ham.»

«Har du vært hos Hardy i syv timer?» Han pekte igjen på armbåndsuret.

Assad ristet på hodet. «Jeg fortalte han det jeg visste om syklistmord. Og vet du hva han sa?»

«Han kom vel med en antydning om hvem morderen var?»

Assad så forbløffet ut. «Å, du kjenner han veldig godt, Carl. Ja, han gjorde det.»

«Neppe med navns nevnelse, går jeg ut fra?»

«Med navn? Nei, men han sa vi må lete etter en person som er viktig for barna til vitnet. Ikke lærer eller en som jobber i barnehagen, men en som barna er avhengig av. Eksmannen hennes, eller lege, eller en som barna har stor respekt for. En ridelærer. Noe sånt. Men en som har å gjøre med begge barn. Jeg sa det til dem i tredje også, nå nettopp.»

«Jøss!» Carl spisset munnen. Det var da voldsomt så veltalende han plutselig var blitt. «Og Bak ble i fyr og flamme, kan jeg tenke meg?»

«I fyr?» Han tygde på ordet. «Kanskje. Hvordan ser man ut da?»

Carl trakk på skuldrene. Nå kjente han ham igjen. «Hva har du gjort ellers?» Han så av smilet til Assad og de dansende øyenbrynene at han hadde mer i ermet.

«Se hva jeg har her, Carl.» Han trakk Merete Lynggaards slitte, lærinnbundne avtalebok opp av plastposen og la den på bordet. «Se selv, er ikke mannen flink?» spurte han.

Carl åpnet telefonlisten på bokstaven H og så straks forvandlingen. Det var faktisk et utrolig stykke arbeid. Der det før hadde vært en eneste krusedull av overstrekning, sto det nå litt utvisket, men likevel ganske tydelig: Daniel Hale, 25772060. Det var ikke til å tro. Det var mer utrolig enn hastigheten på fingrene hans som fløy over tastaturet for å sjekke telefonregisteret. Han kunne ganske enkelt slå inn nummeret. Selvfølgelig forgjeves.

«Ugyldig mobiltelefonnummer, står det. Ring opp til Lis og be henne sjekke det med én gang. Si at det kan ha gått ut for så mye som fem år siden. Vi vet ikke hvilken mobiloperatør som har hatt det, men det finner hun sikkert ut av. Skynd deg, Assad,» sa han og slo ham kameratslig på granittskulderen.

CARL TENTE EN røyk, lente seg tilbake og oppsummerte.

Merete Lynggaard møtte den falske Daniel Hale på Christiansborg og hadde muligens en flørt med ham, hvoretter hun dumpet ham etter noen få dager. Overstrekningen av navnet hans i telefonlisten virket uvanlig til henne å være, nærmest rituell. Hva som enn kunne ha ligget bak denne handlingen – møtet med den falske Daniel Hale måtte ha vært enda en radikal opplevelse i Meretes liv.

Carl prøvde å se henne for seg. Den vakre politikeren med livet foran seg som møter feil mann. En bedrager, en mann med onde hensikter. Flere hadde koblet ham til gutten som ble kalt Atomos. Hjemmehjelpen i Magleby mente at denne gutten etter all sannsynlighet var identisk med mannen som avleverte brevet der nede med hilsenen 'God tur til Berlin', og ifølge Bille Antvorskov var gutten Atomos han som senere utga seg for Daniel Hale. Samme gutt som Dennis Knudsens søster påsto hadde stor makt over broren i barndommen, og etter alt å dømme også han som mange år senere overtalte sin venn Dennis Knudsen til å kjøre inn i den virkelige Daniel Hales bil og dermed forårsake mannens død. Innviklet, og likevel ikke.

Det var mange indisier som hopet seg opp etter hvert: Det var Dennis Knudsens mystiske dødsfall kort tid etter bilulykken. Og det var Uffes altfor voldsomme reaksjon ved synet av et eldgammelt bilde av gutten Atomos, som sannsynligvis senere møter Merete Lynggaard som Daniel Hale. Et møte mannen hadde gjort mye for å arrangere.

Og endelig var det Merete Lynggaards forsvinning.

Han kjente et surt oppstøt bane seg vei, og ønsket seg nesten en slurk av Assads sukkerlake.

Carl hatet å vente når det ikke var nødvendig. Hvorfor pokker kunne han ikke få snakke med denne elendige miljøarbeideren fra Godhavn på flekken? Gutten Atomos måtte da ha et navn og et personnummer. Noe som strakte seg inn i nåtiden. Han ville vite det. Nå!

Han stumpet røyken og hektet de gamle listene over saken ned fra whiteboardet og lot blikket løpe over dem.

MISTENKTE:

1) Uffe

2) Ukjent postbud. Brevet om Berlin

3) Mannen/kvinnen fra Café Bankerott

4) «Kolleger» på Christiansborg – TB +?

5) Rovmord etter grovt ran. Hvor mye penger i
   håndvesken?
6) Seksuelt overfall

SJEKKE:
Saksbehandler på Stevns
Telegrammet
Sekretærene på Christiansborg
Vitner på fergen Schleswig-Holstein

Fosterfamilien etter ulykken/gamle studiekamerater på
universitetet. Var hun deprimert som type? Var hun
gravid? Forelsket?

Etter 'Ukjent postbud' skrev han i parentes: 'Atomos som
Daniel Hale'. Så strøk han ut Tage Baggesens initialer, og
nederst på ark to, spørsmålet om hun var gravid.

Foruten punkt tre sto nå punkt fem og seks fortsatt igjen
på det første arket. Selv et lite beløp kunne ha fristet en rov-
morders syke hjerne, mens punkt seks derimot, med seksuelle
motiver, virket mindre sannsynlig, de aktuelle forholdene på
fergen og tidsaspektet tatt i betraktning.

Av punktene på ark to manglet han fortsatt vitnene på fer-
gen, fosterfamilien og studiekameratene. Hva vitnene angikk,
hadde rapportene ingenting å komme med, og resten kunne
det være det samme med nå. Selvmord var det i hvert fall ikke.

Nei, disse listene kommer jeg ikke lenger med, tenkte han,
kikket på dem et par ganger til og hev dem i papirkurven. Noe
skulle han jo bruke den til også.

Han tok Merete Lynggaards telefonliste og holdt den kloss
opp til øynene. Det var faktisk et faen så imponerende stykke
arbeid som Assad hadde fått utført. Overstrekningene var helt
borte. Det var nesten ikke til å tro.

«Du forteller meg hvem som har gjort dette,» ropte han
tvers over gangen, men Assad vinket ham av med en hånd-

bevegelse. Nå så han at hjelperen hadde telefonrøret klistret til øret og satt og nikket. Han så ikke munter ut, snarere tvert imot. Da var det vel umulig å finne en abonnent på det gamle mobilnummeret som Hale sto oppført med i telefonlisten.

«Var det et kontantkort i mobilen?» spurte han da Assad kom inn med en papirlapp i hånden som han lett misbilligende begynte å vifte bort røyken med.

«Ja,» svarte han og rakte Carl lappen. «Det var en jente i syvende klasse på Tjørnelyskolen i Greve som eide mobiltelefonen. Hun meldte den stjålet fra jakkelommen på gangen utenfor klasserommet. Det var den attende februar 2002. Men hun anmeldte ikke før noen dager senere. Og ingen vet hvem som gjorde det.»

Carl nikket. Da kjente de altså abonnenten, men ikke den som hadde stjålet mobilen og brukt den. Det ga mening. Nå var han sikker på at alt hang sammen. Merete Lynggaards forsvinning var ikke et resultat av tilfeldige omstendigheter. En mann hadde nærmet seg henne med uredelige motiver, som man sa, og hadde forårsaket en kjede av hendelser som hadde resultert i at ingen siden hadde sett den vakre folketingspolitikeren. I mellomtiden var det gått mer enn fem år. Selvsagt var det grunn til å frykte det aller verste.

«Lis spør om hun skal gå videre.»

«Gå videre?»

«Om hun skal prøve å koble den gamle telefonen på Merete Lynggaards kontor til dette nummeret?» Assad pekte på papirlappen hvor jentas data sto notert med sirlige bokstaver: '25772060, Sanne Jønsson, Tværager 90, Greve Strand'. Altså *kunne* Assad skrive slik at en stakkar kunne lese det!

Carl ristet på hodet av seg selv. Hadde han virkelig glemt å be om å få kryssjekket listene over samtaler? Nå måtte han pinadø begynne å skrive opp tingene før Alzheimer light'en satte inn for alvor.

«Selvsagt,» svarte han myndig. Da kunne det kanskje avdekkes en tidskjede i kommunikasjonen som kunne tegne et mønster i utviklingen og avviklingen av forholdet mellom Merete Lynggaard og den falske Daniel Hale.

«Men vet du hva, Carl. Det vil ta et par dager. Lis har ikke tid nå. Og hun sier det er vanskelig når det er så lenge siden. Kanskje det ikke går.» Assad så helt nedbrutt ut.

«Si meg nå, Assad, hvem er mannen bak dette mesterstykket her?» spurte Carl og viftet med Meretes avtalebok.

Men det ville ikke Assad ut med.

Carl skulle akkurat til å forklare ham at hemmelighetskremmeri ikke var noe sjakktrekk hvis han ønsket å beholde jobben, men i det samme ringte telefonen.

Det var forstanderen på Egely, og mannens avsky for Carl tøt ut av røret. «De skal vite at Uffe Lynggaard stakk av fra institusjonen like etter Deres fullstendig hodeløse angrep på ham sist fredag. Vi vet ikke hvor han er for øyeblikket. Politiet i Frederikssund er varslet, men jeg vil bare si Dem det, Carl Mørck, at hvis det er tilstøtt ham noe alvorlig, så skal jeg sørge for å forpeste karrieren Deres fra nå av.»

Dermed smelte han på røret og etterlot Carl i et rungende tomrom.

Ti minutter etter ringte drapssjefen ned og ba ham stille på kontoret. Han trengte ikke å si noe, Carl kjente tonefallet. Her nyttet det ikke med utflukter, det var bare å ta trappene to og to trinn av gangen og melde seg tvert.

33

2007

ALLEREDE I JERNBANEKIOSKEN på Allerød stasjon begynte marerittet. Gossips utvidete påskenummer kom en ukedag tidligere enn normalt, og alle som hadde selv det minste kjennskap til Carl, visste nå at det var ham, visekriminalkommissær Carl Mørck, det var bilde av der i hjørnet på forsiden, under topphistorien om prinsen og den franske kjærestens forestående bryllup.

Et par av de lokale trakk seg pinlig berørt litt inn i seg selv mens de kjøpte sandwicher og frukt. 'Kriminalbetjent truer journalist', skrek overskriften, og under med små bokstaver sto det: 'Sannheten om dødsskuddene'.

Kioskmannen virket rimelig skuffet da hovedpersonen selv ikke viste fnugg av interesse for å investere i nyheten. Ikke faen om han ville gi sin skjerv til underhold av denne Pelle Hyttested.

På toget var det en del stirring, og Carl kjente igjen at trykket begynte å sette seg i brystkassen.

Inne på Huset gikk det fra galt til verre. Han hadde rundet av gårsdagen med å stå skolerett på drapssjefens kontor på grunn av Uffe Lynggaards rømning, nå ble han kalt opp dit igjen.

«Hva glor dere på, jævla polypper?» snerret han i forbifarten til to kolleger som ikke akkurat så ut til sørge på hans vegne.

«HVA I ALL verden skal jeg gjøre med deg, Carl, kan du si meg det?» sa Marcus Jacobsen. «Og hva blir det neste? Kanskje overskrifter om at du har drevet psykisk terror mot en tilbakestående? Du vet selv hva pressen kan finne på hvis det skulle gå galt med Uffe Lynggaard.» Han pekte inn i bladet. Det var et oppslag med et surt bilde av Carl, som en fotograf hadde tatt på et gjerningssted for noen år siden. Carl husket altfor godt hvordan han hadde måttet kjeppjage pressen ut av det avsperrede området, og hvor rasende journalistene hadde blitt.

«Jeg spør igjen, Carl, hva pokker gjør vi med deg?»

Carl dro ukebladet til seg og skummet ergerlig gjennom ordlyden inne i de gule og rosa fargebombene. De kunne virkelig trampe en fyr ned i møkka, disse lavpannede pariajournalistene.

«Jeg har ikke sagt ett ord om den saken til noen på Gossip,» sa han. «Jeg sa bare at jeg ville gitt livet for Hardy og Anker, ikke noe annet. Ignorer det, Marcus, eller sett en av advokatene på det.»

Han kastet ukebladet tilbake og reiste seg. Nå hadde han lagt kortene på bordet og sagt det som det var. Og hva ville Marcus gjøre med det? Sparke ham, kanskje? Det kunne det vel også komme noen bra overskrifter ut av.

Sjefen så resignert på ham. «De ringte fra TV2s kriminalmagasin Stasjon 2 og sa at de gjerne ville snakke med deg. Det sa jeg at de bare kunne glemme.»

«Ja vel.» Sjefen torde vel ikke annet.

«De spurte om det var noe hold i det Gossip skrev om deg og skuddramaet ute på Amager.»

«Ja vel, og tør jeg spørre hva du svarte til det?»

«Jeg sa at det var en storm i et vannglass.»

«Okay, bra.» Carl nikket sammenbitt. «Og hva mener du innerst inne?»

«Carl, hør her. Du har jobbet her en del år nå. Hvor mange ganger har det ikke skjedd i din tid at en kollega er blitt most opp i et hjørne? Tenk på den aller første natten du snublet rundt som patruljerende konstabel i Randers, eller hvor det nå var, og plutselig sto foran en gjeng fulle bråkmakere som ikke likte uniformen din. Husker du følelsen? Og som årene går oppstår det av og til situasjoner som er hundre ganger verre. Jeg har opplevd det selv, Lars Bjørn og Bak har opplevd det, og en masse gamle kolleger som gjør noe annet i dag, har opplevd det. Trusler på livet. Med øks og hammere, jernstenger, kniver, knuste flasker, haglgevær og andre skytevåpen. Og hvor mange ganger klarer vi belastningen, og når er begeret fullt? Det vet man jo aldri, gjør man vel? Vi har alle opplevd å drite på draget en eller annen gang. Hvis ikke, så er du jo ikke ordentlig politimann, ikke sant? Vi er bare nødt til å hoppe ut på dypet en gang iblant, det er jobben vår.»

Carl nikket og følte trykket i brystkassen sette seg på en ny måte. «Så hva er konklusjonen på dette her, sjef?» sa han og pekte på ukebladet. «Hva sier du til det? Hva tenker du om det?»

Drapssjefen så rolig på Carl, og uten et ord reiste han seg, åpnet vinduet mot Tivoli, bøyde seg forover, tok bladet og gjorde en tørkebevegelse bak med det, snudde seg mot vinduet og hev blekka ut i tomme luften.

Tydeligere kunne det ikke sies.

Carl kjente at det nappet i smilerynkene. Nå var det en fotgjenger som ville få seg en gratis kryssord.

Han nikket til sjefen. Det var faktisk rørende.

«Jeg er ganske nær å kunne komme med nye opplysninger i Lynggaardsaken,» kvitterte han og ventet på å få lov til å gå.

Drapssjefen nikket med en viss anerkjennelse. Det var i slike situasjoner man skjønte hvorfor han var så godt likt, og hvorfor han hadde klart å holde på den samme flotte dama i over tredve år. «Og ikke glem at du ennå ikke har meldt deg på lederkurset, Carl,» kom det tørt. «Og det må skje senest innen i overmorgen, er det forstått?»

Carl nikket, det kunne han bare glemme. Hvis sjefen insisterte på etterutdannelse, måtte han nok gå en runde med fagforeningen først.

DE FIRE MINUTTENE fra drapssjefens kontor og ned i kjelleren var en eneste spissrotgang av hånlige blikk og avvisende geberder. 'Du er en skam for hele etaten,' sa noen av øynene. Det kan dere være selv, bløtdyr, tenkte han. De burde heller bakke ham opp. Så ville han sikkert sluppet følelsen av å ha en velfødd okse stående og stange mot brystet.

Selv Assad i kjelleren hadde sett oppslaget, men han klappet i hvert fall Carl på ryggen. Han syntes bildet på forsiden var fint og skarpt, men at bladet var altfor dyrt. Herlig med noen nye vinklinger.

På slaget ti ringte de fra «Buret» i resepsjonen. «Vi har en John Rasmussen her som sier han skal til deg,» sa vakthavende kaldt. «Har du avtale med ham?»

«Ja, bare send ham ned.»

Fem minutter senere hørte de nølende skritt ute på gangen, fulgt av et forsiktig: «Hallo, er det noen her?»

Carl tvang seg ut av døren og ble stående ansikt til ansikt med en anakronisme i islender og cordfløyelsbukse og hele pakka.

«John Rasmussen, det var meg som jobbet på Godhavn, vi har en avtale,» sa han og rakte frem hånden med et lurende, finurlig blikk. «Si meg, er det du som er på forsiden av et ukeblad i dag?»

Det var til å bli gal av. I den habitten burde han i hvert fall holde seg for god til å glo på den slags.

De ble raskt enige om at John Rasmussen husket Atomos, og de ble også enige om å gjøre unna det forretningsmessige før omvisningen på huset. Dermed kunne Carl trygt avspise ham med en minirunde i første etasje pluss en rask kikk ut i luftegårdene.

Mannen virket hyggelig, men noe omstendelig, slett ikke typen som mistilpassede rønnere ville ha tålmodighet til å prate med, så langt Carl kunne forstå. Men så hadde han kanskje ikke forstått alt når det gjaldt mistilpassede rønnere heller.

«Jeg skal sørge for å få fakset til deg alt vi har om ham på institusjonen, det har jeg avtalt med kontoret at vi kan gjøre. Vi har nemlig ikke så veldig mye, viser det seg. Atomos' journalmappe forsvant en gang for noe år siden, og da vi fant den igjen bak en hylle, så manglet minst halvparten av dokumentene.» Han ristet på hodet så det klasket i hengefoldene under kjakene.

«Hvorfor var han anbrakt på institusjonen hos dere?»

Han trakk på skuldrene. «Tja, problemer på hjemmefronten, og så utplassering hos en fosterfamilie som kanskje ikke var det heldigste valget. Så kommer reaksjonen, og noen ganger går det over styr. Han var visst en god gutt på bunnen, men hadde for få utfordringer og et litt for godt hode. En skummel kombinasjon. Du ser det i innvandrermiljøene hele tiden, ikke sant. De stakkars ungdommene eksploderer jo formelig av ubrukt energi.»

«Var han kriminell?»

«På sett og vis var han vel det, men bare småting, tror jeg. Jo, han kunne være temmelig utagerende, men jeg kan ikke huske at han var på Godhavn på grunn av vold. Det kan jeg faktisk ikke huske, men det er jo over tyve år siden, ikke sant?»

Carl tok frem notisboken. «Nå stiller jeg noen raske spørsmål, og så setter jeg pris på om du svarer kort og enkelt. Hvis du ikke kan svare, går vi videre. Vi kan alltid gå tilbake hvis du kommer på svaret underveis. Okay?»

Mannen nikket vennlig til Assad, som kom og serverte ham det klisne skvipet sitt i en nusselig liten kopp med gullblomster på. Han tok smilende imot koppen, det skulle han nok komme til angre på.

Mannen rettet blikket mot Carl igjen. «Ja,» sa han. «Det er forstått.»

«Guttens virkelige navn?»

«Jeg tror han het Lars Erik eller Lars Henrik eller noe sånt. Etternavnet var helt vanlig, Petersen tror jeg, men det kan jeg skrive i faksen.»

«Hvorfor ble han kalt Atomos?»

«Det hadde noe med jobben til faren å gjøre. På en eller annen måte så han veldig opp til faren. Han hadde mistet ham noen år før, men jeg tror at faren hadde vært ingeniør og laget et eller annet til atomlaboratoriet på Risø, eller noe sånt. Men det tror jeg sikkert at du kan finne ut av når du får navnet og personnummeret på gutten.»

«Dere har fortsatt personnummeret?»

«Ja, det forsvant egentlig sammen med de andre tingene i mappen, men vi hadde et system i bokholderiet som hadde å gjøre med tilskuddene fra stat og kommune, så nå er det på plass i mappen igjen.»

«Hvor lenge var han hos dere?»

«Jeg tror det kan ha dreid seg om en tre-fire år.»

«Høres ikke det lenge ut, alderen hans tatt i betraktning?»

«Både ja og nei. Sånn blir det enkelte ganger. Det var ikke mulig å få ham videre i systemet. Han ville ikke tilbake til en ny fosterfamilie, og hans egen familie var ikke i stand til å ta seg av ham i den perioden.»

«Har dere hørt fra ham siden? Vet du hvordan det har gått med ham?»

«Jeg så ham tilfeldigvis noen år senere, og da så det i hvert fall ut til at han klarte seg fint. Jeg tror det var i Helsingør. Han jobbet visst som stuert eller styrmann eller et eller annet. I hvert fall hadde han uniform på seg.»

«Du mener at han var sjømann?»

«Ja, jeg lurer på det. Noe i den retning.»

Jeg må få tak i mannskapslisten på fergen Schleswig-Holstein hos Scandlines, tenkte Carl. Tro om de i det hele tatt hadde bedt om å få den? Han så for seg Baks skyldbetyngede fjes oppe hos sjefen på torsdag.

«Et lite øyeblikk,» sa han til mannen og ropte til Assad at han skulle gå opp til Bak og spørre om de hadde rekvirert mannskapslisten på fergen hvor Merete Lynggaard forsvant, og hvor det i så fall hadde blitt av den.

«Merete Lynggaard? Er det den saken det handler om?»

spurte mannen med stjerner i øynene og tok seg en durabelig slurk av sirupsteen.

Carl skar en grimase som tydelig viste hvor glad han var for innspillet. Så gikk han videre med spørsmålene uten å svare.

«Hadde gutten psykopatiske trekk? Var han i stand til å vise empati, husker du det?»

Miljøarbeideren så tørst ned i den tomme koppen sin. Han var tydeligvis blant dem som hadde fått herdet smaksløkene i disse mangfoldstider. Så løftet han de grå øyenbrynene. «Mange av guttene vi får opp til oss, har forskjellige former for følelsesmessige avvik. Selvfølgelig blir det av og til stilt diagnoser på noen av dem, men jeg husker ikke om det var tilfellet med Atomos. Jeg tror nok han var i stand til å vise empati. Han var i hvert fall veldig bekymret for moren.»

«Hadde han grunn til det? Var hun narkoman eller noe?»

«Nei da, det var hun ikke. Jeg mener å huske at hun var ganske syk. Det var derfor det tok så lang tid før han kom hjem igjen til familien.»

Etterpå ble omvisningen kortest mulig. John Rasmussen viste seg å være en umettelig betrakter med kommentarer til alt han så. Hadde det stått til ham, ville han ha finkjemmet Politihuset til siste kvadratmeter, ingen detaljer var for små for John Rasmussen. Carl lot som om det lå en alarm og tikket i lommen hans. «Ja, dessverre, det er signalet på at det er skjedd et nytt mord,» sa han med gravalvorlig mine. Miljøarbeideren gjorde store øyne. «Jeg er redd vi må ta farvel her. Takk for nå, John Rasmussen. Da regner jeg med at jeg har en faks fra deg om et par timer. Skal vi si det?»

STILLHETEN HADDE STORT sett senket seg over Carls domene. Foran ham lå det en lapp hvor det sto at Bak ikke visste noe om noen mannskapsliste. Hva hadde han trodd?

Inne fra kottet til Assad hørtes det lavmælte bønner fra bønneteppet, ellers var det stille. Carl var helt blåst. Nå hadde telefonen kimt dem ned i over en time på grunn av den elendige sladrebladartikkelen. Alt fra politidirektøren som ville komme med et trøstens ord, til lokalradioer, hjemmeside-redaktører og bladsmørere av alle kalibre som fløt rundt på mediehavets skumtopper. Det virket som fru Sørensen oppe i tredje hadde en spesiell glede av å sette over likt og ulikt til ham, så nå hadde han satt telefonen på lydløs og aktivert 'vis nummer-funksjonen'. Problemet var bare at han aldri hadde vært noen kløpper til å huske nummer, men han slapp i hvert fall å høre på mer gnål.

Faksen fra miljøarbeideren på Godhavn var det første som rykket ham ut av den selvvalgte dvalen.

John Rasmussen var som ventet en høflig mann og takket pent for sist, og spesielt for at Carl hadde tatt seg tid til å vise ham rundt. De neste sidene var de lovede dokumentene, og i all sin kortfattethet var opplysningene de inneholdt gull verdt.

Gutten de kalte Atomos het i virkeligheten Lars Henrik Jensen. Personnummer 020172-0619, altså født i 1972, så i dag ville han være femogtredve år. Han og Merete Lynggaard var med andre ord omtrent jevnaldrende.

Et veldig vanlig, nesten klisjéaktig navn, Lars Henrik Jensen, tenkte han trett. Hvorfor i all verden hadde ikke Bak eller noen av de andre kostene i etterforskningen den gangen hatt vett til å skaffe en utskrift av mannskapslisten på fergen Schleswig-Holstein? Hvem visste om vaktplanene fra den gangen overhodet eksisterte lenger?

Han spisset munnen. Det ville være et kjempeskritt frem-over hvis det viste seg at fyren jobbet på fergen Schleswig-Holstein den gangen, og det ville en henvendelse til Scand-lines forhåpentligvis kunne avklare. Han satt litt og pløyde gjennom faksene enda en gang før han tok av røret for å ringe Scandlines' hovedkontor. Han hørte en stemme i den andre enden før han rakk å begynne å taste nummeret. Et øyeblikk trodde han at det var Lis i tredje, men så foldet Mona Ibsens fløyelsorgan seg ut for ham og fikk ham til å holde pusten.

«Hva er det som skjer?» spurte hun. «Den ringte jo ikke engang.»

Ja, det skulle han gjerne visst selv også. Hun måtte ha blitt satt over til ham akkurat idet han tok av røret.

«Jeg har sett Gossip i dag,» sa hun.

Han bannet innvendig. Hun også. Hvis banditene i det bladet visste hvor mange lesere han hadde skaffet dem denne uken, ville de gitt kontrafeien hans en permanent plass rett under forsidelogoen. «Det er en rimelig spesiell situasjon, Carl. Hvordan har den påvirket deg?»

«Det er ikke det beste som har hendt meg, det skal jeg gjerne innrømme.»

«Vi får ta en prat igjen snart,» sa hun.

På en eller annen måte virket ikke tilbudet like fristende som før. Antagelig på grunn av den forstyrrende gifteringen som han hadde fått tredd nedover antennene ved forrige besøk.

«Jeg har en anelse om at du og Hardy først vil bli frie i psykisk forstand når morderne er tatt. Er du enig i det, Carl?»

Han følte avstanden til henne vokse. «Absolutt ikke,» sa han. «Det har ingenting med de idiotene å gjøre. Folk som oss må leve med faren hengende over oss hele tiden.» Han prøvde intenst å memorere drapssjefens svada fra tidligere på dagen, men det erotiske vesenets åndedrett i den andre enden hjalp ikke på hukommelsen. «Det er massevis av ganger i løpet av en yrkeskarriere at det *ikke* går galt også, ikke sant. En eller annen gang må uhellet skje.»

«Det er godt at du sier det,» sa hun. Kanskje Hardy også hadde sagt noe lignende. «Men ærlig talt, det er ren og skjær svada! Nå regner jeg med at vi møtes regelmessig, så vi kan få orden på dette her. I neste uke står det ikke mer i ukebladene, da kan vi få ro.»

I SCANDLINES VAR de svært imøtekommende, og som i alle lignende saker med forsvunne personer, hadde de en arkivmappe på Merete Lynggaard liggende så umiddelbart tilgjengelig at de straks kunne si at mannskapslisten fra den ulykksalige dagen var printet ut og en kopi i sin tid oversendt reiseteamet. Alt mannskap over og under dekk var blitt utspurt, og ingen hadde dessverre hatt noe å si som kunne gi den minste pekepinn om hva som hadde skjedd med Merete Lynggaard på overfarten.

Carl hadde lyst til å klaske seg oppgitt for pannen. Hva i helsike hadde de klart å gjøre med denne listen, da? Brukt den som kaffefilter? Faen ta Bak og slenget hans og folk som dem.

«Jeg har et personnummer,» sa han. «Kan du søke på det?»

«Ikke i dag, dessverre. De er på kurs i regnskapsavdelingen.»

«Og hva med listen, er den alfabetisk?»

Det var den ikke. Kapteinen og hans nærmeste stab måtte selvfølgelig trone øverst, slik var det nå en gang. Om bord på et skip hadde alle sin plass i hierarkiet.

«Kan du se om du finner en Lars Erik Jensen på den?»

Lett oppgitt latter i den andre enden. Den var visst litt av et epos, denne listen.

Men i løpet av den tiden det tok Assad å reise seg fra enda en bønn, vaske ansiktet i en liten skål i hjørnet, pusse nesen med et ettertrykkelig trompetstøt og sette på enda en runde sukkervann på kokeren, hadde sekretæren i Scandlines fullført søket. «Nei, det var ingen Lars Henrik Jensen på mannskapslisten,» sa han og la på.

Jævlig nedslående!

«Hvorfor du henger med hodet, Carl?» Assad smilte. «Ikke tenk mer på det dumme bildet i det dumme ukebladet. Tenk om du hadde brekket alle armene og bena, det hadde vært mye verre.»

Litt av en trøst.

«Jeg har fått navnet på denne gutten, Atomos,» sa Carl. «Jeg hadde en følelse av at han jobbet på fergen som Merete forsvant på, men det gjorde han ikke. Det er derfor jeg henger litt med hodet, Assad.»

Carl fikk et akkurat passe hardt klaps på ryggen. «Men likevel du fant ut alt det med liste over mannskapet. Det var bra, Carl,» sa han i en tone som når et barn har hatt suksess med pottetreningen.

«Jo da, ikke at det hjalp stort, men vi har mer å gå etter. Lars Henrik Jensens personnummer står også i faksen fra Godhavn, så vi skal nok klare å finne ham. Heldigvis har vi da registrene vi trenger.»

Han tastet inn nummeret med Assad hengende over skulderen, og følte seg opprømt som et barn på julaften. Øyeblikket da en hovedmistenkts identitet ble avslørt, var et høydepunkt i enhver kriminalbetjents liv.

Skuffelsen ble desto større.

«Hva det betyr, Carl?» sa Assad og pekte på skjermen.

Carl slapp musen og stirret opp i taket. «Det betyr at personnummeret er ukjent. Det finnes ikke en sjel i hele kongeriket Danmark med det personnummeret. Rett og slett.»

«Men har du skrevet riktig? Står det tydelig på faksen?»

Han kontrollerte det. Jo da, det var samme nummer.

«Men kanskje det er feil nummer, Carl?»

Bra resonnert.

«Kanskje noen har rettet på det?» Assad tok faksen ut av hånden hans og studerte personnummeret under rynkede bryn. «Se her, Carl, jeg tror det kan være rettet et tall eller to, hva tror du? Er det ikke litt skrapt i papiret, her og her?» Han pekte på to av sifrene i de siste fire tallene. Det var vanskelig å se, men på fakskopien var det i hvert fall en svak skygge over de to maskinskrevne sifrene.

«Selv om det bare er de to sifrene som er forandret, så er det hundre forskjellige muligheter, Assad.»

«Ja, ja, ikke noe problem. Fru Sørensen taster de personnumrene på halvtimes tid hvis vi sender med blomster.»

Utrolig som mannen hadde klart å bli godvenner med den megga. «Det kan være mange flere muligheter, Assad. Kan man forfalske to sifre, kan man også forfalske ti. Vi må få originalen sendt hit fra Godhavn og se nærmere på den før vi begynner å beregne kombinasjonene.»

Han tok telefonen tvert og ringte til institusjonen og ba dem sende originalen til Politihuset med kurer, men det nektet de. De ville ikke la originaldokumenter forsvinne ut av systemet.

Carl forklarte hvorfor det var viktig. «Dere har sannsynligvis hatt en forfalskning liggende i arkivet en del år.»

Den påstanden gikk ikke hjem. «Det kan jeg aldri tenke meg. Det ville ha blitt oppdaget når vi innberetter opplysninger til myndighetene for å få refusjon,» kom det selvsikkert.

«Ja vel, men sett at forfalskningen skjedde lenge etter at klienten hadde forlatt dere, hvem i huleste skulle ha oppdaget det da? Dere kan gå ut fra at det nye personnummeret ikke dukket opp i journalene deres før minst femten år etter at Atomos reiste.»

«Ikke desto mindre er jeg redd vi ikke kan utlevere det.»

«Vel, da får vi gå rettens vei. Jeg synes ikke det er pent av dere å avslå å hjelpe oss. Vi etterforsker kanskje et mord, tenk på det.»

Verken den siste setningen eller trusselen om en rettsavgjørelse hadde noen virkning, det kunne Carl sagt på forhånd. Da var det langt mer effektivt å pirke ved folks selvbilde. Hvem likte å få klistret utrivelige merkelapper på seg? I hvert fall ikke folk i behandlingssystemet. Formuleringen 'ikke pent av dere' var så underspilt at virkningen ble enorm. Det var 'det moderate uttrykks tyranni', som en av lærerne hans på politiskolen yndet å kalle det.

«Du får sende oss en e-mail først hvis du vil kreve å se originalen,» sa behandleren.

Bingo.

«HVA HET ATOMOS-GUTTEN egentlig, Carl? Hvorfor fikk han det kjælenavnet?» spurte Assad litt senere med foten hvilende på Carls skrivebordsskuff.

«Lars Henrik Jensen, visstnok.»

«Lars Henrik, merkelig navn. Det kan ikke være mange som heter.»

Nei, sikkert ikke der hvor du kommer fra, tenkte Carl og hadde en spydighet på tungen da han så Assad stå der med et ettertenksomt, fremmed uttrykk i ansiktet. Et øyeblikk så han helt annerledes ut enn ellers. På en måte mer nærværende, mer likevektig i en eller annen forstand.

«Hva tenker du på, Assad?» spurte han.

Det var som om det gled en oljehinne over Assads øyne. De ble fasetterte og fargen skiftet. Han rynket brynene og grep etter Lynggaardmappen. Straks etter fant han det han lette etter.

«Kan dette være tilfeldig?» spurte han og pekte på en av linjene i det øverste dokumentet.

Carl så på navnet og oppdaget først nå hvilket papir Assad sto med.

Et øyeblikk forsøkte Carl å se det hele for seg, og plutselig skjedde det. Et eller annet sted i ham der årsak og virkning ikke veies mot hverandre, og der logikk og forklaring aldri utfordrer bevisstheten, i dette frirommet hvor tankene kan leve sitt eget liv og utfordre hverandre, akkurat der falt tingene på plass, og han forsto sammenhengen.

34

2007

Å SE INN i øynene på Daniel var ikke det verste sjokket for henne. Heller ikke at Daniel og Lasse var en og samme person, selv om det fikk bena til å skjelve under henne. Nei, det å vite hvem han virkelig var, var det verste som kunne ha skjedd henne. Det tappet henne fullstendig. Bare den tunge skylden hun hadde hatt hvilende på skuldrene hele sitt voksne liv, var nå igjen.

Det var ikke egentlig øynene hans hun kjente igjen, det var snarere smerten i dem. Smerten og fortvilelsen og hatet som på brøkdelen av et sekund hadde overtatt hele mannens liv. Eller rettere sagt guttens, visste hun nå.

For Lasse var bare fjorten år da han en frostklar vinterdag så ut av vinduet i foreldrenes bil og oppdaget i bilen ved siden av en livsbejaende, uvøren jente i ferd med å erte broren så ettertrykkelig i baksetet at hun stjal sin fars oppmerksomhet. Stjal de millisekundene som kunne ha bevart farens dømmekraft og hendene hans på rattet. De dyrebare, oppmerksomme brøkdelene som kunne ha spart fem menneskeliv og avverget at tre mennesker ble funksjonshemmet. Bare gutten Lasse og Merete slapp fra den ulykken med liv og lemmer i behold, og nettopp derfor var det mellom dem at regnskapet skulle gjøres opp.

Hun forsto det. Og hun overga seg til skjebnen.

I DE FØLGENDE månedene kom mannen hun en gang hadde følt seg tiltrukket av under navnet Daniel og nå avskydde som Lasse, inn i kontrollrommet og så på henne gjennom køøyene hver eneste dag. Noen ganger sto han bare og så på henne som om hun var et sjeldent rovdyr i et bur som snart skulle slåss forgjeves mot en overmakt av kobraslanger, og andre dager snakket han til henne. Det var sjelden han spurte om noe, det hadde han ikke behov for. Det var som om han visste hva hun ville svare.

«Da du så meg i øynene fra bilen deres akkurat da faren din holdt på å kjøre forbi oss, syntes jeg at du var den peneste jenta jeg hadde sett i hele mitt liv,» sa han en dag. «Og da du sekundet etter lo mot meg og ikke enset hvor mye oppstyr du laget i bilen deres, visste jeg allerede at jeg hatet deg. Det skjedde allerede i sekundet før vi gikk rundt, og lillesøsteren min på setet ved siden av meg brakk nakken mot skulderen min. Jeg hørte at den knakk, er du klar over det?»

Han stirret intenst på henne for å få henne til å slå blikket ned, men det ville hun ikke. Skammen var der, men det var også alt. Hatet var gjensidig.

Så fortalte han historien sin om øyeblikkene som forandret alt. Om hvordan moren prøvde å føde tvillingene sine i bil-vraket, og hvordan faren som han elsket og beundret over alt, stirret kjærlig på ham mens han døde med åpen munn. Om brannen som slikket oppetter morens fastklemte ben under setet. Om den søte, morsomme lillesøsteren som lå knust under ham, og om den siste tvillingen som lå forkjært med navlestrengen tvinnet rundt halsen og den andre som lå på bilruten og skrek mens flammene nærmet seg.

Det var grusomt å høre på. Hun husket bare så altfor tyde-lig de fortvilte skrikene deres, og fortellingen hans overman-net henne med skyld.

«Min mor kan ikke gå, hun har ikke kunnet det siden ulyk-ken. Min bror kunne ikke gå på skolen og lære som andre barn. Vi mistet livene våre alle sammen den gangen på grunn av deg. Hvordan tror du det føles den ene dagen å ha en far, en søt lillesøster og gå og glede seg til å skulle få to små brødre,

303

og så plutselig få alt sammen revet vekk? Moren min var en veldig sårbar person, likevel kunne hun av og til le så sorgløst før du kom inn i livet vårt, og hun mistet alt. Alt!»

På dette tidspunktet hadde kvinnen kommet inn i rommet, og hun virket tydelig berørt av fortellingen hans. Kanskje hun gråt også, Merete var ikke sikker.

«Hvordan tror du jeg hadde det de første månedene hos en fosterfamilie som banket løs på meg? Jeg, som aldri hadde møtt annet enn kjærlighet og trygghet i livet. Hvert sekund verket jeg etter å ta igjen mot svinet som ville ha meg til å si far til ham, og hele tiden så jeg deg for meg, Merete. Du og de vakre, uansvarlige øynene dine som utryddet alt jeg elsket.» Han gjorde en pause som var så lang at ordene som fulgte ble sjokkerende klare. «Åh, Merete, jeg lovet meg selv at jeg skulle få hevn over deg og alle sammen. Koste hva det koste ville. Og vet du – i dag føler jeg meg lykkelig. Hevnen min har rammet alle dere jævla svin som tok livene våre fra oss. Jeg tenkte faktisk også på å ta livet av broren din en periode. Men en dag mens jeg holdt øye med dere, så jeg hvordan han bandt deg fullstendig. Hvor mye skyld det lå i øynene dine når du var sammen med ham. Hvor sterkt han hemmet deg. Skulle jeg lette byrden for deg ved å drepe ham? Og var ikke han også et av dine ofre? Så jeg lot ham leve. Men ikke fosterfaren min, Merete, og ikke du.»

HAN HADDE KOMMET på barnehjem etter det første drapsforsøket på fosterfaren. Familien fortalte ikke myndighetene hva han hadde gjort, og at det dype såret i fosterfarens panne skyldtes et hugg med en spade. De sa bare at gutten var syk i hodet og at de ikke kunne ta ansvaret for ham lenger. Så kunne de få seg en ny gutt å spe på inntekten med i stedet.

Men nå hadde villdyret våknet i Lasse. Ingen mennesker skulle få makt over ham og livet hans igjen.

Etter dette gikk det fem år, to måneder og tretten dager før erstatningssaken endelig var i mål, og moren følte seg sterk nok til å ta den nå nesten voksne Lasse til seg igjen sammen med den lett funksjonshemmede lillebroren. Ja, den ene tvillingen var blitt så forbrent at livet ikke sto til å redde, men den andre hadde klart seg, tross navlestrengen rundt halsen.

Mens moren var på sykehus og rehabiliteringsopphold, ble den lille tvillingen satt bort, men hun fikk ham hjem til seg igjen seg før han fylte tre. Han hadde arr i ansiktet og på brystet etter flammene og var generelt motorisk tilbakesatt på grunn av surstoffmangelen, men han ble morens trøst i et par år mens hun samlet krefter til å ta imot Lasse også. De fikk halvannen million i erstatning for sitt ødelagte liv. Halvannen million for tapet av faren, tapet av den blomstrende virksomheten som ingen kunne ta seg av, tapet av lillesøsteren og den lille tvillingen, pluss tapet av morens helse og førhet og hele familiens velferd. Én og en halv ynkelig million. Når Merete ikke opptok dagene hans lenger, skulle hevnen også ramme forsikringsfolkene og advokatene som hadde snytt dem for den erstatningen de hadde krav på. Det hadde Lasse lovet moren.

Merete hadde mye å unngjelde for.

TIDEN VAR I ferd med å renne ut, og angsten og lettelsen vokste side om side i henne. Nesten fem år i et så grusomt fangenskap var altødeleggende, og nå måtte det bli en slutt på det. Selvfølgelig måtte det det.

Da det ble nyttårsaften 2006, var trykket i kabinen for lengst satt opp til seks atmosfærer, og bare ett av lysstoffrørene i taket lyste rolig uten å blinke uavlatelig. Utpå kvelden dukket en festkledd Lasse opp sammen med moren på den andre siden av speilglassrutene. Han ønsket godt nytt år og la til at dette var det siste årsskiftet hun kom til å oppleve.

«Vi kjenner jo dødsdagen din hvis vi tenker oss om, eller hva, Merete? Det er helt logisk. Du bare legger de årene og månedene og dagene jeg ble tvunget bort fra familien min til datoen da jeg fanget deg som det dyret du er, så vet du når du skal dø. Du skal vansmekte i ensomhet akkurat like lenge som jeg måtte, men heller ikke en dag lenger. Regn på det, Merete. Når tiden kommer, åpner vi slusen. Det kommer til å gjøre vondt, men det kommer til å gå fort unna også. Fettcellene dine er fulle av nitrogengass, Merete. Du er riktignok tynn så det holder, men likevel kan du regne med at det ligger luftlommer overalt i kroppen din. Når knoklene dine utvider seg og beinpipene begynner å sprenges i vevet, når trykket under plombene dine får dem til å eksplodere i munnen og du kjenner smertene hvine gjennom skulder- og hofteleddene, da vet du at tiden er inne. Regn på det. Fem år, to måneder og tretten dager fra annen mars 2002, så har du innskriften på gravsteinen. Du kan håpe på at blodproppene i lungene og hjernen lammer deg, eller at lungene sprenges så du svimer av eller blør i hjel på et blunk, men jeg ville ikke tatt det for gitt. Det er ikke sikkert at jeg vil la det gå altfor fort heller.

HUN SKULLE ALTSÅ dø den femtende mai 2007. Det var enognitti dager til, hvis det var riktig at dagens dato var trettende februar, nøyaktig fireogførti dager etter nyttår. Hver dag siden nyttårsaften hadde hun levd med bevisstheten om at hun selv ville gjøre en ende på det før det kom så langt. Men foreløpig forsøkte hun så godt hun kunne å holde tunge tanker på avstand og leve på de beste minnene sine.

På den måten forberedte hun seg mentalt på å ta farvel med livet, og hun hadde flere ganger tatt opp tangen og sett på de skarpe kjevene, eller funnet frem den lengste av nylonpinnene og tenkt på å brekke den i to og slipe endene sylspisse mot betonggulvet. Et av disse redskapene måtte det ende med. Hun ville legge seg i kroken under speilglassrutene og punktere pulsårene. Heldigvis var de godt synlige, så tynne som armene hennes var blitt.

I denne sinnsstemningen hadde hun hvilt helt til denne dagen. Etter at slusen hadde avlevert maten, hørte hun igjen stemmene til Lasse og moren der ute. Begge hørtes sinte ut, munnhuggeriet fikk sitt eget liv.

Svinet og gamlemor er ikke alltid som erteris, tenkte hun oppglødd.

«Har du ikke kontroll på moren din engang, Lassemann?» ropte hun. Hun var selvfølgelig klar over at den slags oppsetsighet ville føre til represalier, hun kjente jo heksa der ute. Likevel kjente hun henne ikke godt nok, skulle det vise seg. Hun hadde trodd det ville gå ut over maten et par dager, men på ingen måte at det skulle frata henne retten til sitt eget liv.

«Hør på henne, Lasse,» snerret den gamle kvinnen. «Hun vil så splid mellom oss. Og hun vil garantert snyte deg for hevnen hvis hun kan. Pass på henne. Husk at hun har en tang der inne, som hun sikkert kan finne på å bruke på seg selv hvis det er det om å gjøre. Vil du at det skal bli henne som ler sist? Vil du det, Lasse?»

Det ble stille et par sekunder. Damoklessverdet hang og dirret over henne.

«Du hørte hva mor sa, Merete?» kom det iskaldt fra ham gjennom høyttalerne.

Hva hjalp det å svare?

«Fra nå av holder du deg unna glassrutene. Jeg skal kunne se deg hele tiden, forstått? Ta med deg dobøtta bort til endeveggen. Nå! Hvis du på noen måte prøver å sulte deg eller skade deg selv, så vær klar over at jeg kan fjerne trykket fortere enn du rekker å reagere. Hvis du stikker deg noe sted, vil blodet sprute ut av deg som en foss. Du vil kjenne hele kroppen sprenges som en bombe før bevisstløsheten tar deg, det kan jeg love. Jeg setter opp kameraer og overvåker deg fireogtyve timer i døgnet fra nå av. Vi setter lyskastere inn gjennom vinduene på full styrke. Jeg kan styre kabintrykket med fjernkontroll, bare så du vet det. Du kan la øksen falle nå eller vente, det er opp til deg. Men hvem vet, kanskje faller vi døde om i morgen. Kanskje blir vi forgiftet av den fine laksen vi skal ha i kveld, hvem vet? Så hold ut. Kanskje kommer det en prins

307

på en hvit hest en vakker dag og spør om du vil sitte på? Så lenge det er liv, er det håp, ikke sant? Hold ut, Merete. Men hold deg til reglene.»

Hun så opp mot den ene ruten. Bak den kunne hun ganske svakt skjelne konturene av Lasse. En grå dødsengel var han. Svaiende der ute i livet, forhåpentligvis rugende på et formørket sinn som ville plage ham hele livet.

«Hvordan drepte du stefaren din? På den samme bestialske måten?» Hun hadde ventet at han ville le, men ikke at de skulle le i kor alle tre. Altså var de fulltallige der ute.

«Jeg ventet i ti år, Merete. Så kom jeg tilbake med tyve kilo mer muskler og tilsvarende mindre respekt, så jeg trodde et øyeblikk at bare det i seg selv skulle ta livet av ham.»

«Respekt kunne vel ikke *du* få så mye av?» svarte hun og lo av ham.

Her gjaldt det bare å spa på med alt som kunne jekke ned seiersrusen hans.

«Jeg slo ham i hjel, tror du ikke det ga respekt? Ikke så raffinert, kanskje, men likevel. Jeg ga ham tilbake hans egen medisin og banket ham langsomt sønder og sammen. Det var herlig.»

Det vendte seg i henne. Mannen var fullstendig gal. «Du er som ham, ditt latterlige, syke dyr,» hvisket hun. «Synd du ikke ble tatt allerede den gangen.»

«Tatt? Hørte jeg tatt?» Han lo igjen. «Hvordan skulle det ha skjedd? Dette var om høsten, og utysket hans av en innhøstingsmaskin sto ute på jordet. Det var en smal sak å lempe ham ned i maskineriet da det først hadde kommet i gang. Han hadde nok av gale ideer, idioten, så at han hadde kjørt fôrhøsteren om natten og omkommet på den måten, var det ingen som stusset over. Han ble ikke savnet, bare så du vet det.»

«Jeg må si du er en stor mann, Lasse. Hvem flere har du slått i hjel? Har du mer på samvittigheten?»

Hun hadde ikke regnet med at det stoppet der, men hun ble likevel dypt sjokkert over å høre hvordan han hadde brukt

Daniel Hales virksomhet til å manøvrere seg inn på livet av henne, og hvordan han hadde utgitt seg for å være ham og til slutt myrdet ham. Daniel Hale hadde ikke gjort Lasse noe, han måtte bare vekk så han ikke skulle avsløre ham ved en tilfeldighet. Og det samme gjaldt Lasses hjelper, Dennis Knudsen, også han måtte dø. Ingen vitner, han var kald som is.

«Herregud, Merete,» hvisket hun til seg selv. «Hvor mange mennesker har du ført i ulykken uten å ville det?»

«Hvorfor drepte du meg ikke bare, ditt svin?» ropte hun mot glassruten. «Du hadde jo muligheten. Du sier jo at du overvåket meg og Uffe. Hvorfor stakk du meg ikke bare i hjel med en kniv i min egen hage? Der har du vel også sikkert vært?»

Det ble stille et øyeblikk. Så sa han ganske langsomt, for at det fulle omfanget av kynismen hans skulle gå opp for henne: «For det første var det for lett. Vi ville se deg lide like lenge som vi selv hadde lidt. Dessuten, kjære Merete, hadde jeg moro av å komme inn på livet av deg. Jeg ville se deg sårbar. Jeg ville herje med deg, skake deg opp. Først skulle du forelske deg i denne Daniel Hale, så skulle du bli redd ham. Du skulle reise på den siste turen din med Uffe i forvissning om at det lå noe uavklart og ventet på deg når du kom hjem. Det ga meg en enorm tilfredsstillelse, kan jeg godt innrømme.»

«Du er syk i hodet.»

«Syk, er jeg det? Det er i hvert fall ingenting mot den dagen jeg fikk vite at min mor hadde søkt Lynggaardfondet om støtte til å komme hjem etter at hun ble utskrevet fra sykehuset. Og så fikk hun avslag med den begrunnelsen at pengene bare kunne gå til direkte etterkommere av Lotte og Alexander Lynggaard. Hun ba det steinrike fondet deres om lusne hundre tusen kroner, og de sa nei, samme om de visste hvem hun var og hva hun hadde vært utsatt for! Så hun måtte tilbringe flere år på institusjoner. Skjønner du nå hvorfor hun hater deg slik, din bortskjemte ku?» Psykopaten gråt der ute. «Hundre tusen drittkroner. Hva hadde det betydd for deg og broren din? Ingenting!»

Hun kunne ha sagt at hun ikke visste noe om det, men gjelden var betalt med renter. For lengst.

SAMME KVELD SATTE Lasse og broren opp kameraene og monterte lyskasterne. To skjærende skarpe lamper som gjorde natt til dag og åpenbarte fengselet i hele sin altoverskyggende heslighet som hun først nå oppdaget det fulle omfanget av. Motbydelige detaljer. Det var så forferdelig å bli konfrontert med sin egen fornedrelse at hun valgte å lukke øynene det første døgnet. Henrettelsesplassen var stilt til skue, men den dødsdømte valgte mørket.

Senere trakk de ledninger til to tennsatser over begge speilglassrutene, slik at vinduene kunne sprenges i nødsfall. Som kronen på verket stablet de trykkflasker med surstoff og hydrogen og «brennbare væsker», som de sa, i rommet der ute.

Lasse kunne melde at alt var klart. Når hun var sprengt innenfra, ville de kjøre henne i kompostkvernen og deretter sprenge hele dritten i luften. Det ville bli et drønn som kunne høres milevis. Denne gangen ville nok forsikringsselskapet punge ut. Hendelige uhell av den typen måtte bare forberedes skikkelig og sporene slettes for alltid.

«Det skal bli løgn,» sa hun lavt og begynte å tenke ut hevnen.

Da det hadde gått et par dager, satte hun seg rolig ned med ryggen mot rutene og begynte å risse med spissen av tangen i betongen. Om et par dager ville hun være ferdig, og det samme ville nok tangen være. Da fikk hun bruke tannpirkeren til å stikke hull på blodårene, men det var greit nok. Muligheten var der, det var poenget.

Jobben tok mer enn et par dager, faktisk nærmere en uke, men da var også rissene i gulvet så dype at de kunne overleve nesten hva som helst. Hun hadde dekket dem med støv og skitt fra krokene i rommet. Bokstav for bokstav. Når brannekspertene fra forsikringsselskapet en vakker dag kom for å undersøke omstendighetene, ville de garantert få øye på noen av ordene, og da skulle nok hele budskapet komme for en dag. Det sto:

Lasse som eier denne bygningen, myrdet fosterfaren sin og Daniel Hale og en av vennene sine, og til slutt myrdet han meg.

Pass godt på min bror Uffe, og si til ham at søsteren hans tenkte på ham hver dag i fem år.

Merete Lynggaard, den 13.2.2007, kidnappet og holdt fanget på dette gudsforlatte sted siden 2. mars 2002.

35

2007

DET ASSAD HADDE snublet over, sto i utrykningsenhetens rapport fra dødsulykken julaften 1986 hvor Merete Lynggaards foreldre omkom. Der sto også omtalt de tre personene som mistet livet i den andre bilen. Det dreide seg om et nyfødt barn, en jente på bare åtte år og føreren av bilen, Henrik Jensen, som var ingeniør og grunnlegger av en bedrift som het Jensen Industries, skjønt her var ikke rapporten sikker, noe en lang parentes med spørsmålstegn indikerte. Ifølge et håndskrevet notat skulle det være 'en blomstrende virksomhet som produserte gasstette stålbeholdere'. I tillegg var det skrevet ned en kort setning under notatet: 'en pryd for dansk industri' i gåseøyne, sikkert også et sitat fra et vitne.

Jo, Assad husket riktig. Henrik Jensen het sjåføren som ble drept i den andre bilen. Et navn som lå temmelig tett opptil Lars Henrik Jensen. Ingen kunne påstå at Assad var dum.

«La oss se på ukebladene igjen, Assad,» sa Carl. «Kanskje de har oppgitt navnene på de overlevende. Det skulle ikke forundre meg om gutten i den andre bilen het Lars Henrik og altså var oppkalt etter faren. Kan du se navnet noe sted?» Han angret rollefordelingen og rakte frem hånden. «Gi meg noen av de ukebladartiklene. Og noen av de der,» sa han og pekte på utklippene fra tabloidene.

Bildene var vemmelige i den kulørte konteksten, side om side med likegyldige mennesker som strebet etter berømmelse. Flammehavet rundt Ford Sierraen hadde fortært alt, noe et bilde av det utbrente, svarte vraket også dokumenterte. Det var et rent under at mannskapet i en tilfeldig veipatrulje som kjørte forbi, fikk reddet ut de overlevende før alle brant inne. Ifølge trafikkpolitiets rapport brukte brannvesenet lengre tid på å rykke ut enn normalt på grunn av det glatte føret.

«Her står det at moren het Ulla Jensen, og at hun ødela begge skinneben,» sa Assad. «Jeg vet ikke hva gutten het, det står ikke, de kaller ham bare 'ekteparets eldste'. Men han var fjorten år, det står her.»

«Det passer i hvert fall med Henrik Jensens fødselsår, hvis det i det hele tatt er noe i det manipulerte personnummeret fra Godhavn som stemmer,» sa Carl og kastet seg over noen av utklippene fra formiddagsavisene.

Det første var ikke noe. Reportasjen var plassert innimellom kjedelig politisk skittentøyvask og småskandaler. Det dreide seg om en avis som hadde gjort det til et varemerke å følge visse oppskrifter på hva som solgte, samme hva det var, og den miksturen var tydeligvis uoppslitelig. Hvis han sammenholdt denne fem år gamle avisen med en fra sist uke, så måtte han virkelig skjerpe seg for å se hvilken som var den nyeste.

Han bannet litt over mediene mens han bladde i neste avis og slo opp på siden hvor navnet sto. Det sprang så å si i øynene på ham. Akkurat som han hadde håpet.

«Her står det, Assad!» ropte han, og naglet opplysningene fast med blikket. I dette øyeblikk følte han seg som musvåken som så byttet fra glideflukten over tretoppene og slo ned. En fantastisk fangst. Trykket i brystet løste seg opp, og en særegen følelse av lettelse bredte seg i kroppen.

«Hør hva de skriver, Assad: 'De overlevende i bilen som grosserer Alexander Lynggaards bil torpederte, var Henrik Jensens ektefelle, Ulla Jensen, førti år, den ene av de nyfødte tvillingene hennes og den eldste sønnen, Lars Henrik Jensen, fjorten år'.»

Assad senket utklippet han hadde i hendene. Mørkebrune øyne ble klemt inne bak smilerynker.

«Gi meg trafikkpolitiets ulykkesrapport, Assad.» Han åpnet

den. Kanskje alle de implisertes personopplysninger også var ramset opp. Han lot fingeren gli nedover linjene og fant bare personopplysningene til de to ulykkessjåførene, fedrene til Merete og Lars Henrik.

«Hvis du har farens personnummer, du kan finne sønnens personnummer også veldig fort, Carl. Kanskje vi kan sammenligne med personnummer vi fikk på gutten i Godhavn.»

Carl nikket. Det var sikkert grei skuring. «Jeg ser hva jeg kan finne av historikk på Lars Henrik Jensen, Assad,» sa han. «Så kan du be Lis sjekke personnumrene imens. Si til henne at vi trenger en adresse på Lars Henrik Jensen. Hvis han ikke har bopel i Danmark, så be henne søke på moren. Og hvis Lis finner personnummeret, be henne printe ut alle bostedsadressene hans siden ulykken. Ta med mappen opp, Assad. Få opp farten.»

Han gikk på nettet og søkte på 'Jensen Industries', men det ga ingenting. Så søkte han på 'gasstette stålbeholdere til atomreaktorer', noe som resulterte i oppramsing av en rekke virksomheter i Frankrike og Tyskland. Han utvidet søket med ordene 'fôringer til beholdere'. Heller ikke det brakte ham videre.

Idet han holdt på å gi opp, fant han en pdf-fil som omtalte en bedrift i Køge, og her forekom setningen 'en pryd for dansk industri', nøyaktig samme ordlyd som hadde stått i trafikkpolitiets rapport. Da var det sikkert herfra sitatet kom. Han sendte en vennlig tanke til trafikkbetjenten som hadde pløyd litt dypere i stoffet enn normalt. Han hadde nok endt opp i kriminalpolitiet i mellomtiden, det skulle Carl vedde på.

Lenger kom han ikke med Jensen Industries. Da var nok ikke navnet korrekt. En telefon til selskapsregisteret viste at det ikke var registrert næringsforetak på noen Henrik Jensen med det personnummeret. Carl sa at det ikke kunne være mulig, og fikk presentert tre mulige forklaringer. Virksomheten kunne være på utenlandske hender, den kunne være registrert i et annet navn, eller den kunne være registrert som del av et holdingselskap i holdingselskapets navn.

Han tok kulepennen og strøk ut firmanavnet på blokken. Som det så ut nå, var Jensen Industries bare en hvit flekk i høyteknologiens landskap.

Han tente en sigarett og så røyken legge seg oppe under rørsystemet. En dag ville røykvarslerne ute på gangen få ferten av det og sende samtlige ansatte hodestups ut av bygningen i et inferno av lyd. Han smilte og tok et ekstra dypt trekk og sendte en tett røyksky i retning døren. Det ville sette en stopper for hans lille illegale tidsfordriv, men bare tanken på Bak og Bjørn og Marcus Jacobsen stående på gaten og kikke engstelig og rasende opp mot kontorene med hundrevis av hyllemeter med arkiverte uhyrligheter, var nesten verdt hele spøken.

Plutselig husket han hva John Rasmussen fra Godhavn hadde sagt. Han hadde sagt at faren til Atomos alias Lars Henrik Jensen hadde hatt noe med atomlaboratoriet på Risø å gjøre.

Carl slo opp nummeret. Kanskje var det et blindspor, men var det noen som måtte vite noe om gasstette stålbeholdere til atomreaktorer, så måtte det selvfølgelig være folkene på Risø.

Vakthavende var imøtekommende og satte ham over til en ingeniør ved navn Mathiasen, som igjen satte ham over til en som het Stein, som igjen koblet ham videre til en som het Jonassen. Jo lenger han kom, desto eldre hørtes de ut. Ingeniør Jonassen presenterte seg ganske enkelt som Mikkel, og han hadde det travelt. Jo, han kunne godt sette av fem minutter til å hjelpe politiet, hva gjaldt det?

Han virket svært ovenpå da han hørte spørsmålet. «Om jeg kjenner til en bedrift som laget fôringer til stålbeholdere her i Danmark midt på åttitallet, sier du? Jo, det skal jeg si deg. HJ Industries var en av de ledende på verdensbasis.»

HJ Industries, sa mannen. Carl kunne ha sparket seg på skinnelegggen. HJ for Henrik Jensen. H-J I-n-d-u-s-t-r-i-e-s, hva ellers?! Herregud, det kunne de da ha klart å tenke seg frem til på selskapsregisteret også, for svingende.

«Ja, Henrik Jensens selskap het vel egentlig Trabeka Holding, uten at jeg aner hvorfor, men navnet HJI er kjent over hele verden i dag. Deres standarder gjelder fortsatt. Det var tragisk med den plutselige bortgangen til Henrik Jensen og sammenbruddet i virksomheten som fulgte etterpå, men uten hans ledelse av de femogtyve ansatte og uten hans kvalitetskrav, var det bare ikke mulig å fortsette. Dessuten hadde bedriften nylig vært gjennom store forandringer, flytting og utvidelse, så det var et veldig ugunstig tidspunkt det skjedde på. Det var virkelig store verdier og mye glimrende kompetanse som gikk tapt. Spør du meg, kunne bedriften vært reddet hvis vi på Risø hadde gått inn, men det var ikke politisk stemning for det i ledelsen den gangen.»

«Kan du si meg hvor HJI holdt til?»

«Ja, fabrikken lå jo lenge i Køge, der var jeg selv innom flere ganger, men så flyttet de den nærmere København rett før ulykken. Sør for byen, jeg er ikke sikker på hvor. Men jeg kan se etter i den gamle telefonboken min, den skulle være her et eller annet sted. Har du tid et øyeblikk?»

Carl hørte mannen romstere rundt i bakgrunnen mens han brukte sitt ikke ubetydelige intellekt til å dykke ned i det danske språkets mest vulgære avkroker. Fem minutter gikk, og mannen ble mer og mer rasende på seg selv. Carl hadde sjelden hørt noe lignende.

«Nei, dessverre,» sa han da han hadde bannet fra seg. «Jeg finner den ikke, jeg som aldri kaster noe som helst. Typisk! Men snakk med Ulla Jensen, enken, hun lever sikkert ennå, hun er ikke så gammel, tross alt. Hun kan sikkert fortelle deg alt du vil vite. En utrolig tapper dame. Synd at hun skulle rammes så hardt.»

Carl sa seg enig. «Ja, veldig synd,» sa han og hadde det avsluttende spørsmålet klart.

Men nå hadde ingeniøren snakket seg varm. «Det var aldeles genialt det de drev med på HJI. Bare ta sveisemetodene, du kunne stort sett ikke se skjøtene om du så røntgenfotograferte dem med den beste apparaturen som fantes. Men så hadde de alle slags metoder til å avsløre lekkasjer også. De hadde for eksempel et trykkammer som kunne gå opp til seksti atmosfærer når de testet holdbarheten på produktene sine. Det er kanskje det største trykkammeret jeg har sett. Utrolig avansert operasjonssystem. Hadde beholderne bestått testene der, ja, så visste du at atomkraftverkene fikk førsteklasses utstyr. Sånn var HJI. Alltid i front på sitt område.»

Han hørtes nesten ut som en gammel salgsrepresentant for bedriften, han hadde virkelig fått vann på mølla. «Du vet vel ikke hvor Ulla Jensen bor i dag?» skyndte Carl seg å skyte inn.

«Nei, men det lar seg vel finne ut via folkeregisteret. Hun bor nok der bedriften endte opp til slutt. De fikk ikke kastet henne ut derfra, så vidt jeg vet.»

«Et eller annet sted sør for København, er det det du sier?»

«Akkurat.»

Hvordan det gikk an å si 'akkurat' om noe så eklatant upresist som 'sør for København'?

«Hvis du er spesielt interessert i den slags, må du gjerne komme en tur på besøk,» sa mannen.

Carl takket og sa at det skulle vært gøy, men at tiden dessverre ikke strakk til. Strengt tatt hadde han egentlig alltid drømt om å kjøre over hele atomlaboratoriet på Risø med en tusen tonns dampveivals og selge dritten som veidekke til en bygdevei i Sibir.

Da Carl endelig la på, hadde Assad allerede stått i døråpningen i to minutter.

«Hva er det, Assad?» spurte han. «Fikk vi det vi skulle ha? Sjekket de personnumrene?»

Han ristet på hodet. «Jeg tror du skal gå og snakke med dem selv, Carl. De er helt …» han gjorde en vribevegelse med pekefingeren mot tinningen «… i hodene i dag.»

HAN NÆRMET SEG Lis i sekretariatet forsiktig smygende langs veggen som en paringslysten hannkatt. Hun så ganske riktig utilnærmelig ut i dag. Det ellers så raffe, korte håret hadde falt sammen i en frisyre som minnet om en scooterhjelm. Fru Sørensen bak henne så på ham med lyn i blikket, og inne på kontorene begynte folk å skrike til hverandre. Det var bare sorgen.

«Hva er det som skjer?» spurte han Lis da de fikk øyekontakt.

«Jeg vet ikke. Vi får ikke logget oss inn på offentlige arkiver og databaser. Det er som om de har endret adgangskodene overalt.»

«Internett funker jo helt fint.»

«Bare prøv å gå inn på folkeregisteret eller skatteetaten, så skal du se.»

«Ja, du må nok vente sånn som alle andre,» hoverte fru Sørensen med glansløs stemme.

Han sto litt og forsøkte å finne utveier, men ga opp da han så den ene feilmeldingen etter den andre poppe opp på Lis' skjerm.

Han trakk på skuldrene. Ja, ja, sånn brennhast hadde det jo ikke. En mann som han visste selvfølgelig å snu en ulempe til sin fordel. Når elektronikken hadde konket ut, var det usvikelig tegn på at han måtte gå og ta en dyp dialog med seg selv i kjelleren med en kopp kaffe og bena på bordet en times tid eller to.

«Hei, Carl,» brøt plutselige en stemme inn bak ham. Det var drapssjefen selv i kritthvit skjorte og nystrøket slips. «Fint du var her. Blir du med inn på lunsjrommet et øyeblikk.» Det var ikke et spørsmål, kunne han høre. «Bak har en briefing som du også kan ha interesse av, tror jeg.»

DE STO KANSKJE femten mann inne på lunsjrommet, Carl aller bakerst, drapssjefen på siden og et par betjenter fra narkotikaavdelingen pluss nestkommanderende Lars Bjørn og

Børge Bak og hans nærmeste assistent innerst i midten foran vinduene. Baks karer så særdeles fornøyde ut.

Så ga Lars Bjørn ordet til Bak, og alle visste hva han ville si.

«Vi har anholdt en person i forbindelse med saken om det såkalte syklistmordet til morgenen í dag. Tiltalte sitter for øyeblikket i konferanse med sin advokat, og vi føler oss rimelig sikre på at vi vil ha en skriftlig tilståelse før dagen er omme.»

Han smilte og strøk hentehåret på plass. Dette var hans morgen. «Hovedvitnet, Annelise Kvist, har avgitt full forklaring etter at hun fikk vite at den mistenkte var brakt inn, og hun støtter vår oppfatning ett hundre prosent. Det dreier seg om en vel ansett, faglig aktiv, praktiserende lege i Valby, som foruten å ha knivdrept pusheren i Valbyparken også har medvirket til Annelise Kvists angivelige selvmordsforsøk og fremsatt konkrete trusler mot hennes barns liv.» Bak pekte på assistenten, som fortsatte:

«Under ransaking av mistenktes bopel har vi funnet over tre hundre kilo forskjellige rusmidler, som teknikerne våre holder på å registrere for øyeblikket.» Han ventet et øyeblikk til reaksjonen hadde lagt seg. «Det er ingen tvil om at legen har bygd opp et stort, forgrenet nettverk av kolleger, som har skaffet seg betraktelige inntekter ved salg av alle slags reseptbelagte legemidler fra metadon til Stesolid, Valium, Fenemal og morfin og gjennom spesialimport av stoffer som amfetamin, Zopiclon, THC eller Acetofanazin. Foruten store partier av nevroleptika, sovemidler og hallusinogener. Ingenting har vært for stort eller for smått for mannen. Han har fått avsetning på alt, later det til.

Distribueringen av disse stoffene – spesielt til diskotekmiljøer – sto mordofferet i stor grad for. Vi antar at den myrdede har forsøkt å presse legen, og at denne har gjort kort prosess, men at handlingen ikke var planlagt. Mordet ble observert av Annelise Kvist, og Annelise Kvist kjente legen. Nettopp dette

319

gjorde at legen lett kunne finne frem til henne og tvinge henne til taushet.» Han stanset, og Bak overtok igjen.

«Vi vet nå at legen umiddelbart etter mordet oppsøker Annelise Kvist på hennes bopel. Mannen er spesialist i luftveissykdommer og hadde Annelise Kvists døtre som astmapasienter, begge var sterkt avhengige av medisin. Denne kvelden utviser legen en betydelig grad av voldelig adferd i Annelise Kvists leilighet og tvinger henne til å gi barna piller for at han skal la dem slippe unna med livet i behold. Pillene forårsaket at alveolene trakk seg livstruende sammen i lungene til jentene, og han ga dem en sprøyte som motvirket dette. Det må ha vært uhyre traumatisk for moren å være vitne til at barna ble blå i ansiktet og ikke kunne snakke.»

Han så seg rundt i lokalet hvor folk satt og nikket. Han fortsatte:

«Etterpå påsto legen at jentene nå var avhengige av regelmessige besøk på kontoret hans for å få motgift for at det ikke skulle komme et fatalt tilbakefall. Dermed hadde han moren i sin hule hånd.

Når vi likevel fant vårt kronvitne, kan vi takke Annelise Kvists mor for det. Hun kjente ikke til intermezzoet som hadde utspilt seg om natten, men hun visste at datteren hadde vært vitne til mordet. Det fikk hun ut av datteren neste dag da hun så hvilken sjokktilstand hun befant seg i. Moren fikk bare ikke vite hvem som hadde gjort det, det ville ikke Annelise ut med. Så da vi tar Annelise Kvist inn til avhør på morens oppfordring, er det en kvinne i dyp indre krise vi står overfor.

I dag vet vi også at legen oppsøker Annelise Kvist et par dager senere. Han truer henne. Hvis hun sladrer, tar han livet av jentene. Han bruker uttrykk som 'flå dem levende' og klarer også å presse henne til å innta en livstruende dose med piller.

Resten av historien kjenner dere. Kvinnen blir innlagt og pumpet og klapper igjen som en østers. Men det dere ikke vet, er at vi i løpet av etterforskningen har hatt stor hjelp av vår nye avdeling, Avdeling Q med Carl Mørck som sjef.»

Bak snudde seg mot Carl. «Du har ikke deltatt i etterforskningen, Carl, men du har bidratt med noen gode resonnementer og innspill underveis. Det vil jeg og teamet mitt gjerne takke for. Og takk også til din assistent som har fungert som kurer mellom oss og Hardy Henningsen, som også har bidratt. Vi har sendt blomster til ham, bare så det er sagt.»

Carl var målløs. Et par av de gamle kollegene hans snudde seg og forsøkte å kryste et slags smil ut av steinansiktene, men de andre rikket seg ikke.

«Ja,» tilføyde visekriminalinspektør Bjørn. «Det er mange som har gitt sitt besyv med. En takk til dere også, gutter,» sa han og pekte på de to fra narkotikaavdelingen. «Nå er det opp til dere å rive opp dette nettverket av leger med urent mel i posen. En kjempeoppgave, det vet vi. Til gjengjeld kan vi i drapsavdelingen nå vie oss til andre oppgaver, og det er vi glade for. Det er fortsatt mer enn nok å ta seg til for en arbeidsfør mann også her i tredje.»

Carl ventet til de fleste hadde forlatt lokalet. Han var fullstendig klar over hvor langt inne det måtte ha sittet for Bak å gi ham den anerkjennelsen. Så han gikk bort til ham og rakte frem hånden. «Jeg hadde ikke fortjent det, men takk skal du ha, Bak.»

Børge Bak så på den utstrakte hånden hans et øyeblikk og samlet sammen papirene sine. «Det er ikke meg du skal takke. Jeg hadde aldri gjort det om ikke Marcus Jacobsen hadde tvunget meg til det.»

Carl nikket. Da visste de igjen hvor de hadde hverandre.

UTE PÅ GANGEN holdt panikken på å bre seg. Alle kontoristene sto rundt sjefens dør, og alle hadde noe å klage på.

«Ja, ja, foreløpig vet vi ikke hva som er galt,» sa drapssjef Marcus Jacobsen. «Men etter hva politidirektøren opplyser, er det ingen av de offentlige registrene som kan åpnes for øyeblikket. Sentrale servere er blitt utsatt for angrep av hackere, og alle adgangskodene er endret. Vi vet ennå ikke hvem som står bak. Det er ikke så mange som er i stand til det, så det jobbes under høytrykk for å finne de skyldige.»

«Pøh,» var det noen som sa. «Hvordan er det i det hele tatt mulig?»

Drapssjefen trakk på skuldrene. Han forsøkte å se uanfektet ut, men var det neppe.

CARL GA BESKJED til Assad om at arbeidsdagen var slutt, de kunne uansett ikke få gjort mer foreløpig. Uten informasjon fra folkeregisteret kunne de ikke sjekke Lars Henrik Jensens bevegelser, derfor måtte de bare ta tiden til hjelp.

På veien opp til Klinikk for Ryggmargsskader i Hornbæk hørte han i radioen at mediaene hadde mottatt meldinger om at en rasende borger sto bak virusangrepet på de offentlige registrene. Man regnet med at det kunne være en sentralt plassert offentlig ansatt som hadde blitt negativt berørt av kommunalreformen, men ingenting var bekreftet. Dataeksperter forsøkte å forklare hvordan det var mulig å slå ut så godt beskyttede systemer, og statsministeren kalte de skyldige for «banditter av verste skuffe». Sikkerhetseksperter på datatransmisjon var allerede i full gang. Det hele ville snart være oppe og stå igjen, sa statsministeren. Og den skyldige kunne vente seg en lang, lang straff. Han var på nippet til å sammenligne sabotasjen med angrepene på World Trade Center, men tok seg i det.

Det første kloke han hadde gjort på rimelig lang tid.

DET STO RIKTIGNOK blomster ved sengen til Hardy, men den buketten kunne selv den mest bortgjemte bensinstasjon ha levert bedre. Hardy var likeglad, han kunne ikke se buketten likevel, slik de hadde plassert ham i dag, med ansiktet mot vinduet.

«Jeg skal hilse deg fra Bak også,» sa Carl.

Hardy så på ham med den typen blikk som gjerne kalles tvert, men som språket egentlig mangler ord for. «Hva har jeg med den trekuken å gjøre?»

«Assad ga ham tipset fra deg, og nå har de øyensynlig klart å hanke inn riktig person.»

«Jeg har ikke gitt noe tips til noen om noe som helst.»

«Jo, du sa at Bak skulle se seg om i behandlingsapparatet rundt hovedvitnet, Annelise Kvist.»

«Hvilken sak snakker vi om?»

«Syklistmordet, Hardy.»

Han rynket brynene. «Jeg aner ikke hva du snakker om, Carl. Du har dyttet den elendige Merete Lynggaardsaken på meg, og hun psykologkjerringa maser hele tiden om skuddramaet på Amager. Det holder lenge for meg. Jeg aner ikke hva syklistmordet er for noe.»

Nå var ikke Hardy den eneste med rynkede bryn. «Så Assad har ikke snakket med deg om syklistmordet, er du sikker? Har du problemer med hukommelsen, Hardy? Det er ikke noe å skamme seg over.»

«Åhh, dra til helvete, Carl. Jeg orker ikke å høre på sånt piss. Hukommelsen er min verste fiende, skjønner du ikke det?» Spyttskummet drev fra de hvite leppene, blikket var glassklart.

Carl løftet hånden avvergende. «Unnskyld, Hardy. Det er bare Assad som har feilinformert meg. Det er sånt som kan skje.»

Men innvendig kokte det i Carl.

Slikt noe kunne og måtte bare ikke skje.

36

2007

HAN KOM TIL frokostbordet med spiserøret brennende av sure oppstøt og søvnen hengende tungt på skuldrene. Verken Morten eller Jesper sa et ord til ham, noe som var standard for stesønnen, men et mer urovekkende tegn når det gjaldt Morten.

Morgenavisen lå pent på hjørnet av spisebordet med Tage Baggesens frivillige avgang fra folketingsgruppen grunnet helseproblemer som førstesideoppslag, og Morten satt taus og hang med hodet over tallerkenen og tygde og tygde helt til Carl bladde om på side seks og ble sittende og stirre måpende på et grovkornet foto av seg selv.

Det var det samme bildet som Gossip hadde brukt dagen før, men denne gangen side om side med et noe slørete utendørsfotografi av Uffe Lynggaard. Teksten var alt annet enn flatterende.

'Lederen av Avdeling Q, som har til oppgave å etterforske det Danmarkspartiet kaller 'henlagte saker av spesiell betydning', har i løpet av to dager markert seg i offentligheten på en særdeles uheldig måte,' sto det.

De hadde ikke gjort så mye ut av Gossip-historien, men til gjengjeld hadde de intervjuet folk ute på Egely, hvor et samstemmig personale anklaget ham for hardhendte metoder og for å være skyld i Uffe Lynggaards forsvinning. Spesielt oversykepleieren ble fremstilt som særlig indignert og rasende. Brukte uttrykk som misbruk av tillit, åndelig voldtekt og manipulasjon. Artikkelen sluttet med ordene: 'Da avisen gikk i trykken hadde det ennå ikke lykkes å få en kommentar fra politiledelsen.'

Det skulle godt gjøres å finne en spaghettiwestern med svartere skurker enn Carl Mørck. Litt av en prestasjon, med tanke på hva som egentlig hadde skjedd.

«Jeg har tentamen i dag,» vekket Jesper ham.

Carl så opp fra avisen. «I hva da?»

«Matte.»

Det hørtes ikke bra ut. «Er du forberedt?»

Gutten trakk på skuldrene og reiste seg, som vanlig uten å ense alt han hadde klart å rote utover av bestikk og servise og snusk og snask.

«Vent et øyeblikk, Jesper!» ropte Carl til ham. «Hva betyr det?»

Stesønnen snudde seg mot ham. «Det betyr at hvis jeg ikke gjør det bra, kommer jeg kanskje ikke inn på videregående. Too bad!»

Carl så for seg Viggas bebreidende ansikt og lot avisen synke. Disse sure oppstøtene begynte å gjøre skikkelig vondt.

PÅ PARKERINGSPLASSEN SPØKTE folk med gårsdagens datakræsj i de offentlige registrene. Noen ante ikke hva de skulle gjøre på jobben. De stelte med byggetillatelser og trygderefusjoner og gjorde ikke annet enn å sitte foran skjermen hele dagen.

I bilradioen uttalte flere ordførere seg negativt om kommunalreformen som indirekte hadde utløst hele miseren, og andre raste over at den fra før av ulykkelige situasjonen med permanent overbelastning av kommuneansatte, nå så ut til å bli enda verre. Hvis denne personen som hadde formastet seg til å slå ut registrene, våget å vise seg på et av de hardt rammede rådhusene, ville de få nok å henge fingrene i på nærmeste legevakt.

Men på Politihuset så de lyst på det. Personen som hadde satt det hele i gang, var allerede anholdt. Så snart man hadde fått vedkommende, en eldre kvinnelig programmerer i Innenriksministeriet, til å forklare hvordan skaden kunne rettes opp igjen, ville man offentliggjøre det hele. Det var bare et spørsmål om et par timer, så ville alt være normalt igjen. Fjernstyringen og kontrollen ovenfra, som så mange var grundig lei av, ville igjen være etablert.

Stakkars dame.

MERKELIG NOK LYKTES det Carl å komme seg helt ned i kjelleren uten å støte på kolleger på veien, og godt var det. Morgenavisenes nyhet om Carls sammenstøt med en psykisk funksjonshemmet mann på en institusjon i Nordsjælland hadde garantert ikke gått ubemerket hen selv i det minste bøttekott i den enorme bygningen.

Han håpet bare at Marcus Jacobsens onsdagsmøte med sjefsinspektøren og de andre sjefene ikke utelukkende kom til å handle om det.

Han fant Assad på plassen sin og gikk rett i strupen på ham.

Etter få sekunder virket Assad groggy. Aldri hadde den vennesæle assistenten sett den utgaven av Carl som nå utfoldet seg foran ham i fri dressur.

«Du løy for meg, Assad,» gjentok Carl og naglet blikket hans fast. «Du har ikke nevnt syklistmordet med et ord for Hardy. Du har suget alt av ditt eget bryst, og det var selvfølgelig godt gjort, men til meg sa du noe annet. Det kan jeg ikke ha noe av, skjønner du det? Det får konsekvenser.»

Han så hvordan det formelig knaket bak Assads brede panne. Hva foregikk der inne? Hadde han dårlig samvittighet, eller hva?

Han valgte å gå hardt på. «Spar deg, Assad! Jeg vil ikke høre mer piss fra deg! Hvem er du egentlig, Assad? Det vil jeg gjerne vite. Og hva drev du med da du ikke var hos Hardy?» Han viftet bort Assads protest. «Ja, jeg vet at du har vært der, men ikke lenge av gangen. Spytt ut, Assad! Hva er det som foregår?»

Assads taushet kunne ikke dekke over uroen hans. I glimt kunne han se det jagede dyret bak det rolige blikket. Hadde de vært fiender, så ville han sikkert gått til fysisk angrep nå.

«Vent,» sa Carl. Han snudde hodet mot datamaskinen og åpnet Google. «Jeg har et par spørsmål til deg, er du med?»

Det kom ikke noe svar.

«Hører du hva jeg sier?»

Et grynt svakere enn summingen fra datamaskinen skulle formodentlig bekrefte det.

«Det står i journalen din at du og kona og de to døtrene dine kom til Danmark i 1998. Dere var i Sandholmleiren i perioden 1998–2000, og så fikk dere asyl.»

Assad nikket.

«Det var kjapt.»

«Det var den gangen, Carl. Alt er annerledes nå.»

«Du kommer fra Syria, Assad. Hvilken by? Det står ikke i journalen.»

Han snudde seg og så Assad bli mørkere i ansiktet enn noen gang før.

«Er dette et forhør, Carl?»

«Det kan du gjerne si. Noen innvendinger?»

«Det er mange ting jeg ikke vil fortelle deg, Carl. Det må du respektere. Jeg har hatt et vondt liv. Det er mitt, ikke ditt.»

«Det forstår jeg. Men hvilken by kommer du fra? Er det så vanskelig å svare på?»

«Jeg kommer fra en forstad til Sab Abar.»

Carl tastet inn navnet. «Det ligger langt ute i ødemarka, Assad.»

«Har jeg sagt noe annet, Carl?»

«Hvor langt vil du si det er fra Sab Abar til Damaskus?»

«En dagsreise. Mer enn to hundre kilometer.»

«En dagsreise?»

«Ting tar tid der. Først er det gjennom byen og så er det fjellene.»

Det var ikke så halvgærnt beskrevet ut fra det han kunne se

på Google Earth. Et mer øde sted skulle man lete lenge etter. «Hafez el-Assad heter du. Det står i hvert fall i papirene dine fra Utlendingsstyrelsen.» Han skrev navnet inn på Google og fikk det opp med en gang. «Er ikke det et kjedelig navn å slepe rundt på?»

Han trakk på skuldrene.

«Navnet på en diktator som styrte Syria i niogtyve år! Var foreldrene dine medlemmer av Baath-partiet?»

«Ja, de var medlem.»

«Så du er oppkalt etter ham?»

«Det er flere i familien med det navnet, jeg kan love deg.»

Han så på Assads mørke øyne. Han var i en annen tilstand enn normalt.

«Hvem var Hafez el-Assads etterfølger?» spurte Carl fort.

«Sønnen Bashar,» svarte Assad uten å blunke. «Skal vi ikke holde opp med dette, Carl. Det er ikke bra for oss.»

«Kanskje ikke. Og hva het den andre sønnen som døde i en bilulykke i 1994?»

«Jeg husker ikke akkurat nå.»

«Du husker ikke? Det var rart. Her står det at han var farens kjæledegge og utvalgte. Basil het han. Jeg skulle tro at alle i Syria på din alder ville kunne svare på det uten videre.»

«Ja, det stemmer. Han het Basil.» Han nikket. «Men det er så mange ting jeg har glemt, Carl. Jeg *vil* ikke huske det. Jeg har …» Han lette etter ordet.

«Du har fortrengt det?»

«Ja, kanskje.»

Vel, da kom han ikke videre i den retningen. Han ble nødt til å koble inn et nytt gir.

«Vet du hva, Assad? Jeg tror du lyver. Du heter ikke Hafez el-Assad, det var bare det første og beste navnet som falt deg inn da du søkte asyl, ikke sant? Jeg kan tenke meg at han som laget de falske papirene dine, fikk seg en billig latter. Kanskje det til og med er den samme fyren som hjalp oss med telefon-listen til Merete Lynggaard? Er det det?»

«Jeg synes vi skal stoppe nå, Carl.»

«Hvor kommer du fra i virkeligheten, Assad? Nå har jeg jo vent meg til navnet, så det får være det samme om det egentlig er etternavnet, eller hva, Hafez?»

«Jeg er syrer, og jeg kommer fra Sab Abar.»

«Fra en forstad til Sab Abar, mener du.»

«Ja, nordøst for sentrum.»

Det hørtes greit og tilforlatelig ut, men uten videre å ta det for god fisk, hadde Carl vanskelig for. For ti år og hundrevis av avhør siden, kanskje. Men ikke nå lenger. Instinktet mukket. Assad reagerte ikke helt riktig.

«Du kommer egentlig fra Irak, gjør du ikke, Assad? Og du har lik i lasten som vil sende deg ut av landet og tilbake dit du kom fra, eller hva?»

Assads ansikt skiftet igjen. Linjene i pannen glattet seg ut. Kanskje hadde han øynet en utvei, kanskje snakket han rett og slett sant.

«Irak? Langt ifra. Nå er du dum å høre på, Carl,» sa han såret. «Kom hjem og se tingene mine, Carl. Jeg hadde med koffert hjemmefra. Du kan snakke med kona mi, hun kan litt engelsk. Eller jentene mine. Så får du høre at jeg snakker sant. Jeg er politisk flyktning, Carl. Jeg har opplevd mye vondt. Jeg vil ikke snakke om det, så kan du ikke la meg være i fred? Det er sant at jeg ikke var så mye hos Hardy som jeg sa, men det er veldig langt til Hornbæk. Jeg prøver å hjelpe broren min inn i landet, og det tar også tid, Carl. Unnskyld, jeg skal si tingene helt riktig heretter.»

Carl lente seg tilbake. Det var like før han fikk lyst til å sause hele den skeptiske hjernen sin inn i Assads sukkervann. «Jeg begriper ikke at du har kommet så fort inn i politiarbeidet, Assad. Jeg er veldig fornøyd med jobben du gjør. Du er en pussig skrue, men du kan noe. Hvor har du det fra?»

«Er jeg skrue, Carl, hva er det?» Han så på Carl med troskyldige øyne. Jo, han kunne noe. Kanskje han bare var et helt uvanlig naturtalent. Kanskje alt han sa faktisk var sant. Kanskje var det bare han selv som hadde utviklet seg til en mistenksom kverulant.

«Det står ikke mye om utdannelse i papirene dine, Assad. Hva har du lært?» spurte han.

Assad trakk på skuldrene. «Ikke så veldig mye, Carl. Faren min hadde et lite firma som handlet med hermetikk. Hvor lenge en boks tomater holder seg i tredve varmegrader, alt sånt jeg vet alt om.»

Carl prøvde å smile. «Og så kunne du ikke holde deg unna politikken, og så endte du opp med å ha feil navn, var det slik?»

«Ja, omtrent slik.»

«Og du ble torturert?»

«Ja, Carl. Jeg vil ikke snakke om det. Du har ikke sett hvordan jeg kan være når jeg er lei meg. Jeg kan ikke snakke om det, okay?»

«Okay.» Carl nikket. «Og for fremtiden forteller du meg alt du gjør i arbeidstiden, skjønner du det?»

Assad stakk en tommel i været.

Carl slapp ham endelig med blikket.

Så løftet han hånden i været med sprikende fingre, og Assad klasket hånden sin mot den.

Det fikk bli slik.

«Vel, Assad, videre i teksten. Vi har nok å gå løs på. Vi må finne denne Lars Henrik Jensen. Om forhåpentligvis ikke lenge kan vi logge oss inn på folkeregisteret igjen, men inntil da må vi prøve å finne moren, Ulla Jensen heter hun. En mann på Risø ...» Han så at Assad ville spørre om noe, men han fikk vente. «... en mann der ute sa at hun bor sør for København.»

«Er Ulla Jensen et sjeldent navn?»

Han ristet på hodet. «Nå vet vi hva firmaet til mannen het, så vi har flere innfallsvinkler. I første omgang ringer jeg til selskapsregisteret, så får vi håpe at ikke de også ligger nede. I mellomtiden går du inn og søker på Ulla Jensen. Prøv Brøndbyene og gå sørover. Vallensbæk, kanskje Glostrup, Tåstrup, Greve-Kildebrønde. Du skal ikke gå helt ned til Køge, for der lå bedriften før. Det er nord for det.»

Assad så lettet ut. Skulle akkurat til å gå ut av døren, men snudde seg plutselig og ga Carl en klem. Skjeggstubbene var som syler og barbervannet en fake, men følelsen var ekte nok.

Han satt litt etter at Assad hadde ruslet inn til seg selv og lot følelsen synke. Det var nesten som å ha fått det gamle teamet sitt tilbake.

SVARET KOM FRA begge kanter på en gang. Selskapsregisteret hadde funket upåklagelig hele tiden, og HJ Industries var bare sekunder og et tastetrykk fra å bli identifisert. Det var eid av Trabeka Holding, et tysk selskap som de kunne finne nærmere ut av hvis han var interessert. De kunne ikke se hvem eierne var, men det lot seg finne ut hvis de tok kontakt med sine tyske kolleger. Da de hadde oppgitt adressen, ropte han inn til Assad at han kunne stoppe, men Assad ropte tilbake at han også hadde funnet et par mulige.

De sammenlignet resultatene. Det var ingen tvil. Ulla Jensen bodde på HJIs gamle eiendom på Strøhusvei i Greve.

Han slo opp på kartet. Det var bare noen hundre meter fra stedet hvor Daniel Hale hadde brent i hjel i bilulykken på Kappelev Landevei. Han husket da han sto der ute. Det var den veien han hadde sett ned mot da de sto og så utover landskapet. Veien med møllen.

Han kjente adrenalinet begynne å pumpe så smått. Nå hadde de en adresse. Og de kunne være der om tyve minutter.

«Skal vi ikke ringe henne først, Carl?» Assad stakk til ham lappen med telefonnummeret.

Han så tomt på Assad. «Det er en kjempegod idé hvis du har lyst til å komme til tomt hus, Assad,» sa han.

Det var ikke *bare* gullkorn som kom ut av munnen på den mannen heller.

OPPRINNELIG HADDE DET nok vært en vanlig gårdsbe-
byggelse med hovedbygning, grisefjøs og lagerbygning rundt
den brolagte gårdsplassen. De kunne se helt inne i stuene ute
fra veien, så nær lå den. På baksiden av de hvitkalkede husene
lå det enda tre, fire større bygninger. Et par av dem hadde til-
synelatende aldri blitt tatt i bruk; det gjaldt i hvert fall en ti-
tolv meter høy bygning som sto med gapende tomme hull der
hvor vinduene skulle vært satt inn. Hvordan myndighetene
hadde kunnet tillate noe så stygt, var ikke til å begripe. Den
ødela fullstendig utsikten over markene, hvor rapsens gule tep-
per grenset mot gressmarker som var så grønne at fargen umu-
lig kunne fremstilles kunstig.

Carl lot blikket gli over omgivelsene og så ikke tegn til liv,
heller ikke i noen av bygningene. Gårdsplassen virket forsømt,
i likhet med alt det andre. Kalken på stuebygningen var skallet
av. Ut mot veien litt lenger øst lå det hauger med skrot og byg-
ningsavfall. Bortsett fra løvetannen og de blomstrende frukt-
trærne som kneiset opp over eternittaket, virket alt trøstesløst.

«Det er ingen bil på gårdsplassen, Carl,» sa Assad. «Kanskje
det er lenge siden det har bodd noen her.»

Carl bet tennene sammen og forsøkte å holde skuffelsen
på avstand. Nei, Lars Henrik Jensen var ikke her, sa alt i ham
også. Faen, faen òg!

«La oss gå inn og se oss om, Assad,» sa han og parkerte bilen
i grøftekanten femti meter lenger borte i veien.

De beveget seg stille. Gjennom hekken kom de rundt på
baksiden av huset der bærbusker og skvallerkål kjempet om
plassen. De buede vinduene i stuebygningen var grå av elde
og skitt, og alt virket dødt.

«Se der,» hvisket Assad med nesen trykt mot en av rutene.

Carl stilte seg ved siden av ham. Også innvendig virket alt
forlatt. Bortsett fra standarden og tornekrattet minnet det om
et Tornerøseslott. Støv på bordene og over bøker og aviser og
all slags papir. Pappkasser i hjørnet som ikke var pakket ut.
Tepper som fortsatt lå sammenrullet i bunter.

Det var en familie som virkelig var blitt avbrutt i en lykkeligere tid.

«Jeg tror de var i ferd med å flytte inn da ulykken skjedde, Assad. Det sa mannen på Risø også.»

«Men se bak inni der.»

Han pekte gjennom stuen mot en døråpning som det kom lys inn gjennom, og gulvet bak lyste blankt.

«Du har rett. Det ser annerledes ut.»

De tok seg gjennom en urtehage hvor humlene surret rundt blomstrende purreløk og havnet på den andre siden av huset nede i det ene hjørnet av gårdsplassen.

Carl gikk bort til et av vinduene. Det var forsvarlig haspet igjen. Bak glasset kunne han se et rom med nakne vegger og et par stoler langs veggen. Han la pannen mot ruten, og så rommet åpne seg opp. Det var ikke tvil om at det var i bruk. Et par skjorter lå på gulvet, sengeteppet på springmadrassen var slengt til side, og på toppen lå en pyjamas som han visste han hadde sett maken til i en varehuskatalog for ikke lenge siden.

Han trakk pusten kontrollert og la instinktivt hånden på beltet, hvor tjenestepistolen hadde sittet i mange år. Nå var det fire måneder siden sist han hadde hatt den der.

«Det har sovet noen i sengen her nylig,» sa han lavt til Assad, som sto et par vinduer lenger borte.

«Her også det har vært noen nylig,» sa Assad. Carl stilte seg ved siden av ham og så inn. Det stemte. Det var pent og ryddig på kjøkkenet. Gjennom en dør midt på veggen fikk de et glimt inn i den støvete stuen de hadde sett fra den andre siden. Den lå der som et gravkammer. Som en helligdom som ikke måtte forstyrres.

Men kjøkkenet hadde vært brukt for ikke lenge siden.

«Dypfryser, kaffe på bordet, vannkoker. Det står noen colaflasker borte i hjørnet også,» sa Carl.

Han snudde seg mot grisefjøset og bygningene bak. De kunne fortsette å ransake stedet nå, uten tillatelse, og ta smellen senere hvis det skulle vise seg ubegrunnet, for man kunne ikke godt påstå at bevismateriale ville gå tapt hvis de måtte vente med husundersøkelsen til senere. Eller de kunne vente til i morgen, kanskje var det bedre. Da ville de kanskje treffe noen hjemme også.

Han nikket. Nei, det var nok best å vente og gjøre tingene etter boken for en gangs skyld. Han sukket dypt. I virkeligheten orket han nesten ikke noen av delene.

Mens han sto og tenkte, måtte det ha gått en djevel i Assad. Til såpass tung og tettbygd å være var han forbausende kvikk i vendingen, og før Carl fikk sukk for seg, hadde han forsert gårdsplassen og sto oppe på veien og vinket til en bonde som var ute og luftet traktoren.

Carl ruslet etter.

«Ja,» hørte han bonden si idet han nærmet seg og motoren slarket på tomgang. «Moren og sønnen bor der fremdeles. Det er litt spesielt, men hun har visst innrettet seg i den bygningen der. Han pekte på det bakerste av husene på eiendommen. «Jeg lurer på om de ikke er hjemme også. Jeg så henne i hvert fall utenfor huset i morges.»

Carl viste ham skiltet sitt, noe som fikk bonden til å slå av motoren.

«Sønnen,» spurte Carl, «er det Lars Henrik Jensen?»

Bonden knep igjen det ene øyet og tenkte. «Nei, det er det vel ikke. Et snodig, langt rekel av en kar, hva svarten er det nå han heter.»

«Ikke Lars Henrik, altså?»

«Nei da, ikke det.»

Det var huskene og karusellene nok en gang. Opp og ned, like ved, langt unna. Carl hadde opplevd det før. Utallige ganger. Det var blant annet dette han var så inderlig lei av.

«Den bygningen der, sier du?» sa han og pekte.

Bonden nikket og sendte en spyttklyse som et skudd over motorkassen på det splitter nye leketøyet av en Ferguson.

«Hva lever de av?» spurte Carl og nikket utover landskapet.

«Jeg vet ikke. Jeg forpakter litt jord hos dem. Kristoffersen der borte forpakter også en teig. Så har de litt brakkmark med tilskudd, og hun har sikkert pensjon. Ja, og så kommer det en bil et eller annet sted fra et par ganger i uka med noe plastgreier som de visstnok skal rengjøre, og han har visst også med noe mat til dem. Jeg har da inntrykk av at damen og sønnen der inne klarer seg.» Han lo. «Det er bondelandet dette her, vet de. Her har vi det meste.»

«En bil fra kommunen?»

«Nei da, ikke fra kommunen. Jeg tror forsyne meg det er fra et rederi, jeg. Den har et slags merke på siden som du av og til ser på båter på fjernsynet. Jeg vet ikke hvor det kommer fra. Alt sånt med havet og sjøen har aldri interessert meg noe særlig.»

DA BONDEN TØFFET videre i retning møllen, ble de stående litt og betrakte bygningene bak grisefjøset. Merkelig at de ikke hadde lagt merke til dem fra veien, for de var ganske store. Det skyldtes nok at hekkene var ganske tette og løvet tidlig ute i år, takket være varmen.

Foruten de tre gårdsbygningene og den store, halvferdige hallen, lå tre flate bygninger på skrå etter hverandre langs en opparbeidet grusplass, som sikkert skulle vært asfaltert ifølge de opprinnelige planene. Nå hadde ugress og alle slags ville vekster grodd opp rundt bygningene, og bortsett fra en ganske bred sti som forbandt alle bygningene, var det grønt overalt.

Assad pekte på de smale hjulsporene på stien. Carl hadde også sett dem. Brede som sykkelhjul, parallelle. Helt sikkert fra en rullestol.

Da de nærmet seg det bakerste huset som bonden hadde pekt ut, ringte Carls mobiltelefon skingrende og klart. Han merket Assads blikk på seg og bannet innvendig for at han ikke hadde satt den på lydløs.

Det var Vigga. Hun hadde en notorisk evne til å komme på banen på de mest upassende tidspunkter. Han hadde stått midt oppe i håndteringen av råtnende lik og fått beskjed om å kjøpe fløte til kaffen. Hun hadde fanget ham mens mobilen lå i en jakke under en bag i tjenestebilen midt under en halsbrekkende jakt på mistenkte gjerningsmenn. Vigga var helt rå på det der.

Han tastet 'legg på' og koblet ut ringetonen.

Da han løftet hodet igjen, så han rett inn i øynene på en høy, mager mann i tyveårsalderen. Hodet var underlig langstrakt, nesten deformert, og hele den ene siden av ansiktet var preget av den typen kratere og hudsammentrekninger som arr etter brannsår skaper.

«Her kan dere ikke være,» sa han med en stemme som verken var en voksens eller et barns.

Carl viste ham skiltet sitt, men mannen forsto øyensynlig ikke hva det betydde.

«Jeg er politimann,» sa han vennlig. «Vi vil gjerne snakke med moren din. Vi vet at hun bor der inne. Tror du at du kunne spørre om vi kan komme inn litt, det hadde vært veldig fint.»

Den unge mannen virket uimponert av både politiskiltet og de to fremmede. Kanskje var han ikke fullt så enkel likevel, som han kunne virke ved første øyekast.

«Hvor lenge skal jeg vente?» sa Carl bryskt. Da ga det et sett i fyren, og han forsvant inn i huset.

Et par minutter gikk, Carl kjente trykket bygge seg opp inne i brystkassen, og han forbannet seg selv for at han hadde latt tjenestevåpenet ligge ubenyttet og innelåst på Politihuset siden sykepermisjonen.

«Hold deg bak meg, Assad,» sa han. Han kunne se for seg overskriftene i morgendagens avis: 'Kriminalbetjent ofrer assistent i skuddrama. Visepolitikommissær Mørck i Avdeling Q lager skandale for tredje dag på rad.'

Han dyttet til Assad for å understreke alvoret og stilte seg tett inntil dørkarmen. Hvis de kom ut med haglgevær eller noe slikt, skulle ikke hodet hans være det første som løpet pekte på.

I neste øyeblikk kom mannen ut og ba dem stige inn.

HUN SATT ET stykke inne i rommet i en rullestol og røykte. Alderen var vanskelig å anslå, grå og rynket og utslitt som hun var, men å dømme etter sønnens alder, var hun neppe mer enn et par og seksti. Hun var krumbøyd der hun satt i rullestolen. Leggene og føttene virket underlig forkrøplet, som knekte kvister som hadde måttet vokse ut igjen som best de kunne. Bilulykken hadde virkelig satt sine spor, det var en ynk å se både mor og sønn.

Carl så seg om. Huset var ett stort rom. Kanskje to hundre og femti kvadratmeter eller mer, men selv med en takhøyde på fire meter, var det temmelig røykfylt. Han fulgte røykspiralen fra sigaretten hennes opp mot takvinduene. Det var bare to Velux-vinduer i alt, så rommet var ganske dunkelt.

På denne flaten fantes alt. Kjøkken nærmest inngangsdøren, bad- og toalettdører på siden. Stue med Ikea-møbler og billige tepper over betonggulvet som strakte seg femten-tyve meter innover, for så tilsynelatende å munne ut i en soveavdeling innerst inne.

Bortsett fra den ufriske atmosfæren, så alt ut til å være i den skjønneste orden. Her så hun på TV og leste ukeblader og tilbrakte det meste av tiden, skulle han tro. Mannen hadde dødd fra henne, og nå klarte hun seg som best hun kunne. Hun hadde jo gutten til å hjelpe seg.

Carl så Assads blikk bevege seg langsomt rundt i lokalet. Det var noe djevelsk over øynene hans der de panorerte over det hele og innimellom stanset opp for å få med seg en detalj. Han var dypt konsentrert, armene hang tungt ned langs sidene, bena tungt parallelle på gulvet.

Hun tok imot dem forholdsvis vennlig, men rakte bare frem hånden til Carl. Han presenterte dem og sa det ikke var noe å bekymre seg for. Det var den eldste sønnen hennes de så etter, Lars Henrik. De hadde noen spørsmål til ham, ikke noe alvorlig, bare ren rutine. Om hun visste hvor de kunne finne ham?

Hun smilte. «Lasse er sjømann,» sa hun. Hun kalte ham altså

Lasse. «Han er ikke hjemme for tiden, men om en måned er han tilbake igjen. Da skal jeg si det til ham, har De et visittkort som jeg kan gi ham?»

«Nei, dessverre.» Han forsøkte å smile gutteaktig, men hun bet ikke på. «Jeg skal sende kortet når jeg er tilbake på kontoret. Naturligvis.» Han prøvde smilet igjen. Denne gangen var timingen bedre. Det var en gyllen regel: Alltid si noe positivt først og så smile etterpå, da virker det ekte. Motsatt rekkefølge kunne bety hva som helst: smisking, flørt, alt som måtte passe en selv. Såpass livserfaring hadde denne kvinnen.

Han gjorde mine til å trekke seg tilbake og nappet Assad i ermet. «Vel, fru Jensen, da har vi en avtale. Forresten, hvilket rederi er det sønnen Deres jobber for?»

Hun kunne rekkefølgen av utsagn og smil. «Åhh, jeg skulle ønske jeg kunne huske det. Men han seiler for mange forskjellige.» Og så kom smilet hennes. Carl hadde sett gule tenner før, men ingen så gule som disse.

«Han er styrmann, ikke sant?»

«Nei, han er stuert, hovmester. Lasse er flink med mat, det har han alltid vært.»

Carl forsøkte å se for seg gutten som sto med hånden på Dennis Knudsens skulder. Gutten de kalte Atomos, fordi den døde faren hans hadde produsert noe for atomkraftverk. Når hadde han tilegnet seg kunnskapene om mat? Hos fosterfamilien som slo ham? På Godhavn? Som smågutt hjemme hos moren? Carl hadde også vært gjennom mye her i livet, men han kunne ikke steke et egg for det. Hadde det ikke vært for Morten Holland, visste han ikke hvordan det skulle gått.

«Det er godt når det går bra med barna. Og du, gleder du deg til å se broren din igjen?» sa han henvendt til den vansirete gutten, som sto og skulte på dem som om de var to tyveradder.

Blikket flakket mot moren, men hun fortrakk ikke en mine. Da kom det ikke et knyst fra gutten, det var i hvert fall sikkert.

«Hvor seiler sønnen Deres for tiden?»

Hun så på ham mens de gule tennene langsomt forsvant

bak tørre lepper. «Han er mye på Østersjøen, men jeg tror han er i Nordsjøen akkurat nå. Noen ganger drar han ut med ett skip og kommer hjem med et annet.»

«Det må være et stort rederi, husker De ikke hvilket? Kanskje De kan beskrive logoen?»

«Nei, dessverre, jeg er ikke så god på den slags.»

Han så på gutten igjen. Han visste alt, det lå tykt utenpå ham. Kunne sikkert tegne den fordømte logoen også, hvis han fikk lov til det.

«Den står jo på bilen som kommer her hver uke,» skjøt Assad inn. Det falt ikke i god jord. Gutten ble plutselig svært urolig i blikket, og kvinnen trakk røyken dypt ned i lungene. Ansiktsuttrykket forsvant bak en tykk tåke før hun blåste all røyken ut igjen.

«Ja, det er ikke noe vi egentlig vet så mye om,» skyndte Carl seg å si. «Det var en nabo som mente å ha sett det, men han kan ha tatt feil.» Han dro i Assad.

«Vel, takk for nå,» sa han. «Da ber De sønnen Deres Lasse om å ringe meg når han kommer hjem. Så får vi disse par småtingene ut av verden.»

De gikk mot døren, men kvinnen kom trillende etter dem. «Kjør meg litt ut, Hans,» sa hun til sønnen. «Jeg trenger litt frisk luft.»

Carl visste at hun ikke ville slippe dem av syne før de hadde forlatt eiendommen. Hadde det stått en bil på gårdsplassen eller her på baksiden, ville han trodd det var fordi de ønsket å holde skjult at Lars Henrik Jensen befant seg i en av bygningene. Men Carls intuisjon sa ham noe annet. Den eldste sønnen var ikke her, hun ville bare ha dem vekk.

«Jeg må si det er litt av en bygningsmasse dere har her. Har det vært fabrikk her en gang?»

Hun fulgte like bak. Puffende på en ny sigarett mens rullestolen humpet fremover på stien. Sønnen dyttet på bak med hendene knugende rundt håndtakene. Han virket voldsomt opphisset der inne bak det ødelagte ansiktet.

«Mannen min hadde en fabrikk som laget avanserte beholdere til atomkraftverk. Vi var nettopp flyttet hit fra Køge da han døde.»

«Ja, jeg husker historien. Det gjør meg fryktelig vondt.» Han pekte på de to forreste av de kasseaktige bygningene. «Det var kanskje her produksjonen skulle ha foregått?»

«Ja, her og i den store hallen.» Hun pekte rundt. «Sveisehallen der, trykkontrollanlegget der og monteringen i hallen. Der hvor jeg bor, skulle lageret av ferdige beholdere ha vært.»

«Hvorfor bor De ikke inne i huset? Det ser jo ut som et bra hus,» sa han og oppdaget foran en av bygningene en rekke gråsvarte plastdunker som ikke passet i landskapet. Kanskje de hadde stått igjen etter den forrige eieren. På steder som dette kunne tiden av og til gå uendelig langsomt.

«Åhh, De vet. Det er så mye der inne som liksom ikke hører til i denne tiden. Og så er det dørtersklene, dem klarer jeg jo ikke.» Hun banket i det ene armlenet på rullestolen.

Han kjente at Assad trakk ham litt til siden. «Bilen vår står der borte, Assad,» sa han og nikket den andre veien.

«Jeg går heller gjennom hekken der og så opp på veien,» sa Assad, men Carl så at hele oppmerksomheten hans var rettet mot en haug med avfall som lå på et gammelt betongfundament.

«Ja, det skrotet var her allerede da vi kom,» sa hun unnskyldende, som om en halv container med avfall fra eller til kunne gjøre noe med det traurige helhetsinntrykket av eiendommen.

Det var et ubestemmelig avfall. På toppen av haugen lå flere av de gråsvarte bøttene. De hadde ingen kjennetegn, men virket nærmest som de kunne ha inneholdt olje eller matvarer i større kvanta.

Han ville ha stoppet Assad hvis han hadde skjønt hva han hadde fore, men assistenten hadde allerede bykset over metallstenger og plastrør og sammenfiltret tauverk før Carl fikk summet seg.

«Ja, unnskyld, min kollega er en fanatisk samler. Hva finner du, Assad?» ropte han.

Men nå spilte ikke Assad på lag. Han var på rov og sparket rundt i skrotet, snudde på ting, og plutselig stakk han hånden ned og tok tak i en tynn metallplate, som etter en del riving og sliting viste seg å være en halv meter bred og minst fire meter lang. Han snudde den. Interlab A/S sto det på den.

Assad så opp på Carl, og Carl ga ham et anerkjennende blikk tilbake. Det var godt sett. Interlab A/S. Daniel Hales store laboratorium, som nå var flyttet til Slangerup. Altså var det en direkte forbindelse mellom familien og Daniel Hale.

«Bedriften til mannen Deres – het den Interlab, fru Jensen?» spurte Carl og smilte til de sammenbitte kjevene hennes.

«Nei, det var navnet på firmaet som solgte oss tomten her og et par av bygningene.»

«Broren min jobber på Novo. Jeg mener å huske at han har nevnt det firmaet.» Han sendte en unnskyldende tanke til storebroren som antagelig sto og fôret mink på en farm oppe i Frederikshavn akkurat nå. «Interlab, laget ikke de enzymer og slike ting?»

«Det var et prøvelaboratorium.»

«Hale, var det ikke det han het? Daniel Hale?»

«Jo, han som solgte dette til mannen min, het Hale. Men Daniel var det nå ikke, for han var bare en guttunge den gangen. De flyttet laboratoriet nordpå, og etter gamle Hales død flyttet de det enda en gang. Men det var her det startet.» Hun viste med hånden mot skrothaugen. Interlab hadde sannelig svingt seg opp hvis dette var begynnelsen.

Carl betraktet henne inngående mens hun snakket. Alt ved henne utstrålte lukkethet, og likevel strømmet ordene ut av henne. Hun virket ikke febrilsk, snarere tvert imot. Hun virket dypt kontrollert. Alle nerveendene i henne var knyttet sammen. Hun prøvde å virke normal. Det var det som var så unormalt.

«Var det ikke han som ble drept like her i nærheten?» skjøt Assad inn.

Denne gangen kunne Carl ha sparket ham på skinnelleggen. Den slags løsmunnethet måtte han ta en prat med ham om etterpå.

Han så seg tilbake mot bygningene. De virket mer som monumenter over en familietragedie. Det grå i det grå hadde også sine mellomtoner. Det var som om bygningene signaliserte til ham. Mageoppstøtene satte i gang på nytt når han så på dem.

«Ble Hale drept? Det kan jeg ikke huske å ha hørt noe om.» Han sendte Assad et lynende blikk og snudde seg mot kvinnen.

«Det hadde vært liddeli moro å se hvordan Interlab startet. Broren min ville hatt stor interesse av å høre om det. Han har ofte snakket om å begynne for seg selv. Tror De vi kunne få se på de andre bygningene? Bare sånn rent privat.»

Hun smilte til ham. Altfor vennlig. Altså ville det komme en blank avvisning. Hun ville ikke ha ham her lenger. Han skulle bare ut og vekk.

«Åh, jeg skulle så gjerne gjort det. Men sønnen min har låst av alt sammen, så jeg får ikke åpnet. Men når De snakker med ham, må De absolutt spørre. Så kan De jo ta med broren Deres også.»

ASSAD VAR TAUS da de kjørte forbi det ramponerte huset der Daniel Hale mistet livet.

«De var ikke helt gode der nede på gården,» sa Carl. «Vi må tilbake med en ransakingsordre.»

Men Assad hørte ikke etter. Satt bare der og stirret ut i luften idet de nærmet seg Ishøj, og betongklossene begynte å tårne seg opp. Ikke engang da Carls mobil ringte og Carl famlet etter headsettet, reagerte han.

«Hallo,» sa Carl og ventet seg en real skyllebøtte fra Vigga. Han visste hvorfor hun ringte. Faen var løs igjen. Åpningen var flyttet til i dag. Helvetes galleri. Han kunne virkelig klare seg uten en håndfull fettete potetgull og et glass av Irmas billigste vin, for ikke å snakke om dette misfosteret av en type hun hadde slått seg sammen med.

«Det er meg,» sa stemmen. «Helle Andersen fra Stevns.»

Han girte bilen ned og oppmerksomheten opp.

«Uffe kom nettopp hit til huset. Jeg er på hjemmebesøk, og så kom det en drosjesjåfør fra Klippinge med ham for en liten stund siden. Han hadde kjørt Merete og Uffe før, så han kjente ham igjen da han så ham surre rundt langs motorveien ved avkjørselen til Lellinge. Han er dødstrett og sitter her på kjøkkenet og drikker det ene glasset med vann etter det andre. Hva skal jeg gjøre?»

Carl så utover lyskrysset. En plutselig uro kom over ham som et vindkast. Det var fristende å ta en U-sving og gi bånn gass.

«Er det bra med ham?»

Hun hørtes litt mer bekymret, litt mindre landsbykjekk ut enn vanlig. «Jeg vet ikke riktig. Han er jo fæl og svart og ser ut som han har ligget i rennesteinen, men han er liksom ikke seg selv.»

«Hvordan da, mener du?»

«Han sitter liksom og grubler. Ser seg rundt i kjøkkenet som om han ikke kjenner det igjen.»

«Det gjør han vel sikkert ikke heller.» Han så for seg antikvitetshandlernes kobberkjeler som hang fra gulv til tak. Krystallboller på rekke og rad, pastellfarget tapet med eksotiske frukter. Selvfølgelig kjente han seg ikke igjen.

«Det er ikke innredningen jeg tenker på. Det er vanskelig å forklare. Han virker redd for å være her, men vil ikke bli med meg i bilen heller.»

«Hvor hadde du tenkt å kjøre ham?»

«Til politistasjonen. Ikke snakk om at han skal stikke av en gang til. Men han vil ikke bli med. Selv om antikvitetshandleren spurte veldig pent.»

«Har han sagt noe? Kommet med lyder eller noe?»

Nå visste han at hun satt og ristet på hodet i den andre enden, slikt kunne man merke. «Nei, ikke lyder, men han skjelver, liksom. Slik var det med det første barnet vårt også når han ikke fikk det som han ville. Jeg husker en gang vi var ute og handlet …»

«Helle, du må ringe til Egely. Uffe har vært borte i fire dager nå, de må få vite at han er i god behold.» Han fant nummeret i telefonlisten. Det var det eneste riktige. Hvis han blandet seg inn, gikk det bare til helvete. Avisene vil gni seg i de svertede hendene.

Nå dukket de små, lave husene på Gammel Køge Landevei opp. En forhistorisk iskiosk. En nedlagt elektrisk forretning som nå huset et par barmfagre jenter som sedelighetsavdelingen hadde hatt mye heft med. Han så på Assad og tenkte på å sette to fingre i munnen og pipe høyt for å se om det var liv i dyret. Han hadde jo hørt om folk som plutselig døde med åpne øyne midt i en setning.

«Er du der, Assad?» spurte han og ventet seg ikke noe svar.

Han bøyde seg over ham og inn i hanskerommet og fant en halvflat pakke Lucky Strike.

«Ikke gjør det, Carl, det stinker i bilen,» kom det forbausende alert fra Assad.

Hvis han hadde problemer med litt røyk, var det ingenting i veien for at han kunne få gå hjem.

«Stopp litt her,» fortsatte Assad. Kanskje han hadde kommet til det samme selv.

Carl smekket igjen hanskerommet og fant et lite innhuk foran en av småveiene ned til stranden.

«De menneskene var ikke friske, Carl.» Assad så på ham med mørke øyne nå. «Jeg har tenkt på det vi så der nede. De var ikke friske i hele tatt.»

Carl nikket langsomt. Det var ikke lett å skjule noe for denne mannen.

«I stuen til den gamle kvinnen det var fire TV'er.»

«Å? Jeg så bare ett.»

«Ved fotenden av sengen det sto tre stykker, ikke store, ved siden av hverandre. De var med teppe over, men jeg så lyset fra dem.»

Han måtte ha øyne som en ørn og en ugle på én gang. «Tre TV'er som sto på under et teppe. Og det kunne du se på den avstanden, Assad? Det var jo mørkt som i graven der inne.»

«De var der, helt ved enden av sengen, inn mot veggen. Ikke store, mer som …»

«En slags monitorer?»

Han nikket kort. «Og vet du hva, Carl? Jeg forstår mer og mer inne i hodet. Det var tre eller fire monitorer. Det var svakt grått eller grønt skinn gjennom teppet. Hvorfor var de der? Og hvorfor var det teppe over, så man ikke kan se?»

Carl så ut på veien, hvor vogntogene langsomt malte seg innover mot byen. Ja, hvorfor?

«Og en ting til, Carl.»

Nå var det Carl som ikke hørte ordentlig etter. Han trommet på rattet med tommelfingrene. Hvis de kjørte inn på Politihuset og gikk gjennom hele prosedyren, ville det gå minst to timer før de kunne være tilbake.

Akkurat da ringte mobiltelefonen på nytt. Hvis det var Vigga, ville han bare legge på. Hvordan kunne hun tro at han ville stå på pinne dag og natt?

Men det var Lis. «Marcus Jacobsen vil gjerne ha en prat med deg på kontoret, Carl. Hvor er du?»

«Han må vente, Lis. Jeg er på vei til en husundersøkelse. Er det avisartikkelen?»

«Jeg vet ikke, men det kan godt hende. Du vet hvordan han er. Han kan bli så taus når de skriver dårlig om oss.»

«Så fortell ham at Uffe Lynggaard er kommet til rette i god behold. Og si at vi jobber med saken.»

«Hvilken sak?»

«Å få de jævla avisene til å skrive noe positivt om meg og avdelingen.»

I neste øyeblikk gjorde han en U-sving og vurderte å sette på blålysene.

«Hva var det du skulle si i sted, Assad?»

«Det om sigarettene.»

«Hva mener du?»

«Hvor lenge har du røykt samme merket, Carl?»

Han rynket på nesen. Hvor lenge hadde Lucky Strike i det hele tatt eksistert?

«Du skifter ikke merket, ikke sant? Og hun hadde ti pakker rød Prince på bordet, Carl. Nye pakker. Og hun hadde sånn helt gule fingre, men ikke sønnen.»

«Hvor vil du hen med det?»

«Hun røykte rød Prince med filter og sønnen ikke, jeg er sikker på det.»

«Ja vel. Og så?»

«Hvorfor var det ikke filter på mange sigarettstumper nesten øverst i askebegeret?»

Da fant Carl tiden inne til å sette på blålysene.

37

Samme dag

ARBEIDET TOK TID, for gulvet var glatt, og de som satt et eller annet sted der ute og overvåket henne på skjermene, måtte ikke fatte mistanke til de ustanselige rykkene i overkroppen hennes.

Hun hadde sittet på gulvet midt i rommet det meste av natten med ryggen til kamera og filt på den lange delen av nylonpinnen som hun hadde knekket i to dagen før. Hvor ironisk det enn var, så var denne nylonstiveren fra boblejakkehetten bestemt til å bli hennes vei ut av denne verden.

Hun la de to pinnene i fanget og kjente på dem med fingrene. Den ene var snart spiss som en syl, og den andre hadde hun formet mer som en neglefil med knivsegg. Det var nok den hun ville bruke når den ble ferdig. Hun var redd for at den spisse ikke ville gjøre hullet i pulsåren stort nok, og hvis det ikke gikk fort nok, ville blodet på gulvet avsløre henne. Hun tvilte ikke et sekund på at de ville ta trykket ut av rommet så snart de oppdaget det. Så selvmordet hennes måtte skje både fort og effektivt.

Hun ville ikke dø på den andre måten.

Da hun hørte stemmene i høyttalerne i rommet utenfor, puttet hun nylonpinnene i jakkelommen og lot overkroppen falle litt forover, som om hun hadde seget frem av utmattelse. Når hun satt slik, hadde Lasse ofte stått og ropt til henne uten at hun reagerte, så det var ikke noe påfallende i det.

Hun satt tungt i denne skredderstillingen og stirret opp på den lange skyggen som lyskasterne laget av kroppen hennes. Der oppe på veggen befant hennes virkelige jeg seg. En skarp silhuett av et menneske i oppløsning. Tjafsete hår nedover skuldrene, en utslitt jakke uten innhold. En fortidslevning som ville forsvinne når lyset snart ble slukket. I dag var det den fjerde april 2007. Hun hadde enogførti dager igjen å leve, men hun ville begå selvmord fem dager før, den tiende mai. Den dagen ville Uffe fylle fireogtredve år, og hun ville tenke på ham og sende ham tanker om kjærlighet og inderlighet og om hvor vakkert livet kunne være, mens hun skar seg opp. Det lyse ansiktet hans skulle være det siste glimtet i hennes liv. Uffe, den elskede broren hennes.

«Opp med farten, nå,» hørte hun kvinnen rope gjennom høyttalerne på den andre siden av glassveggen. «Lasse er her om ti minutter, da må alt være klart. Så skjerp deg, gutt.» Hun hørtes helt febrilsk ut.

Det skramlet bak speilglassrutene, og Merete så mot slusen. Men spannene kom ikke inn til henne. Hennes indre klokke sa også at det var for tidlig.

«Ja, men mor,» ropte den magre mannen tilbake. «Vi må ha inn en akkumulator. Det er ikke strøm på batteriet som står her. Vi får ikke utløst sprengningen hvis vi ikke får strøm på det. Det sa Lasse for bare et par dager siden.»

Sprengningen? En kuldegysning rislet gjennom Meretes kropp. Ville de gjøre det nå?

Hun kastet seg på kne på gulvet og forsøkte å tenke på Uffe mens hun gned den knivformede nylonstiveren mot det glatte betonggulvet av alle krefter. Kanskje hadde hun bare ti minutter på seg. Hvis hun fikk kuttet seg dypt nok, kunne hun kanskje miste bevisstheten i løpet av fem minutter. Det var det det hele handlet om.

Men det tok altfor mye tid å endre formen og utseendet på nylonpinnen, hun pustet tungt og klynket. Fortsatt var den altfor sløv. Hun kikket bort på tangen som hadde fått de skarpe kantene slipt ned da hun risset inn budskapet sitt i betonggulvet.

«Åhh,» hvisket hun. «Bare én dag til, så hadde jeg vært klar.» Hun tørket svetten og dro håndleddet over munnen. Kanskje hun kunne bite over pulsåren hvis hun fikk godt nok tak. Hun nappet litt i kjøttet og fikk ikke tak i noe. Så vred hun håndleddet og forsøkte å få tak med hjørnetennene, men hun var for tynn og knoklete nå. Benet var i veien, tennene var ikke skarpe nok.

«Hva driver hun med der inne?» ropte kvinnen skingrende og stanget pannen mot ruten. Øynene var vidt oppspilte, de var det eneste som var synlig av henne, resten lå i skygge med de glødende lyskasterne som bakgrunn.

«Opp med begge slusene. Nå med én gang!» kommanderte hun sønnen.

Merete så bort på lommelykten som lå klar ved siden av hullet hun hadde gravd ut under tappen på slusedøren. Hun slapp nylonstiveren og kravlet på alle fire mot slusen mens kvinnen der ute hånte henne og alt i henne gråt og ba for livet.

Gjennom callingen hørte hun mannen rasle med slusedøren idet hun nådde lommelykten og fikk tredd den ned i hullet i gulvet.

Det hørtes et klikk og dreiemekanismen startet. Hun stirret på slusedøren med hamrende hjerte. Hvis lykten eller tappen ga etter, var hun fortapt. Trykket i kroppen ville utløses som en granat, forestilte hun seg.

«Å, kjære Gud, ikke la det skje,» gråt hun og krøp tilbake mot nylonstiveren mens tappen støtte mot lommelykten bak henne. Hun snudde seg og så lommelykten bevege seg en anelse. I neste øyeblikk kom det en lyd hun ikke hadde hørt før. Som om zoomfunksjonen på et kamera ble slått på. En summing av mekanikk som ble effektivt aktivert, fulgt av hurtige dunk mot slusedøren. Den ytterste slusen var åpen, og nå lå hele trykket på den innerste døren. Bare lommelykten skilte henne fra den grusomste død hun kunne forestille seg. Men lommelykten ga ikke etter. Kanskje hadde døren åpnet seg en hundredels millimeter, for den hvislende lyden av luft som presset seg ut av kammeret vokste i styrke til det lød som en hylende dampfløyte.

Hun kjente det i kroppen etter få sekunder. Plutselig kjente hun pulsen slå i ørene og merket et svakt trykk bak pannen, som om en forkjølelse var på gang.

«Hun har blokkert døren, mor,» ropte mannen.

«Så slå av og slå på igjen, ditt fjols,» snerret hun.

Et øyeblikk falt hyletonen ned i et lavere leie. Så hørte hun mekanismen sette i gang, og igjen steg tonen.

De prøvde flere ganger forgjeves å få den innerste døren til å gi etter, mens hun filte og filte på nylonstiveren.

«Hun skal drepes og fjernes herfra med en eneste gang, har du forstått det?» ropte hunndjevelen der ute. «Spring ut etter slegga, den står bak huset.»

Merete stirret opp på glasset. Det hadde vært både fengselsgitter og vern mot udyrene på en og samme tid de siste par årene. Hvis det ble knust, var hun ferdig. Trykket ville utlignes på et sekund. Kanskje ville hun ikke rekke å registrere det engang før hun var ute av denne verden.

Hun la hendene i fanget og førte nylonkniven opp til venstre håndledd. Den åren hadde hun studert tusen ganger nå. Det var der hun skulle stikke. Den lå der så fin og mørk og åpen under den sarte, tynne huden.

Hun knyttet hånden og stakk til med lukkede øyne. Presset på åren føltes ikke riktig. Det gjorde vondt, men huden ga ikke etter. Hun så merket etter nylonpinnen. Det var bredt og langt og virket dypt, men var det ikke. Det blødde ikke engang. Nylonkniven var rett og slett ikke skarp nok.

Så kastet hun seg til siden og fikk tak i delen med den sylspisse enden som lå på gulvet. Spilte opp øynene for å se nøyaktig hvor huden virket tynnest. Så klemte hun til. Det gjorde ikke så vondt som hun hadde fryktet, og blodet farget straks spissen rød og ga henne en trygg og altfavnende følelse. Rolig og fattet så hun blodet pible frem.

«Du har stukket deg, din ku,» ropte kvinnen. Hun slo på

det ene speilglassvinduet så det ga gjenlyd gjennom rommet. Men Merete stengte henne ute og kjente ingenting. Hun la seg rolig ned på gulvet, samlet det lange håret under nakken og stirret opp i det siste lysstoffrøret som fortsatt fungerte.

«Unnskyld, Uffe,» hvisket hun. «Jeg kunne ikke vente.» Hun smilte opp til bildet av ham som svevde rundt i rommet, og han smilte igjen.

Drønnet fra det første sleggeslaget pulveriserte drømmesynet. Hun så bort på speilglasset som vibrerte for hvert slag. Det ble liksom ugjennomsiktig av det, men noe mer skjedde ikke. Etter hvert slag hørtes et stønn av utmattelse fra mannen der ute. Nå forsøkte han å slå på det andre koøyet, men heller ikke det ga etter. De tynne armene hans var ikke vant med å håndtere en slik vekt, det var helt tydelig. Intervallene mellom slagene ble også lengre og lengre.

Hun smilte og så nedover kroppen sin som lå avslappet på gulvet. Slik hadde altså Merete Lynggaard sett ut da hun døde. Om ikke lenge ville kroppen hennes være sprengt til hundemat, men det gjorde henne ingenting å tenke på. Før den tid ville sjelen være befridd. Nye tider ville vente på henne. Hun hadde opplevd helvete på jorden, og mesteparten av livet hadde hun vært i sorg. Mennesker hadde lidd på grunn av henne. Verre kunne det aldri bli i neste liv, dersom det var et. Og hvis ikke, hva var det da å frykte?

Hun lot blikket gli ned langs siden og oppdaget at flekken på gulvet var svartrød, men ikke særlig større enn en håndflate. Hun vred håndleddet og så på stikksåret. Blødningen hadde stort sett stoppet opp. Enda et par dråper piplet ut, smeltet sammen som tvillinghender som søkte hverandre, og størknet langsomt.

I mellomtiden hadde slagene stanset der ute, og det eneste hun hørte, var den sivende luften i slusesprekken og pulsslagene i ørene. De lød kraftigere enn før. Når hun kjente etter, begynte hun å få hodepine, og det verket illevarslende i kropp og ledd som ved begynnende influensa.

Hun grep nylonstiveren en gang til og kjørte den dypt inn i såret som nettopp hadde lukket seg. Filte litt frem og tilbake og røsket i den fleksible stiveren for at hullet skulle bli stort nok.

«Nå er jeg her, mor,» ropte en stemme. Det var Lasse.

Broren hørtes redd ut gjennom callingen. «Jeg ville skifte batteri, men mor ba meg hente slegga i stedet, Lasse. Jeg gjorde så godt jeg kunne, men jeg klarte ikke å knuse glasset.»

«Det kan ikke knuses på den måten,» sa han. «Det skal mer til enn som så. Du har vel ikke ødelagt detonatorene?»

«Nei da, jeg passet på hvor jeg slo. Jeg var veldig forsiktig, Lasse.»

Merete dro ut nylonstiveren og så opp mot de mattsprengte glassene som strålte i alle retninger. Såret i håndleddet blødde mer nå, men ikke veldig mye. Helvete, hvorfor ikke? Var det en vene hun hadde punktert og ikke en arterie?

Hun stakk seg i den andre armen. Hardt og dypt i det første hugget. Det blødde mer, åh, gudskjelov.

«Vi kunne ikke hindre at politiet kom inn på eiendommen,» sa heksa plutselig der ute.

Merete holdt pusten. Så hvordan blodet plutselig fant veien og begynte å sile kraftigere. Hadde politiet vært her?

Hun bet seg i leppen. Kjente hvordan hodepinen økte i styrke mens hjerterytmen lot til å roe seg.

«De vet at Hale eide her før. Den ene sa at han ikke visste at Daniel Hale ble drept her i nærheten, men han løy, Lasse, jeg kunne se det på ham.»

Nå begynte det å sprenge i ørene. Som når et fly gikk inn for landing, bare hurtigere og voldsommere. Hun forsøkte å gjespe, men klarte det ikke.

«Hva ville de meg? Har det noe å gjøre med ham de skrev om i avisene? Er det han med den nye politiavdelingen?» sa Lasse.

Proppene i ørene gjorde at stemmene lød fjernere nå, de måtte bare ikke tette seg. Hun ville høre dette.

Nå klynket kvinnen nesten der ute, virket det som. «Jeg vet ikke, Lasse,» sa hun flere ganger.

«Hvorfor tror du at de kommer tilbake til gården?» fortsatte han. «Du sa vel at jeg var ute og reiste?»

«Men Lasse, de vet hvilket rederi du jobber i. De hadde hørt om bilen som kommer fra rederiet, det plumpet han mørke ut med, og han danske politimannen likte ikke det, det var helt tydelig. De vet sikkert allerede at du ikke har vært ute på flere måneder. At du er i cateringavdelingen nå. De finner det ut, Lasse, jeg vet det. Og at du sender resten av maten ned hit flere ganger i uken med rederiets biler, det er bare å ta en telefon, Lasse, det er umulig å hindre. Og da kommer de tilbake. Jeg tror bare de kjørte inn etter en ransakingsordre. De spurte om å få lov til å se seg om.»

Merete holdt pusten. Politiet ville komme tilbake? Med en ransakingsordre? Trodde de det? Hun så på det blødende håndleddet og presset en fingertupp hardt mot såret. Det piplet ut under tommelfingeren, samlet seg i foldene under håndleddet og dryppet langsomt ned i fanget på henne. Nå ville hun ikke slippe igjen før hun følte seg overbevist om at slaget var tapt. De ville nok få has på henne, men akkurat nå var de i trøbbel. For en vidunderlig følelse!

«Sa de noe om hvorfor de ville se seg om på eiendommen?» spurte Lasse.

Trykket steg i Meretes ører. Hun kunne nesten ikke utligne. Prøvde å gjespe og gape og lyttet så godt hun kunne. Hun kjente også et press innenfra i hoften nå, og i tennene.

«Den danske politimannen sa at han hadde en bror som jobbet på Novo, og at han gjerne ville se stedet hvor en storbedrift som Interlab hadde hatt sin spede begynnelse.»

«For noe tøv.»

«Det var nettopp derfor jeg ringte deg.»

«Nøyaktig når var de her?»

«Det er ikke tyve minutter siden engang.»

«Da har vi kanskje mindre enn en time på oss. Og vi må

sope opp liket og få det unna, det rekker vi ikke. Vi må ha tid til å gjøre rent og spyle etter oss. Nei, det må vente. I første omgang gjelder det bare at de ikke finner noe og lar oss i fred.»

Merete prøvde å fortrenge ordene 'sope opp'. Var det virkelig henne Lasse snakket om? Hvordan kunne et menneske bli så motbydelig og kynisk?

«Jeg håper de kommer og tar dere før dere slipper unna!» ropte hun. «Dere fortjener å råtne i fengsel, motbydelige svin! Jeg hater dere, skjønner dere det? Jeg hater dere alle sammen!»

Hun reiste seg langsomt, skyggene bak rutene fløt ut i de pulveriserte glassflatene.

Lasses stemme var iskald: «Nå skjønner du kanskje endelig hva hat er! Skjønner du det nå, Merete?» ropte han tilbake.

«Lasse, har du ikke tenkt å sprenge huset nå med det samme?» brøt kvinnen inn.

Merete lyttet intenst.

Det var stille. Han tenkte vel. Det var hennes liv det handlet om. Han tenkte på hvordan han best skulle gå frem for å drepe henne. Nå handlet det ikke om henne, hun var fortapt. Det handlet om dem selv.

«Nei, vi kan ikke gjøre det slik situasjonen er nå, vi må vente. De må ikke skjønne at det er noe galt. Hvis vi sprenger alt i luften nå, går hele planen til helvete. Vi får ikke utbetalt forsikringen, mor. Vi blir nødt til å forsvinne. For alltid.»

«Det klarer jeg ikke, Lasse,» sa kvinnen.

Så dø sammen med meg, din heks, tenkte Merete.

Ikke siden den kvelden hun så inn i Lasses øyne på Bankerott, hadde hun hørt ham snakke så ømt. «Jeg vet det, mor. Jeg vet det,» svarte han. Der og da hørtes han nærmest menneskelig ut, men i neste øyeblikk kom spørsmålet som fikk henne til å klemme enda hardere rundt såret. «Har hun sperret slusen, sier du?»

«Ja, hører du ikke det? Trykkutligningen går altfor sakte.»

«Da setter jeg i gang timeren.»

«Timeren, Lasse. Men det tar jo tyve minutter før dysene

åpner seg. Er det ingen annen løsning? Hun har stukket seg, Lasse. Kan vi ikke stoppe klimaanlegget?»

Timeren? Hadde de ikke sagt at de kunne løse ut trykket akkurat når de selv ville? At hun ikke ville rekke å skade seg selv før de åpnet helt? Var det løgn?

Hysteriet begynte å bygge seg opp i henne. Ta deg sammen, Merete, formante hun seg selv. Reager! Ikke gå inn i deg selv!

«Stoppe klimaanlegget, hva skulle det være godt for?» Lasse var tydelig irritert. Det går minst åtte dager før luften er brukt opp. Nei, jeg setter i gang timeren.»

«Har dere problemer?» skrek hun. «Fungerer ikke dritten deres, Lasse?»

Han forsøkte å få det til å høres ut som om han lo av henne, men det lød ikke spesielt overbevisende. Det var tydelig at han var rasende over hånen hennes.

«Du kan ta det helt med ro,» sa han kontrollert. «Min far konstruerte dette. Det var verdens mest avanserte trykkammer. Her ble de beste og grundigst kontrollerte beholderne i hele verden laget. Andre pumper inn vann og tester trykket innenfra, men her hos far ble de utsatt for trykk utenfra også. Alt ble gjort ytterst nøyaktig. Timeren kontrollerte trykket og fuktigheten i kammeret, tilpasset alle faktorene slik at trykket ikke ble utlignet for fort. For da kunne det komme sprekker i beholderne under kvalitetskontrollen. Det er derfor det tar litt tid, Merete. Derfor!»

De var gale alle sammen. «Dere har virkelig problemer!» ropte hun. «Dere er syke i hodene deres. Dere er like fortapt som jeg er!»

«Problemer? Jeg skal gi deg problemer,» ropte han rasende tilbake. Hun hørte skramling der ute og løpende skritt i gangen. Så tegnet det seg en skygge ytterst på siden av det ene glasset, og to øredøvende brak forplantet seg gjennom høyttalersystemet. I neste øyeblikk så hun den ene glassruten endre farge enda en gang. Nå var den nesten helt hvit og ugjennomsiktig.

«Hvis du ikke pulveriserer huset fullstendig, Lasse, så har jeg lagt igjen så mange visittkort her inne at dere ikke klarer å fjerne dem. Dere kommer aldri unna.» Hun lo. «Dere kommer aldri unna. Jeg har gjort det umulig for dere.»

I minuttet som fulgte hørte hun ytterligere seks brak. Det var tydeligvis skudd avfyrt parvis. Men begge glassene holdt.

Like etter kjente hun at det presset til i skulderleddet. Ikke all verden, men det var ubehagelig. I tillegg sprengte det i pannen og bihulene og kjeven. Huden spente seg. Hvis dette var følgen av det minimale trykkfallet som pipelyden og sprekken i slusen der borte forårsaket, ville det som ventet henne når hele trykket forsvant, ikke bli til å holde ut.

«Politiet kommer!» ropte hun. «Jeg føler det på meg.» Hun senket hodet og så ned på den blødende armen. Politiet ville ikke rekke frem i tide, det var hun fullt klar over. Snart ville hun bli tvunget til å løfte fingeren fra såret. Om tyve minutter åpnet dysene seg.

Hun kjente en varm strøm nedover den ene armen. Det var det første såret som nå på forrædersk vis hadde åpnet seg igjen. Lasses profetier ville holde stikk. Når trykket inne i kroppen steg, ville blodet fosse av henne.

Hun vred litt på kroppen så hun kunne presse det dryppende håndleddet mot kneet, og måtte plutselig le. Det føltes som en barnelek i en svunnen tid.

«Nå aktiverer jeg timeren, Merete,» sa han der ute. «Om tyve minutter åpnes dysene og slipper ut trykket i rommet. Fra da av tar det enda en halvtime før trykket er nede på én atmosfære. Det er riktig at du kan rekke å ta livet ditt innen den tid, det tviler jeg ikke på. Men jeg kan ikke se det, lenger, Merete. Skjønner du? Jeg kan ikke se det, for glasset er fullstendig ugjennomsiktig nå. Og når jeg ikke kan se det, er det heller ingen andre som kan. Vi dekker til trykkammeret, Merete, vi har masser av gipsplater her ute. Så får du bare dø i mellomtiden, på den ene eller den andre måten.»

Hun hørte kvinnen le.

«Kom, lillebror, hjelp meg litt her,» hørte hun Lasse si. Han lød annerledes nå. Ovenpå.

Det skramlet der ute, og ganske langsomt ble det mørkere og mørkere i rommet. Så ble lyskasterne slukket, og enda flere plater ble stablet opp foran rutene til det til slutt ble helt mørkt.

«God natt, Merete,» sa han lavt bak veggen. «Måtte helvete fortære deg i evig ild.» Så slo han av callinganlegget og alt ble stille.

38

Samme dag

KØEN PÅ E20 var mye verre enn vanlig. Selv om politisire-
nen holdt på drive Carl fra vettet inne i kupeen, hørte folk
i bilene ingenting. Satt i egne tanker med bilradioen på full
guffe og ønsket seg langt vekk.

Assad satt og banket i dashbordet av sinne, og de siste kilo-
meterne før avkjøringen lå de stort sett ute på veiskulderen
mens bilene foran dem motvillig trakk seg unna så de kunne
komme forbi.

Da de endelig stanset utenfor gården, pekte Assad over på
den andre siden av veien. «Var den bilen der i sted?» spurte
han.

Carl lette med blikket langs grusveien ut i ingenmannsland
og fikk øye på den. Den sto skjult bak et buskas cirka hundre
meter borte. Trolig fremparten av en stålgrå firehjulstrekker.

«Jeg er ikke sikker,» sa han og prøvde forgjeves å ignorere
mobiltelefonen i innerlommen. Han rev den ut og kikket på
nummeret. Det var inne fra Politihuset.

«Mørck,» sa han og så ned mot gården. Alt var som før.
Ingen tegn til panikk eller flukt.

Det var Lis som var på tråden, og hun hørtes strålende for-
nøyd ut. «Nå er vi med igjen, Carl. Alle registrene funker.
Dama i innenriksministeriet har spyttet ut med motgiften mot
det hun satte i gang, og fru Sørensen har allerede tastet inn
alle kombinasjonsmulighetene på personnummeret til denne
Lars Henrik Jensen, som Assad ba henne om. Det var litt av en
jobb, jeg tror kanskje dere skylder henne en blomsterbukett,

for hun har nemlig funnet mannen. To av sifrene i personnummeret var byttet ut, akkurat som Assad trodde. Han er registrert med bopel i Strøhusvei i Greve.» Hun nevnte nummeret.

Carl kikket bort på et håndmalt husnummer på selve gårdsfasaden, og det stemte. «Takk skal du ha, Lis,» sa han og forsøkte å høres begeistret ut. «Hils og si takk til fru Sørensen. Det var virkelig strålende levert.»

«Ja, men det er mer, Carl.»

Carl trakk pusten dypt og så Assads mørke blikk sømfare området foran dem. Carl følte det også. Det var noe virkelig bisart over måten disse menneskene hadde innrettet seg på her. Det var langt utenfor normaliteten.

«Lars Henrik Jensen er ustraffet og hovmester av yrke,» kvernet Lis i bakgrunnen. «Han er ansatt i rederiet Merconi og seiler mest på Østersjøen. Jeg snakket med arbeidsgiveren nettopp, Lars Henrik Jensen er ansvarlig for cateringen på de fleste av skipene deres. En dyktig mann, etter hva de sier, og han går bare under navnet Lasse.»

Carl slapp gårdsplassen med blikket. «Har du et mobilnummer på ham, Lis?»

«Bare et fastnummer.» Hun nevnte det, men han skrev det ikke opp. Hva skulle han med det? Ringe inn og si at de kom om to minutter?

«Ingen mobil?»

«På den adressen er det bare registrert en Hans Jensen.»

Ja vel. Så det var det den unge mannen het. Han fikk nummeret og takket enda en gang.

«Hva var det?» spurte Assad.

Han trakk på skuldrene og tok vognkortet til bilen ut av hanskerommet.

«Ikke noe vi ikke visste fra før, Assad. Skal vi hoppe i det?»

DEN MAGRE UNGDOMMEN åpnet døren straks de hadde banket på. Han sa ingenting, men slapp dem bare inn som om de var ventet.

De ville visst ha det til å se ut som om han og kvinnen hadde sittet i ro og mak og spist rundt et bord med blomstrete voksduk ti meter inne i rommet. Antagelig en boks ravioli som de akkurat hadde sprettet opp. Den var sikkert iskald hvis man gikk bort og kjente etter. De lurte ikke ham. Spill for galleriet.

«Vi har innhentet ransakingsordre,» sa han og dro vognkortet opp av lommen og holdt det frem et øyeblikk. Den unge mannen fôr sammen ved synet.

«Kan vi se oss litt om?» Han sendte Assad bort til monitorene med en håndbevegelse.

«Det spørsmålet trenger jeg tydeligvis ikke å ta stilling til,» sa kvinnen. Hun satt med et glass vann i hånden og så forpint ut. Det opprørske i øynene var borte, men hun virket på ingen måte redd, bare resignert.

«Disse monitorene, hva bruker dere dem til?» spurte han etter at Assad hadde sjekket toalettene. Han pekte på det grønne lyset som skinte gjennom et klede.

«Å, det er bare noe som Hans driver med,» sa kvinnen. «Vi bor øde til, og du hører jo om så mye rart. Så vi ville sette opp noen kameraer sånn at vi kunne holde øye med området rundt huset.»

Han så Assad dra av kledet og riste på hodet. «De er helt blanke alle tre, Carl,» sa han.

«Da har jeg et spørsmål, Hans: Hvorfor er skjermene på hvis de ikke tar inn bilder?»

Gutten kikket bort på moren.

«De står alltid på,» svarte hun, som om det forklarte det meste. «Strømmen kommer fra koblingsboksen.»

«Ja vel, fra koblingsboksen? Og hvor sitter den?»

«Det vet jeg ikke. Lasse vet det.» Hun så på ham med triumf i øynene. Blindgaten var etablert. Han sto i enden og glodde hjelpeløst opp langs glatte vegger. Trodde hun.

«Lasse er ikke til sjøs for tiden, har vi fått opplyst fra rederiet. Hvor befinner han seg?»

Hun smilte svakt. «Når Lasse ikke er ute, er det noe med damer. Det er ikke noe han blander sin mor inn i, og det skal han ikke heller.» Smilet vokste. De gule tennene var snart klare til å glefse etter ham.

«Kom, Assad,» sa han. «Her er det ikke mer å gjøre. La oss ta de andre bygningene.»

Han fikk et glimt av henne idet han gikk ut av døren. Hun strakte allerede hånden ut etter sigarettpakken på bordet. Smilet var borte. Da var de på rett spor.

«LA OSS HOLDE grundig øye med hva som skjer rundt oss, Assad. Vi tar den bygningen først,» sa han og pekte på den som tårnet seg høyt over alle de andre.

«Stå her og følg med om det skjer noe ved de andre bygningene, Assad, er du med?»

Assistenten nikket.

Da Carl snudde seg, hørte han et ganske lavt og litt for umiskjennelig klikk bak ryggen. Han snudde seg mot Assad og så ham stå med en ti centimeter lang, blinkende springkniv i hånden. Brukte man den riktig, havnet motstanderen i trøbbel. Brukte man den feil, havnet alle i trøbbel.

«Hva er det du tror du driver med, Assad? Hvor kom den fra?»

Mannen trakk på skuldrene. «Tryllekunst, Carl. Etterpå jeg skal trylle den bort igjen, jeg lover.»

«Ikke faen om du skal.»

Carls følelse av aldri å ha opplevd maken, begynte å bli permanent i tilfellet Assad. Et helt ulovlig, bannlyst våpen? Hvem andre kunne vel finne på noe så borti hampen?

«Vi er ute i embeds medfør, Assad, skjønner du det? Det er galskap på alle måter, gi meg den der!»

Det slepne håndlaget i måten han foldet sammen kniven på, var rett og slett urovekkende.

Carl veide den i hånden før han stakk den i jakkelommen,

med Assads misbilligende øyne på seg. Selv den gamle, vel-voksne speiderkniven hans ble smågutt mot denne.

DEN STORE HALLEN var bygd over et betonggulv som frost og væte hadde satt sprekker i. De gapende vindusåpningene var svarte og morkne i kantene, og limtrebjelkene som bar taket var også merket av vind og vær. Det var et kjempestort rom, og med unntak av litt skrammel og en femten-tyve spann maken til dem han hadde sett rundt på eiendommen, fullstendig tomt.

Han sparket til et av dem slik at det snurret rundt seg selv og sendte en stank av råttenskap opp i synet på ham. Da det stanset, hadde det trukket en sirkel av svineri rundt seg. Han så på det, var det rester av dopapir? Han ristet på hodet. Spannene hadde stått i all slags vær og vært fylt av regnvann. Hva som helst ville se ut og lukte slik bare det fikk stå lenge nok.

Han så på bunnen av spannet og kjente igjen Merconi-rederiets logo presset inn i plasten. Det var sikkert disse overskuddsmaten fra skipene var pakket i.

Han plukket med seg et solid flatjern fra skrothaugen og gikk ut og fikk med seg Assad bort til den borteste av de tre kasseaktige bygningene som lå på rekke og rad etter hverandre.

«Stå her og hold vakt,» sa han og vurderte hengelåsen som bare Lasse hadde nøkkel til, etter hva moren påsto.

«Og hvis du observerer et eller annet merkelig, Assad, så henter du meg,» fortsatte han og stakk flatjernet innunder hengelåsbeslaget. I den gamle tjenestebilen hadde de hatt en hel verktøykasse som kunne åpne slike ting på et blunk. Nå måtte han bite tennene sammen og satse på ren makt.

Han røsket og brøt i et halvt minutt før Assad kom bort og stille og rolig tok flatjernet ut av hendene på ham.

Ja, ja, la barnet prøve seg, tenkte Carl.

Før han fikk sukk for seg lå hengelåsen og blinket i grusen foran føttene hans.

I neste øyeblikk gikk han inn i bygningen, like flau som han var årvåken.

Rommet minnet om det moren bodde i, men i stedet for møbler sto det en masse sveiseflasker i forskjellige farger midt på gulvet, og i tillegg kanskje hundre meter tomme stålhyller. I det borteste hjørnet lå en haug rustfrie metallplater stablet oppå hverandre ved siden av en dør. Ellers ikke så mye annet. Han så nærmere på døren. Den kunne umulig føre ut i det fri, da ville han ha lagt merke til den.

Han gikk bort og tok i den. Messinghåndtaket var blankt, og den var låst. Han kikket på Ruko-låsen, også den var blank- slitt av hyppig bruk.

«Assad, kom inn her. Ta med deg flatjernet,» ropte han.

«Sa du ikke at jeg skal være der ute?» spurte Assad da han sto foran ham.

Carl rakte ham jernet og pekte på døren. «Vis nå hva du kan.»

DET VAR ET sterkt duftende rom som åpenbarte seg. Seng, bord, datamaskin, helfigurspeil, rødt Wiltax-teppe, åpent kles- skap med ulike habitter og to-tre blå uniformer, en håndvask med glasshylle og flasker med etterbarberingsvann på rekke og rad. Sengen var oppredd, papirene lå pent i bunker, ingenting tydet på et menneske i ubalanse.

«Hvorfor tror du han låser døren, Carl?» spurte Assad mens han løftet opp skriveunderlaget og så under det. Etterpå la han seg på alle fire og kikket under sengen.

Carl tok resten i øyesyn. Nei, Assad hadde rett. Umid- delbart så det ikke ut til å være noe å skjule, så hvorfor låse?

«Det *er* noe her, Carl. Ellers han hadde ikke hatt den henge- lås.»

Carl nikket og dukket inn i klesskapet. Parfymeduften lå tung og nærmest klistret seg til plaggene. Han banket på bak- veggen uten å oppdage noe mistenkelig. I mellomtiden hadde

Assad løftet gulvteppet, uten at noen hemmelig lem kom for dagen.

De sømfarte tak og vegger og undersøkte speilet sammen. Det hang så alene. Rundt det var veggen kritthvit og matt. Carl banket på veggen med knokene. Den virket massiv.

Kanskje speilet kan hektes av, tenkte han og tok tak i det, men det satt helt fast. Assad la kinnet mot veggen og kikket inn bak det.

«Jeg tror det har hengsel på den andre siden. Det er en slags lås her.»

Han stakk inn fingeren og hektet av en krok. Så tok han tak i kanten og dro. Hele rommet panorerte forbi da speilet svingte ut og avslørte et mannshøyt, svart hull i veggen.

Neste gang vi er ute i felten, skal jeg være forberedt, tenkte Carl og så for seg den lille pennelykten han hadde liggende i skrivebordsskuffen. Han stakk hånden inn og famlet etter en bryter og tenkte med lengsel på pistolen sin. Et øyeblikk kjente han at det tettet seg til i brystet.

Han trakk pusten dypt og lyttet. Nei, det kunne da for pokker ikke være noen her inne. Hvordan skulle det være mulig å låse seg inne med en hengelås på ytterdøren? Eller kunne det tenkes at broren eller moren hadde til oppgave å låse Lasse Jensen inn på skjulestedet sitt hvis politiet skulle dukke opp og snuse rundt?

Han fant bryteren et stykke inne på veggen og trykket på den, klar til å hoppe unna hvis det sto noen der og ventet på dem. Det kom en serie grelle blink før lysstoffrørene i taket tente og lyste opp scenariet foran dem.

I samme øyeblikk sto det klart.

De hadde funnet frem til riktig person, ingen tvil.

Han registrerte at Assad gled lydløst inn i rommet bak ham, selv gikk han bort til oppslagstavlene og de slitte stålbordene langs veggen. Han stirret opp på bilder av Merete Lynggaard i alle avskygninger. Fra hennes første opptreden på talerstolen til hjemmeidyll på den løvspettede gressplenen i hagen på

Stevns. Ubekymrede øyeblikk fanget inn av en som ville henne vondt.

Han lot blikket falle ned på det ene av stålbordene og ble slått av systematikken som denne Lasse, alias Lars Henrik Jensen, hadde arbeidet seg frem mot målet med.

I den første bunken lå alle papirene fra Godhavn. Han løftet en flik av bunken og så originaldokumenter som hadde ligget i Lars Henrik Jensens saksmappe. De hadde forsvunnet for flere år siden. På flere av arkene hadde han nokså hjelpeløst øvd seg på å forandre personnummeret. Etter hvert ble han dyktigere, og på det siste arket hadde han lært seg håndverket. Jo, Lasse hadde tuklet med papirene i arkivet på Godhavn, og det hadde han vunnet tid på.

Assad pekte på den nærmeste bunken. Her lå det en korrespondanse mellom Lasse og Daniel Hale. Det fremgikk at Interlab ennå ikke hadde mottatt restoppgjør for bygningene som Lasses far hadde overtatt mange år tidligere. I begynnelsen av 2002 sendte Daniel Hale en faks om at han nå ville gå til rettssak. Kravet var på to millioner kroner. Daniel Hale drev seg selv mot avgrunnen, men hvordan kunne han ha gjennomskuet motstanderens psykologi? Kanskje var det nettopp dette kravet som hadde satt i gang hele kjedereaksjonen den gangen?

Carl grep det øverste arket. Det var kopi av en faks som Lasse Jensen hadde sendt samme dag som Daniel Hale ble drept. Det var en erklæring og et utkast til en kontrakt:

'Jeg har skaffet pengene. Vi kan skrive under og avslutte handelen hos meg i dag. Min advokat vil ta med alle nødvendige papirer, kontraktutkast følger vedlagt. Vennligst før inn dine kommentarer og rettelser og ta med papirene til møtet.'
Alt var tydeligvis omhyggelig planlagt. Dersom papirene ikke hadde blitt flammenes rov i bilen, ville nok Lasse ha sørget for at de forsvant før politiet og redningsfolkene kom. Carl noterte seg møtedatoen og klokkeslettet. Det stemte helt nøyaktig. Hale hadde altså blitt lokket i en felle med dødelig utgang.

Dennis Knudsen hadde ventet på ham på Kappelev Landevei med foten på gasspedalen.

«Og se her, Carl,» sa Assad og tok det øverste dokumentet i neste bunke. Det var et utklipp fra Frederiksborg Amts Avis, hvor en notis om Dennis Knudsens død sto nederst på siden. 'Død som følge av overdose,' lød overskriften.

Så hadde han da fått sin plass i statistikken.

Carl gransket de neste dokumentene i bunken. Ingen tvil om at Lasse Jensen hadde tilbudt Dennis Knudsen raus betaling for å fremprovosere denne bilulykken. Heller ingen tvil om at det var Lasses bror Hans som hadde gått ut i veien foran Daniel Hales bil og dermed tvunget ham ut i midten av veien. Alt gikk som planlagt, bortsett fra at Lasse aldri betalte Dennis som han hadde lovet, med den følge at Dennis ble sur.

Et forbausende velformulert brev fra Dennis Knudsen stilte Lasse overfor et ultimatum: enten betale ham de tre hundre tusen, eller lide samme skjebne som Daniel Hale en vakker dag et sted ute på veiene når han minst ventet det.

Carl sendte en tanke til Dennis' søster. Jo, det var en fin lillebror hun gikk der og sørget over.

Han så opp på oppslagstavlene og oppdaget ført en uhellsvanger kronologi i Lasse Jensens liv. Bilulykken, avslag fra forsikringsselskapet. Avslag fra Lynggaard-fondet. Motivene avtegnet seg klarere enn noen gang.

«Tror du han er blitt sinnssyk i hodet av alle disse tingene?» spurte Assad og ga ham noe i hånden.

Carl rynket brynene. «Jeg tør ikke tenke på det, Assad.»

Han så på gjenstanden Assad hadde rakt ham. Det var en liten, kompakt Nokia mobiltelefon. Rød og skinnende og som ny å se på. På baksiden sto det 'Sanne Jønsson' med skjeve tusjbokstaver og et hjerte over. Tro hva jenta ville si når hun fikk vite at telefonen fortsatt eksisterte.

«Her er jo alt på ett brett,» sa han til Assad og nikket opp mot bilder av Lasses mor gråtende i en sykehusseng. Bilder av bygningene på Godhavn, og en mann som hadde fått følgende påskrift med tykke bokstaver: 'Fosterfar Satan.' Eldgamle avis-utklipp med rosende omtale av HJ Industries og Lasse Jensens far som en enestående pioner innenfor dansk industri. Minst tyve bilder av forskjellige detaljer fra fergen Schleswig-Holstein hang på tavlen, sammen med rutetider, oppmåling av avstander og antall trapper ned til bildekket. Det var også et minuttskjema i to kolonner. Ett for Lasse og ett for broren. Altså hadde de vært sammen om det.

«Hva betyr det?» sa Assad og pekte på tallene.

Carl var ikke sikker.

«Det kan bety at de har bortført henne og tatt livet av henne et annet sted. Jeg er dessverre redd for at det kan være forklaringen.»

«Og hva betyr det, da?» fortsatte Assad og pekte på det siste stålbordet hvor det lå noen ringpermer og en rekke plantegninger av teknisk karakter.

Carl tok opp den øverste ringpermen. Den var systematisk ordnet med skilleark, og øverst sto det: 'Dykker-kurs – Sjøforsvarets Våpenskole AUG 1985.' Han bladde litt og leste overskriftene: dykkerfysiologi, ventiloversikter, overflate-dekompresjonstabeller, oksygenbehandlingstabeller, Boyles lov, Daltons lov.

Det reneste volapyk.

«Er dykking viktig å kunne som hovmester, Carl?» spurte Assad.

Carl ristet på hodet. «Kanskje det bare er en fritidsinteresse.»

Han bladde i papirbunken og fant et utkast til en manual skrevet med sirlig steilskrift.

'Fremgangsmåte ved trykktesting av beholdere, av Henrik Jensen, HJ Industries, 10.11.1986.'

«Kan du lese dette, Carl?» spurte Assad mens han stirret ned i teksten. Det kunne han altså ikke selv.

På den første siden var det tegnet noen diagrammer og oversikter over rørgjennomføringer. Tilsynelatende var det snakk om spesifikasjoner til endringer av et eksisterende anlegg, trolig det som HJ Industries hadde overtatt etter Interlab da de kjøpte bygningene.

Han skummet gjennom den håndskrevne siden etter beste evne og heftet seg ved ordene 'trykkammer' og 'omslutte'.

Han løftet hodet og så opp på et nærbilde av Merete Lynggaard, som hang over papirbunken. Ordet trykkammer buldret enda en gang gjennom hjernen.

Han grøsset ved tanken. Kunne det virkelig være mulig? Tanken var ualminnelig gruoppvekkende. Det var like før svetten begynte å pible frem overalt.

«Hva er det, Carl?» spurte Assad.

«Gå ut og hold øye med plassen. *Nå*, Assad!»

Assistenten skulle akkurat til å gjenta spørsmålet da Carl snudde seg og gikk løs på den siste papirbunken. «Gå nå, Assad, og ta med deg denne.» Han rakte ham jernstangen som de hadde brutt opp dørene med.

Han bladde fort gjennom bunken. Det var en masse håndskrevne matematiske utregninger, stort sett med Lasse Jensens håndskrift, men også med andres. Det sa ham ikke noe.

Enda en gang betraktet han det knivskarpe fotoet av Merete Lynggaard. Det var trolig tatt på kloss hold, men øyensynlig uten at hun hadde merket det, for blikket var rettet litt til siden. Hun hadde et spesielt uttrykk i øynene. Noe livgivende og sprelsk som på en eller annen måte smittet betrakteren. Carl var overbevist om at det ikke var derfor Lasse Jensen hadde hengt det opp. Snarere tvert imot. Det var mange små huller i hjørnene av bildet. Det virket som om det var stiftet opp og tatt ned igjen en masse ganger.

Han dro ut de fire knappenålene som stiftet det til tavlen en etter en, tok fotografiet ned og snudde det.

Det som sto skrevet på baksiden, var en gal manns verk.

Han leste det flere ganger.

«Disse motbydelige øynene skal ploppe ut av hodet ditt. Det latterlige smilet ditt skal druknes i blod. Håret ditt skal visne og tankene bli til støv. Tennene skal råtne. Ingen vil huske deg

som annet enn det du er: et ludder, en hore, en djevel, en hel-
vetes morder. Dø som det, Merete Lynggaard.»

Under sto det tilføyd med blokkbokstaver:

6/7 2002: 2 ATMOSFÆRER
6/7 2003: 3 ATMOSFÆRER
6/7 2004: 4 ATMOSFÆRER
6/7 2005: 5 ATMOSFÆRER
6/7 2006: 6 ATMOSFÆRER
15/5 2007: 1 ATMOSFÆRE

Carl så seg over skulderen. Det var som om veggene trakk
seg sammen rundt ham. Han førte hånden opp til pannen og
sto og tenkte så det knaket. De hadde henne, han var sikker.
Hun var et eller annet sted i nærheten. Her sto det at de ville
drepe henne om fem uker, den femtende mai, men sannsyn-
ligvis hadde de allerede gjort det. Han og Assad hadde frem-
provosert det, følte han. Og det hadde skjedd her i nærheten.
Helt sikkert her.

Hva gjør jeg, hvem vet noe, tenkte han og boret seg ned i
hukommelsen.

Han tok mobilen og tastet seg frem til Kurt Hansen, den
gamle kollegaen som hadde endt opp med å representere par-
tiet Høyre på Folketinget.

Han travet rundt på gulvet mens ringesignalene trillet ut.
Tiden lå et sted og lo av dem alle sammen, han følte det bare
så altfor tydelig nå.

Idet han skulle til å gi opp, var Kurt Hansens karakteris-
tiske stemme i den andre enden.

Carl ba ham om ikke å si noe, bare lytte og tenke fort. Ikke
spørre, bare svare.

«Hva som skjer hvis man utsetter en person for seks atmo-
sfærers trykk over fem år og så plutselig utligner trykket?» gjen-
tok Kurt ettertenksomt. «Det var da et merkelig spørsmål. En
slik situasjon må da være strengt hypotetisk, går jeg ut fra?»

«Bare svar, Kurt. Du er den eneste jeg kjenner som vet noe om slike ting. Jeg kjenner ingen andre med dykkersertifikat. Bare si meg hva som skjer i et slikt tilfelle.»

«Nei, man dør.»

«Ja, men hvor fort?»

«Jeg aner ikke, men det blir en heller udelikat affære.»

«Hvordan da?»

«Alt sprenges inne i en. Alveolene sprenger lungene. Nitrogenet i beinsubstansen sprenger vevet, organene, ja, alt utvider seg, for det er jo luft overalt i kroppen. Blodpropper, hjerneblødning, massive indre blødninger, ja selv …»

Carl stanset ham. «Hvem kan hjelpe i en slik situasjon?»

Kurt Hansen kremtet. Kanskje han ikke hadde noe svar å gi. «Er det en aktuell problemstilling, Carl?» spurte han endelig.

«Det er jeg alvorlig redd for, ja.»

«Da skal du ringe til Marinens Overkommando på Holmen. De har et mobilt dekompresjonskammer. En Duocom fra Dräger.» Han oppga nummeret dit, og Carl takket.

Det tok bare et øyeblikk å sette Sjøforsvarets folk inn i situasjonen.

«Skynd dere, det er enormt viktig,» sa Carl. «Dere må ta med dere trykkluftbor og litt av hvert. Jeg vet ikke hvilke fysiske hindringer dere kommer til å møte. Og varsle Politihuset. Jeg trenger forsterkninger.»

«Jeg tror jeg har oppfattet situasjonen,» sa stemmen.

39

DE NÆRMET SEG den siste av bygningene svært forsiktig. Sømfarte omgivelsene etter tegn på om noe kunne ha blitt gravd ned nylig. Stirret på de sleipe plasttønnene som lå langs muren, som om de kunne inneholde en bombe.

Også denne døren var låst med hengelås, som Assad øyeblikkelig flerret av med flatjernet. Snart ble det vel en del av stillingsbeskrivelsen hans.

Det lå en søtlig odør i forrommet. Som en blanding av herreparfymen i Lasse Jensens soverom og kjøtt som har ligget for lenge. Eller kanskje snarere duften av rovdyrburene i Zoologisk hage på en varm, blomstrende vårdag.

På gulvet lå en masse beholdere i forskjellige lengder i skinnende, rustfritt stål. De fleste var ikke helt ferdigmontert med måleinstrumenter, men noen av dem var det. En uendelighet av tomme hyllemetere på den ene veggen vitnet om at forventningene til produksjonsvolumet en gang hadde vært høye. Slik hadde det ikke gått.

Carl vinket Assad med seg bort til neste dør og la pekefingeren over leppene. Assad nikket og knuget flatjernet så knokene ble hvite. Han dukket seg litt som for å gjøre seg til et mindre angrepsmål. Det virket som en ren refleks.

Carl åpnet den neste døren.

Det var tent lys i rommet. Takarmaturer bak trådglass lyste opp en korridor hvor det på den ene siden var dører inn til en rekke kontorer uten vinduer, og på den andre siden en dør som førte inn til enda en korridor. Carl nikket til Assad at han skulle undersøke kontorene, og gikk i forveien inn i den smale, lange gangen.

Det var grisete her. Som om de i årenes løp hadde klasket skitt og lort utover gulv og vegger. Svært ulikt ånden og kvalitetskravene man forbandt med fabrikkpioneren Henrik Jensen. Carl hadde vanskelig for å forestille seg ingeniører i hvite frakker i dette miljøet, slik det så ut her nå.

I enden av korridoren var det en dør som Carl åpnet forsiktig, mens han knuget springkniven i jakkelommen.

Han tente lyset og konstaterte at det var et lagerrom med et par rullebord, massevis av gipsplater og diverse nitrogen- og oksygenflasker. Han snuste uvilkårlig med utspilte nesebor. Det luktet krutt her. Som om et skytevåpen hadde vært avfyrt relativt nylig.

«Det var ikke noe i kontorene,» hørte han Assad si lavt bak seg.

Carl nikket. Det så ikke ut til å være noe her heller. Ikke annet enn denne generelle urensligheten som hadde slått ham ute i gangen også.

Assad kom inn og så seg om.

«Da er han ikke her, Carl.»

«Det er ikke han vi leter etter nå.»

Assad rynket brynene: «Hvem da?»

«Hysj,» sa Carl. «Hører du det?»

«Hva da?»

«Hør etter. Det er et ganske svakt sus.»

«Sus?»

Carl løftet hånden for å få ham til å være stille og lukket øynene. Det kunne være en vifte et eller annet sted i det fjerne. Det kunne være vann som rant i rørene.

«Det er noe luft som sier sånn, Carl. Noe som kan være punktert.»

«Ja, men hvor kommer det fra?» Carl snudde seg langsomt tre hundre og seksti grader. Det var rett og slett umulig å lokalisere. Rommet var toppen tre og en halv meter bredt og fem-seks meter langt, og likevel var det som om lyden kom fra ingensteds og alle steder på en gang.

Han studerte rommet inngående. Til venstre for ham var veggen dekket av en mengde gipsplater som var stilt opp fire og fire i bredden i minst fem lag bak hverandre. Nede ved kortveggen sto en enkelt gipsplate på skrå. Veggen til høyre var fri.

Han kikket opp i taket og så fire felter med små hull, og mellom dem bunter av ledninger og kobberrør som gikk fra korridoren og videre inn bak alle gipsplatene.

Assad så det også. «Det må være noe bak platene, da, Carl.»

Han nikket. Kanskje en yttervegg, kanskje noe annet.

For hver plate de bar bort og satte opp mot den motsatte veggen, var det som om lyden kom nærmere.

Til slutt sto de foran en vegg hvor det befant seg en stor, svart kasse oppunder taket, i tillegg til forskjellige spaker, måleinstrumenter og knapper. På den ene siden av dette kontrollpanelet var det innfelt en oval, todelt dør kledd med stålplater, og på den andre siden to store, runde vinduer med pansret, helt melkehvitt glass. Over glassene var det trukket ledninger mellom to stifter, festet med isolasjonstape, og det slo ham at det kunne være en sprengladning. Under hvert av vinduene sto et videokamera montert på stativ. Det var ikke vanskelig å forestille seg hva de kunne ha vært brukt til, og hva hensikten med sprengladningene var.

På gulvet under kameraene lå det en masse små, svarte kuler. Han tok opp en neve og så straks at det var hagl. Han kjente på overflaten av vindusglassene og gikk et skritt tilbake. Ingen tvil om at det var blitt avfyrt skudd mot dem. Da var det kanskje et eller annet ved situasjonen som folkene på gården ikke hadde full kontroll over.

Han la øret mot veggen. Den pipende lyden hørtes ut til å komme der inne fra. Ikke fra døren, ikke fra glassene. Bare innenfra. Det måtte være en ekstremt høy lyd siden den kunne trenge tvers gjennom denne massive veggen.

«Den står på over fire bar, Carl.»

Han så opp på trykkmåleren som Assad sto og knakket på. Mannen hadde rett. Og fire bar var det samme som fem atmosfærer. Altså var trykket allerede falt med en atmosfære.

«Assad, jeg tror Merete Lynggaard befinner seg der inne.»

Assistenten sto helt stille og betraktet den buede ståldøren. «Tror du?»

Han nikket.

«Trykket faller og faller bitte lite grann, Carl.»

Det stemte. Man kunne faktisk se nålen bevege seg.

Carl stirret opp på alle kablene. De tynne ledningene mellom detonatorene endte blindt, med avisolerte ender nede på gulvet. Da hadde de nok tenkt å koble dem til et batteri eller en eller annen form for utløsermekanisme. Var det det de hadde tenkt å gjøre den femtende mai, når trykket skulle ned på én atmosfære, som det sto på baksiden av fotografiet?

Han stirret rundt seg for å prøve å orientere seg. Kobberrørene gikk direkte inn i rommet. Det var kanskje ti av dem i alt, så hvordan kunne man vite hvilket som minsket trykket og hvilket som økte det? Hvis man kuttet ett av dem, risikerte man å gjøre galt verre for den som satt inne i trykkammeret. Det samme gjaldt hvis man gjorde noe med de elektriske ledningene.

Han gikk bort til slusedørene og studerte kontrolltavlen ved siden av. Her var det ingen tvil, alt sto svart på hvitt under de seks knappene: Toppdør åpen. Toppdør lukket. Slusedør åpen ytterst, slusedør lukket ytterst. Slusedør åpen innerst, slusedør lukket innerst.

Og begge portene i slusedøren sto på lukket. Det måtte de fortsette med.

«Hva tror du den er til?» spurte Assad og var farlig nær ved å vippe en av bryterne på tavlen fra OFF over til ON.

Nå skulle han hatt Hardy her ved siden av seg. Var det noe Hardy mestret bedre enn de fleste, så var det alt som hadde med knapper og brytere å gjøre.

«Den kontakten er satt opp etter alle andre,» sa Assad. «Se her, alle de andre er brune.» Han pekte på en av de brune bakelittboksene. «Hvorfor ellers den er av hvit plast og ikke de andre?»

Han hadde rett. Det var mange år mellom de forskjellige kontakttypene.

Assad nikket. «Jeg tror den bryteren stanser alt, eller den betyr ingenting.» Så herlig ukonkret kunne det sies.

Carl trakk pusten dypt. Det var snart ti minutter siden han hadde snakket med dem på Holmen, og enda ville det gå lang tid. Hvis Merete Lynggaard var der inne, ble de nødt til å gjøre noe drastisk.

«Okay, vri den om,» sa Carl full av bange anelser.

I neste øyeblikk hørte de pipelyden skjære gjennom rommet med full styrke. Carl sto med hjertet i halsen. Et øyeblikk var han sikker på at de hadde satt på enda mer trykk.

Så så han opp og forsto at de fire hullete feltene i taket, var høyttalere. Det var fra dem pipingen inne fra rommet kom, og den var gjennomtrengende og enerverende å høre på.

«Hva er det?» ropte Assad med fingrene i ørene. Ikke lett å svare når han sto slik.

«Jeg tror du har slått på et callinganlegg,» ropte Carl tilbake og så opp på feltene i taket. «Er du der inne, Merete?» ropte han tre-fire ganger og lyttet intenst.

Nå kunne de tydelig høre at det var lyden av luft som passerte gjennom en trang åpning. Som den lyden man lager mellom tennene før den ordentlige plystretonen kommer. Og lyden var konstant.

Han så bekymret på trykkmåleren. Nå var den snart ned på fire og en halv atmosfærers trykk. Det gikk fort unna.

Han ropte igjen, denne gangen av full styrke, og Assad tok fingrene ut av ørene og ropte med. Denne felles appellen måtte kunne vekke døde, tenkte Carl, og håpet inderlig at det ikke hadde kommet så langt. Plutselig kom det et dunk fra den svarte boksen oppunder taket, og det ble helt stille i rommet et øyeblikk.

Det er boksen der opp som styrer trykket, tenkte han, og vurderte et øyeblikk å løpe ut i de andre rommene og finne noe å stå på så han kunne åpne boksen.

Det var da han hørte stønnene gjennom høyttalerne. Som den lyden man kan høre dødsdømte dyr eller mennesker i dyp krise utstøte. En lang, monoton klagetone.

«Merete, er det deg?» ropte han.

De sto litt og ventet før de hørte en lyd som de tolket som et ja.

Carl kjente det svi i halsen. Merete Lynggaard var der inne. Holdt fanget i over fem år i disse svinske, trøstesløse omgivelsene. Og nå var hun kanskje i ferd med å dø, og Carl ante ikke hva han skulle gjøre.

«Hva kan vi gjøre, Merete?» ropte han og hørte i det samme et voldsomt brak fra gipsplaten ved den innerste veggen. Han oppfattet med én gang at det var skutt gjennom platen med et haglgevær, og at platen hadde spredt ladningen over hele rommet. Han registrerte en dunkende smerte flere steder på kroppen og kjente varmt blod som silte stille ut. Et uendelig tiendedels sekund sto han som paralysert, så kastet han seg bakover mot Assad, som sto der med en blødende arm og så forskrekket ut.

De havnet på gulvet, i mellomtiden hadde gipsplaten falt forover, og de så mannen som hadde stått gjemt bak den. Han var ikke vanskelig å kjenne igjen. Bortsett fra rynkene i ansiktet som et vanskelig liv og et plaget sinn hadde påført ham de siste årene, så Lasse Jensen ut akkurat som på ungdomsbildene de hadde sett av ham.

Lasse kom frem på gulvet med det rykende haglgeværet og betraktet skadene som skuddet hans hadde voldt med samme kalde likegyldighet som om det hadde dreid seg om en oversvømmelse i en kjeller.

«Hvordan fant dere frem til meg?» spurte han og bendte opp

dobbeltløpet og satte i to nye haglpatroner. Han gikk nesten helt bort til dem. Ingen tvil om at han ville trekke av når det passet ham.

«Du kan ennå stoppe dette, Lasse,» sa Carl og løftet seg litt opp fra gulvet slik at Assad kunne komme seg fri under kroppen hans. «Hvis du stopper nå, kan du slippe unna med noen få år i fengsel. I motsatt fall blir det livsvarig for mord.»

Mannen smilte. Det var ikke vanskelig å forstå at kvinner kunne falle for ham. Han var en djevel i forkledning. «Da er det mye dere ikke har skjønt,» sa han og rettet løpet direkte mot Assads tinning.

Det må du gjerne tro, tenkte Carl, og kjente i det samme Assads hånd gli ned i jakkelommen hans.

«Jeg har tilkalt forsterkninger. Kollegene mine vil snart være her. Gi meg det haglgeværet, Lasse, så ordner det seg alt sammen.»

Lasse ristet på hodet. Han trodde ham ikke. «Jeg blåser huet av kollegaen din hvis du ikke svarer. Hvordan fant dere meg?»

Når man tenkte på den desperate situasjonen han befant seg i, var han altfor kontrollert. For ikke å si fullstendig gal.

«På grunn av Uffe,» svarte Carl.

«Uffe?» Ansiktsuttrykket hans skiftet. Den opplysningen ga tydeligvis ikke mening i den verdenen han hadde innsatt seg selv som overhode over. «Tøv! Uffe Lynggaard vet ingenting, og han sier ingenting. Jeg har fulgt med i mediene i de siste par dagene. Han sa ingenting, du lyver!»

Nå hadde Assad fått tak i springkniven, det kunne han kjenne.

Til helvete med reglementer og våpenlov. Han håpet bare at Assad ville rekke å bruke den.

Det kom en lyd fra høyttalerne over dem. Som om kvinnen der inne ville si noe.

«Uffe Lynggaard gjenkjente deg på et bilde,» fortsatte Carl. «Et ungdomsbilde hvor du står sammen med Dennis Knudsen. Husker du det bildet, Atomos?»

Navnet sved som et slag i ansiktet på ham. Det var tydelig at års lidelser veltet opp til overflaten i Lasse Jensens indre.

Han presset munnvikene ned og nikket. «Okay, så du vet det også! Da vet dere vel det meste, da, skulle jeg tro. Og da forstår dere sikkert at dere blir nødt til å slå følge med Merete.»

«Det rekker du ikke. Det er forsterkninger på vei,» sa Carl og bøyde seg litt frem slik at Assad kunne dra kniven opp av lommen og hugge til med den. Spørsmålet var bare om psykopaten rakk å trekke av først. Hvis han fyrte av begge løpene på kloss hold, ville både han og Assad være fortapt.

Lasse smilte igjen. Han var situasjonens herre. Psykopatens kjennemerke. Ingenting kunne vippe ham av pinnen.

«Å, jo da, jeg rekker det, vær du trygg.»

Rykket i Carls jakkelomme og det påfølgende klikket fra springkniven falt sammen med lyden som kjøtt avgir når det blir hugd i med kniv slik at sener og friske muskler flerres. Carl så blodet på Lasses ben samtidig som Assad slo geværløpet opp med den blodige venstrearmen. Braket i Carls ører da Lasse trakk av i ren refleks, stengte all lyd ute, og han så Lasse falle lydløst bakover og Assad kaste seg over ham med kniven løftet.

«Nei,» ropte Carl og kunne nesten ikke høre det selv. Han prøvde å reise seg, men kjente nå virkningen av skuddet som hadde truffet ham. Han kikket på gulvet under seg og så at blodet var dratt ut i striper. Så tok han seg til låret og klemte til mens han reiste seg.

Assad satt blødende overskrevs på Lasse med kniven mot strupen hans. Carl hørte det ikke, men så hvordan Assad skrek til mannen under seg, og at Lasse spyttet Assad i ansiktet for hver setning.

Så kom hørselen gradvis tilbake på det ene øret. Instrumentpanelet over dem hadde begynt å slippe luft ut av kammeret igjen. Denne gangen lå pipetonen i et høyere leie enn i sted, eller var det hørselen som spilte ham et puss?

«Hvordan stanser vi denne faenskapen? Hvordan lukker du

378

ventilene? Si det!» ropte Assad for gud vet hvilken gang, og spyttklysen fra Lasse fulgte. Først nå oppdaget Carl at Assad presset knivbladet litt hardere mot Lasses hals for hver gang han spyttet.

«Jeg har kuttet strupen på bedre folk enn deg,» ropte Assad og ristet i ham så blodet silte nedover halsen.

Carl visste ikke hva han skulle tro.

«Selv om jeg hadde visst det, hadde jeg ikke sagt det,» freste Lasse tilbake. Carl så på buksebenet der Assad hadde stukket ham. Blødningen virket ikke voldsom. Ikke som når den store arterien i låret er punktert, men det kunne være farlig nok for det.

Han så opp på manometeret der trykket falt sakte men sikkert. Hvor i helvete ble det av hjelpen? Hadde ikke folkene på Holmen varslet kollegene hans, som han ba om? Carl støttet seg til veggen, tok frem mobilen og tastet inn nummeret til vakten. Assistansen kunne være fremme om få minutter. Både kollegene og ambulansefolkene ville få nok å henge fingrene i.

Han merket ikke slaget mot armen, bare at mobiltelefonen ramlet i gulvet og at armen falt ned langs siden. Han snudde seg med et rykk og fikk se det magre vesenet bak dem smelle flatjernet som de hadde brukt til å bryte opp låsene, inn i tinningen på Assad.

Han falt på siden uten et ord.

I neste øyeblikk gikk Lasses bror frem og trampet på mobiltelefonen til den var fullstendig smadret.

«Åh Gud, er det alvorlig, gutten min?» hørte han i bakgrunnen. Kvinnen kom kjørende inn i rullestolen med alle livets ulykker malt i ansiktet. Hun enset ikke den bevisstløse mannen på gulvet. Så ikke annet enn blodet som sivet nedover buksene på sønnen.

Lasse reiste seg tungt og så sint på Carl. «Det er ingenting, mor,» sa han og trakk et lommetørkle opp av bukselommen, rev beltet ut av buksen og strammet det hele på plass rundt låret, hjulpet av broren.

Hun trillet forbi dem og stirret opp på manometeret. «Hvordan går det der inne, elendige sugge?» ropte hun mot glassruten.

Carl så ned på Assad, som lå på gulvet og pustet svakt. Da var det i hvert fall håp. Carl lot blikket gli rundt på gulvet på jakt etter springkniven. Kanskje den lå under Assad, kanskje den ville komme til syne når den magre fyren flyttet seg litt.

Det var som om mannen merket det. Han snudde seg mot Carl med et barns uttrykk i ansiktet. Som om Carl ville stjele noe fra ham eller kanskje til og med begynne å slå. Blikket han sendte Carl besto av barndommens ensomhet. Av andre barn som ikke forsto hvor sårbar en enfoldig sjel kunne være. Han løftet flatjernet og tok sikte på Carls hals.

«Skal jeg drepe ham, Lasse? Skal jeg? Jeg greier det fint.»

«Du skal ingenting,» snerret kvinnen og trillet nærmere.

«Sett deg, jævla snut,» kommanderte Lasse og rettet seg opp i full høyde. «Gå og hent batteriet, Hans. Vi sprenger huset i luften. Det er det eneste vi kan gjøre nå. Skynd deg. Om ti minutter er vi vekk herfra.»

Han ladet haglgeværet og holdt øye med Carl, som lot seg gli ned med ryggen mot veggen til han satt lent mot slusedøren.

Lasse begynte å rive opp isolasjonstapen på glassvinduene og dro til seg sprengledningene. Med en kjapp håndbevegelse surret han hele den dødelige miksen av ledninger og detonatorer rundt halsen på Carl som et tørkle.

«Du kommer ikke til å merke noe, så det er ikke noe å være redd for. Hun der inne slipper ikke fullt så billig. Men sånn må det være,» sa Lasse kaldt og dro gassflaskene bort til veggen mot trykkammeret bak Carl.

Broren kom inn med batteriet og en stor ledningsrull.

«Nei, vi gjør det på den andre måten, Hans. Vi tar med batteriet ut igjen. Du skal bare koble det slik,» sa Lasse og demonstrerte hvordan sprenglegemene rundt halsen på Carl skulle kobles til skjøteledningen og etterpå til batteriet. «Klipp av et bra stykke så vi har litt å gå på, det skal rekke helt ut på gårdsplassen.»

Han lo og så direkte på Carl. «Ja, vi kobler til strømmen der ute, og så blåser vi huet av snuten her samtidig som gassflaskene går i luften.»

«Men før det – hva gjør vi med han her?» spurte broren og pekte på Carl. «Han kan jo bare kutte ledningene.»

«Han her?!» Lasse smilte og dro batteriet litt bort fra Carl. «Du har helt rett. Du skal få slå ham i svime om et øyeblikk.»

Så la han om stemmen og snakket til Carl med alvorstungt ansikt. «Hvordan fant du frem til meg? Dennis Knudsen og Uffe, sier du. Jeg får det ikke til å stemme. Hvordan linket du dem til meg?»

«Du har gjort tusen feil, din undermåler. Derfor!»

Lasse trakk seg litt tilbake i rommet med noe som lignet vanvidd lysende ut av øynene. Mannen ville utvilsomt skyte ham om et øyeblikk. Ta rolig sikte og trekke av. Adjø, Carl. Han skulle så visst ikke få stikke kjepper i hjulene for sprengningen. Som om han ikke visste det.

Carl så rolig og resignert på Lasses bror, som fomlet med ledningene. De ville ikke legge seg riktig. De kveilet og floket seg så snart han rullet dem ut.

I samme øyeblikk kjente han at Assads skadete arm rykket til mot leggen hans. Kanskje var han ikke så hardt skadet likevel. En fattig trøst slik det lå an nå. Snart ville de være døde uansett.

Carl lukket øynene og forsøkte å gjenkalle i erindringen noen betydningsfulle øyeblikk i livet. Etter noen sekunders tomhet i hodet åpnet han dem igjen. Ikke engang den trøsten kunne han få.

Hadde det virkelig vært så få høydepunkter i livet hans?

«Nå må du skynde deg ut, mor,» hørte han Lasse si. «Kjør ut på gårdsplassen og hold deg godt unna veggene. Vi kommer etter om et øyeblikk. Så fordufter vi.»

Hun nikket. Snudde seg for siste gang mot det ene koøyet og spyttet på glasset.

Da hun passerte sønnene, så hun hånlig ned på Carl og mannen som lå ved siden av ham. Hadde hun kunnet sparke til dem, hadde hun gjort det. De hadde stjålet livet hennes, slik andre hadde gjort det før dem. Hun befant seg i en permanent tilstand av bitterhet og hat. Ikke noe fremmed skulle få komme inn i glassboblen hennes.

Heksa kommer ikke forbi, tenkte Carl og så hvordan det ene benet til Assad sprikte ut til siden og sperret veien for rullestolen.

Da hun kjørte på benet hans, satte Assad i et brøl, spratt opp og ble stående mellom kvinnen og døren. De to mennene ved glassrutene snudde seg, og Lasse løftet haglgeværet i samme øyeblikk som Assad, med blodet silende fra tinningen, bøyde seg ned, tok tak under knehasene på kvinnen og stormet mot mennene med rullestolen som rambukk. Bråket i rommet var infernalsk. Assads brøl, kvinnens frenetiske hyl, pipingen fra trykkammeret og mennenes forbannelser, etterfulgt av rabalderet da rullestolen slo de to over ende.

Kvinnen ble liggende med bena i været, Assad hoppet opp på henne og kastet seg frem mot geværløpet som Lasse forsøkte å rette mot ham. Den unge mannen i bakgrunnen begynte å hyle da Assad fikk tak i løpet med den ene hånden og satte inn et par harde håndkantslag mot Lasses strupehode med den andre. Etter få sekunder var det over.

Assad trakk seg tilbake med geværet i hånden, dyttet rullestolen unna og tvang en hostende Lasse opp i stående stilling. Han sto et øyeblikk og så på ham.

«Si hvordan du stanser dette!» ropte han mens Carl stablet seg på bena.

Carl oppdaget springkniven helt inntil veggen et stykke borte. Han viklet av seg ledningene og detonatorene og gikk og tok den opp, mens den tynne mannen forsøkte å få moren på bena.

«Si det. Nå!» Carl satte kniven mot kinnet på mannen.

«Begge så det samtidig i øynene til Lasse. Han trodde ikke

på dem. I hans hjerne dreide det seg om én ting: at Merete Lynggaard skulle dø der inne bak veggen. Alene, langsomt og pinefullt, det var Lasses mål. Så kunne han alltids ta straffen etterpå. Hvilken rolle spilte det?

«Vi sprenger ham og hele familien i luften, Carl,» sa Assad med sammenknepne øyne. «Merete Lynggaard er fortapt nå. Vi kan ikke gjøre mer for henne.» Han pekte opp på manometeret, som nå var kommet et godt stykke under fire atmosfærer. «Vi gjør det samme mot dem, som de ville mot oss. Og Merete slipper å ha mer vondt.»

Carl så ham inn i øynene. Det lå en kime til hat et sted inne i de varme øynene til denne assistenten, som helst ikke burde ha for mye næring.

Carl ristet på hodet. «Det kan vi ikke gjøre, Assad.»

«Jo, Carl, det kan vi,» svarte Assad. Han rakte frem den ledige hånden og dro langsomt ledningene og detonatorene ut av hendene på Carl og viklet dem rundt halsen på Lasse.

Mens Lasse søkte øyekontakt med den sammenbitte moren og broren som sto og skalv bak rullestolen hennes, sendte Assad Carl et skråblikk som ikke var til å misforstå. De måtte drive spillet så langt at Lasse ble usikker. Lasse ville ikke kjempe for å redde sitt eget skinn, men med moren og broren var det en annen sak. Assad hadde skjønt det. Og det var riktig.

De løftet armene på Lasse og koblet de avisolerte endene til skjøteledningene, slik Lasse hadde forklart.

«Sett dere i kroken!» kommanderte Carl kvinnen og den yngste sønnen. «Ta moren din og sett deg med henne på fanget, Hans.»

Den yngste sønnen så på ham med redde øyne, tok moren i armene som om hun var en filledokke og satte seg ned med ryggen mot endeveggen.

«Vi sprenger både dere tre og Merete Lynggaard i luften hvis du ikke forteller oss hvordan du slår av den helvetesmaskinen,» sa Carl og koblet den ene av skjøteledningene til den ene polen på batteriet.

Lasse slapp moren med blikket og snudde seg mot Carl med brennende hat i øynene. «Jeg vet ikke hvordan man stopper det,» sa han rolig. «Jeg kan finne det ut ved å lese i manualene, men det er det ikke tid til.»

«Det er løgn, du prøver å vinne tid!» ropte Carl. I øyekroken så han at Assad vurderte å slå ham.

«Hvis du sier det, så,» sa Lasse og så på Assad med et smil.

Carl nikket. Han løy ikke. Han var iskald, men han løy ikke, hele hans mangeårige erfaring sa ham det. Lasse visste ikke hvordan anlegget kunne stanses uten å se i manualen. Slik var det, dessverre.

Han snudde seg mot Assad. «Er du okay?» spurte han og la hånden på geværløpet. Det var i siste øyeblikk før Assad hadde klubbet til Lasse i ansiktet med geværkolben.

Assad nikket ilsk. Haglene i armene hadde ikke gjort nevneverdig skade, ikke slaget i tinningen heller. Han var laget av seigt materiale.

Carl dro forsiktig haglgeværet ut av hendene på ham. «Jeg kan ikke gå så langt. Jeg tar hagla, Assad, så løper du og henter manualen. Du så den i sted. Den håndskrevne manualen i det innerste rommet. Den ligger i den bakerste bunken. Øverst, tror jeg. Kom med den. Og skynd deg!»

Lasse smilte da Assad forsvant ut døren, og Carl satte geværløpet under haken på ham. Som en gladiator veide Lasse motstandernes styrker og svakheter og valgte ut den det passet ham best å kjempe mot. Det var tydelig at han mente at Carl var en bedre motstander for ham enn Assad. Og det var like tydelig for Carl at han tok feil.

Lasse rygget mot døren. «Du tør ikke skyte meg, det torde han andre. Jeg går nå, og du kan ikke hindre meg.»

«Så det tror du!» Carl gikk frem og grep ham rundt halsen. Neste gang mannen rørte på seg, ville han feie til ham i ansiktet med geværløpet.

I det samme hørte de en politisirene i det fjerne.

«Løp!» skrek lillebroren i bakgrunnen, sprang opp med

moren i armene og sendte rullestolen mot Carl med et voldsomt spark.

Før han fikk summet seg var Lasse ute av døren. Carl ville løpe etter ham, men kunne ikke. Han var tydeligvis verre kvestet enn Lasse. Benet ville bare ikke lystre.

Han rettet geværet mot mor og sønn og lot rullestolen suse forbi og treffe veggen.

«Se,» ropte den tynne mannen og pekte på den lange ledningen som Lasse dro etter seg.

Alle i rommet så hvordan ledningen rutsjet over gulvet, mens Lasse sikkert prøvde å kvitte seg med sprengladningene rundt halsen der han beinfløy gjennom korridoren. De så ledningen forsvinne ut gjennom døren helt til det ikke var mer slakk. Batteriet ble revet over ende, smalt inn i dørkarmen, veltet rundt, og i det samme gled den løse ledningen inn under batteriet og traff den andre polen.

De merket bare braket som en svak rystelse og en dump lyd i det fjerne.

***

MERETE LÅ PÅ ryggen i mørket og lyttet til pipelyden, mens hun forsøkte å holde armene slik at hun kunne presse hardt mot begge håndleddene samtidig.

Det gikk ikke lang tid før huden begynte å klø, men noe mer skjedde ikke. Et øyeblikk følte hun det som om alle mirakler ville bistå henne, og hun skrek til dysene i taket at de ikke kunne gjøre henne noe.

Da den første plomben begynte å løsne, visste hun at miraklene ikke ville innfinne seg. I minuttene som fulgte vurderte hun å slippe taket rundt håndleddene, for hodepinen og leddsmertene og presset i alle de indre organene bare økte og bredte seg. Da hun til slutt bestemte seg for å slippe, kunne hun ikke føle sine egne hender lenger.

Jeg må snu meg, tenkte hun, og ga kroppen ordre om å

rulle over på siden, men musklene var blitt helt slappe. Hun merket forvirringen samtidig som kvalmefornemmelsene fikk henne til å brekke seg, og hun følte at hun skulle kveles.

Hun lå fiksert i den samme stillingen og kjente krampene sette inn. Først i setemusklene, så i mellomgulvet, så over brystkassen.

Det tar for lang tid, skrek det i henne, og igjen forsøkte hun å løsne det fastlåste presset på pulsårene.

Etter enda noen minutter gled hun inn i en tåkedøs. Tanker om Uffe var umulige å fastholde. Hun så fargeeksplosjoner og lysglimt og roterende former, ingenting annet.

Da de første plombene sprang, ga hun fra seg en langtrukken, monoton klagelyd. Kreftene hun hadde igjen, gikk med til denne jamringen. Men hun kunne ikke høre seg selv, til det var pipingen fra dysene over henne for sterk.

Så stoppet luftlekkasjen plutselig og lyden forsvant. Et øyeblikk tenkte hun at redningen kanskje hadde kommet til henne. Hun hørte stemmer der ute. De ropte på henne, og jamringen hennes avtok i styrke. Da spurte stemmen om hun var Merete. Alt i henne sa: «Ja, her er jeg.» Kanskje sa hun det til og med høyt. Etterpå snakket de om Uffe som om han var en vanlig gutt. Hun sa navnet hans, men kunne ikke uttale det. Et brak hørtes, og stemmen til Lasse var tilbake og knuste håpet. Hun pustet langsomt og kjente nå hvordan de valne fingrene slapp presset rundt håndleddene. Hun visste ikke om det fortsatt blødde. Kjente verken smerte eller lindring.

Og så begynte det å syde og pipe i taket igjen.

Da jorden ristet under henne, ble alt kaldt og varmt på samme tid. Hun kom et øyeblikk til å tenke på Gud, og hvisket navnet hans i tankene. Så kom det et glimt i hodet.

Et lysglimt etterfulgt av et enormt bulder og mer lys som strømmet inn.

Og hun slapp taket i seg selv.

EPILOG

2007

MEDIEDEKNINGEN BLE ENORM. Til tross for det sørgelige utfallet var etterforskningen og oppklaringen av Lynggaardsaken en suksesshistorie. Piv Vestergård fra Danmarkspartiet var såre fornøyd og solte seg i glansen som den som hadde krevd å få opprettet denne avdelingen, samtidig som hun også benyttet anledningen til å hakke på alle som ikke delte hennes syn på samfunnet.

Det var bare én av grunnene til at Carl meldte seg ut.

Tre turer på sykehuset, haglene pirket ut av benet, en time hos psykologen Mona Ibsen som han selv avbestilte. Særlig mer enn det var det ikke blitt til.

Nå var de tilbake i tralten nede i kjelleren. På oppslagstavlen hang to små plastposer med hagl, femogtyve i Carls og tolv i Assads. I skrivebordsskuffen lå det en springkniv med et ti centimeter langt blad. Med tid og stunder ville de kvitte seg med hele skrotet.

De passet på hverandre, han og Assad. Carl ved å la makkeren komme og gå som han ville, og Assad ved å skape en mild og avslappet stemning i kjellerkontoret. Etter tre uker i dødvanne med røyk og Assads kaffe og katzenjammermusikk i bakgrunnen, strakte Carl endelig hånden ut mot bunken av saksmapper på hjørnet av skrivebordet og begynte å bla litt.

Det var mer enn nok å gå løs på.

«Kommer du i Fælledparken i ettermiddag, Carl?» spurte Assad fra døråpningen.

Carl så sløvt opp på ham.

«Første mai, ikke sant, flagg, faner og hornmusikk. Er det ikke det de sier?»

Han nikket. «Kanskje senere, Assad, men du kan godt dra nå hvis du vil.» Han så på klokken. Den var tolv. I gamle dager var en halv fridag en avtalefestet rettighet de fleste steder.

Men Assad ristet langsomt på hodet. «Det er ikke noe for meg, Carl. For mange folk jeg ikke gidder å møte.»

Carl nikket. Det fikk bli hans sak. «I morgen tar vi en titt på bunken her,» sa han og slo på den. «Eller hva sier du, Assad?»

Smilerynkene rundt Assads øyne ble så dype at det var like før plasteret i tinningen løsnet. «Den er god, Carl!» sa han.

Telefonen ringte. Det var Lis, og det var det vanlige. Drapssjefen ville snakke med ham på kontoret.

Carl åpnet den nederste skrivebordsskuffen og tok frem et tynt plastomslag. Denne gangen hadde han virkelig på følelsen at han ville få bruk for det.

«HVORDAN GÅR DET, Carl?» Det var tredje gangen på en uke at Marcus Jacobsen hadde sørget for å oppdatere seg på det spørsmålet.

Carl trakk på skuldrene.

«Hvilken sak jobber du med nå?»

Ny skuldertrekning.

Drapssjefen tok av seg halvbrillene og la dem fra seg på papirslagmarken foran seg. «Aktor har inngått forlik med Ulla Jensens og sønnens forsvarere i dag.»

«Ja vel.»

«Åtte år for moren og tre for sønnen.»

Carl nikket. Det var som man kunne vente.

«Ulla Jensen havner sikkert i en eller annen behandlingsinstitusjon.»

Han nikket igjen. Og hun ville sikkert få følge av sønnen også. Hvordan skulle det stakkars individet komme seg helskinnet gjennom et fengselsopphold? Drapssjefen senket hodet. «Er det noe nytt om Merete Lynggaard?»

Carl ristet på hodet. «De holder henne fortsatt i koma, og de har vel ingen overdrevne forventninger. Hjernen er antagelig varig skadet av alle disse blodproppene.»

Marcus Jacobsen nikket. «Du og dykkerekspertene fra Sjøforsvaret på Holmen gjorde i hvert fall hva dere kunne, Carl.»

Han kastet et tidsskrift over bordet. Det var bilde av en dykker, men tittelen var feilstavet.

«Det er et norsk dykkertidsskrift. Ta en titt på side fire.»

Han fant siden og kikket flyktig på bildene. Et gammelt fotografi av Merete Lynggaard. Et bilde av trykkbeholderen som dykkerne hadde koblet til slusedøren, slik at hjelperen kunne få kvinnen ut av fangehullet og over i det mobile trykkammeret. Under var det en kort tekst om hjelperens rolle og forberedelsene inne i den mobile beholderen, om tilkoblingen og trykkammersystemet, og om hvordan man først satte trykket litt opp i kammeret, blant annet for å stoppe blødningene fra kvinnens håndledd. Det hele var illustrert med en plantegning av bygningen og et tverrsnitt av Dräger Duocom'en med hjelperen på plass innvendig mens han ga henne surstoff og førstehjelp. Så var det bilder av legene foran det enorme trykkammeret på Rikshospitalet og av sersjant Mikael Overgaard som bisto den dødssyke pasienten inne i trykkammeret. Endelig var det et uskarpt bilde av Carl og Assad på vei ut til ambulansene.

'Strålende samarbeid mellom Sjøforsvarets dykkereksperter og en nyopprettet politiavdeling avslutter årtiers mest kontroversielle forsvinningssak i Danmark,' sto det med store typer på norsk.

Drapssjefen hadde sjarmsmilet på lur. «Vi har faktisk blitt kontaktet av Politidirektoratet oppe i Oslo. De vil gjerne vite mer om arbeidet ditt, Carl. Til høsten vil de sende en delegasjon nedover, og da regner jeg med at du vil ta godt imot dem.»

Carl merket selv hvordan munnvikene sank. «Det har jeg ikke tid til,» protesterte han. «Husk vi er bare to mann på avdelingen. Hvor mye var det budsjettet vårt var på igjen, sjef?»

Marcus Jacobsen gled behendig utenom. «Nå når du er frisk og tilbake på jobb igjen, er det på tide at du skriver under på dette her, Carl.» Han slengte det samme latterlige søknadsskjemaet til såkalte 'kompetansegivende kurs' over bordet til Carl.

Carl lot det ligge. «Jeg vil ikke, sjef.»

«Men du er faktisk nødt, Carl. Hvorfor vil du ikke?»

Akkurat nå kunne vi trengt en røyk begge to, tenkte Carl. «Av flere grunner,» sa han. «Tenk på velferdsreformen. Snart har vi fast aldersgrense på sytti år hvis man er høyt nok på rangstigen. Jeg vil faen meg ikke ende opp i et horn på veggen her inne, papirarbeid er ikke noe for meg. Ikke administrasjon heller. Jeg er ferdig med å lese lekser, jeg er ferdig med å gå opp til eksamener, jeg er for gammel. Jeg gidder ikke å lage nye visittkort, jeg gidder rett og slett ikke å bli forfremmet en gang til. Derfor, sjef.»

Drapssjefen så trett ut. «Du nevner en masse ting som ikke kommer til å skje. Du maler fanden på veggen, Carl. Hvis du vil være sjef for Avdeling Q, så har du å ta de kursene.»

Han ristet på hodet. «Nei, Marcus. Ikke mer lekselesing på meg. Det er ille nok at jeg må høre stesønnen min i matematikk. Og han stryker uansett. Avdeling Q ledes nå og i fortsettelsen av en visekriminalkommissær. Ja, jeg bruker fortsatt den gamle tittelen, og dermed basta.» Carl løftet hånden og holdt plastomslaget opp i luften.

«Har du sett dette her, Marcus?» fortsatte han og tok papiret ut av plastomslaget. «Det er Avdeling Qs driftsbudsjett nøyaktig slik det ble banket igjennom i Folketinget.»

Det lød et dypt sukk på den andre siden av bordet.

Han pekte på bunnlinjen. Fem millioner kroner i året, sto det. «Så vidt jeg kan forstå er det en differanse på over fire millioner mellom dette og det avdelingen min i realiteten koster. Stemmer ikke det sånn bortimot?»

Drapssjefen gnikket seg i pannen. «Hvor vil du hen med dette, Carl?» spurte han synlig irritert.

«Du ser gjerne at jeg glemmer dette papiret, og jeg ser gjerne at du glemmer disse elendige kurssøknadene.»

En påfallende forandring i drapssjefens ansiktsfarge ble ledsaget av en overkontrollert stemme. «Dette er utpressing, Carl. Den slags driver vi ikke med her i huset.»

«Nettopp, sjef,» sa Carl, fisket lighteren opp av lommen og tente på budsjettarket. Tall for tall slikket flammene i seg hele herligheten, til han dumpet asken på en brosjyre for kontorstoler – og rakte Marcus Jacobsen lighteren.

DA HAN KOM ned, lå Assad bortreist på bedeteppet, så Carl skrev en lapp og la den på gulvet utenfor døren hans. «Sees i morgen,» sto det.

På veien opp til Hornbæk grublet han på hva han skulle si til Hardy om saken ute på Amager. Eller om han i det hele tatt skulle si noe. I de siste ukene hadde Hardy hatt det ganske tungt. Spyttsekresjonen var nedsatt, og Hardy hadde vanskelig for å snakke. Det ville antagelig gå over, sa de, men til gjengjeld virket det som om Hardys tungsinn hadde satt seg for godt.

Nå hadde de forsøkt å flytte ham til et bedre rom, hvor han lå på siden og antagelig så vidt kunne skimte skipskolonnene gjennom Øresund langt der ute.

For et år siden hadde de to sittet på Bakken og spist stekt flesk med persillesaus til den store gullmedalje mens Carl hadde beklaget seg over Vigga. Nå satt han der på sengekanten og kunne ikke tillate seg å beklage seg over noe som helst.

«Politiet i Sorø måtte la mannen i den rødrutete skjorten gå, Hardy,» sa han til slutt rett ut.

«Hvem?» krakset Hardy hest uten å rikke hodet en millimeter.

«Han har et alibi. Men alle der nede vet at det er riktig mann. Han som skjøt deg og meg og Anker og myrdet de to nede i Sorø. Og likevel måtte de slippe ham. Jeg er lei for å måtte si det, Hardy.»

«Det driter jeg i.» Hardy hostet litt og kremtet, og Carl

gikk bort og vætet en papirserviett under vannspringen. «Hva raker det meg om de tar ham eller ikke,» sa Hardy med slim i munnvikene.

«Vi skal ta ham og de andre som var med på det, Hardy,» sa Carl og tørket av munnen og haken hans. «Jeg kjenner på meg at jeg snart blir nødt til å involvere meg. De svina skal ikke gå fri, det skal de faen meg ikke.»

«God fornøyelse,» sa Hardy og svelget en gang, som om han tok sats for å si noe mer. «Ankers enke var her i går,» kom det. «Det var ikke mye morsomt, Carl.»

Carl husket Elisabeth Høyers bitre ansikt. Han hadde ikke snakket med henne siden Ankers død. Selv ved begravelsen hadde hun ikke sagt et ord til ham. Fra det øyeblikket hun mottok budskapet om mannens død, hadde hun gjort Carl til den store syndebukken.

«Sa hun noe om meg?»

Det svarte ikke Hardy på. Lå bare en lang stund og blunket langsomt med øynene. Som om skipene der ute hadde tatt ham med på langfart.

«Og du vil fortsatt ikke hjelpe meg å dø, Carl?» spurte han endelig.

Carl strøk ham over kinnet. «Skulle ønske jeg kunne, Hardy. Men jeg kan ikke.»

«Da får du hjelpe meg så jeg kommer hjem igjen, vil du love meg det? Jeg vil ikke være her lenger.»

«Hva sier kona di, Hardy?»

«Hun vet det ikke, Carl. Jeg har nettopp bestemt meg for det.»

Carl så for seg Minna Henningsen. Hun og Hardy hadde møtt hverandre som helt unge. Nå var sønnen flyttet hjemmefra, og hun så fortsatt ung ut. Slik situasjonen var, hadde hun sikkert nok å gjøre med sitt eget.

«Dra inn og snakk med henne i dag, Carl, så gjør du meg en kjempetjeneste.»

Carl så ut på skipene.

Han fryktet at Hardy ville komme til å angre på denne ideen når livets realiteter seg inn over ham.

OG DET GIKK ikke mange sekundene før Carl visste at han ville få rett.

Minna Henningsen åpnet døren inn til et lystig lag som umulig kunne forenes med Hardys forhåpninger. Seks oppstriglete kvinner med glimt i øyet og ville planer for resten av dagen.

«Det er jo første mai, Carl. Dette er fast opplegg for oss jentene i klubben. Har du glemt det?» Han nikket til et par av dem da hun dro ham ut på kjøkkenet.

Det tok ham ikke lang tid å sette henne inn i situasjonen, og ti minutter senere var han ute på gaten igjen. Hun hadde holdt ham i hånden og fortalt hvor vanskelig hun hadde det og hvor mye hun savnet det gamle livet sitt. Så hadde hun lagt hodet på skulderen hans og grått litt og forsøkt å forklare ham hvorfor hun ikke hadde krefter til å ta seg av Hardy.

Da hun hadde fått tørket øynene, spurte hun ham med et forsiktig, skjevt smil om han hadde lyst til å komme til henne en kveld og spise middag. Hun sa at hun trengte en å snakke med, men meningen bak ordene var så utilslørt og direkte som den kunne få blitt.

NEDE PÅ STRANDBOULEVARDEN registrerte han larmen fra Fælledparken. Stemningen var høy der borte. Kanskje folket hadde begynt å våkne igjen?

Han vurderte å gå en tur bort og få seg en øl bare for å friske opp gamle minner, men det endte med at han satte seg inn i bilen igjen. Hadde han ikke vært så vill etter Mona Ibsen, denne dumme psykologen, og hadde ikke Minna vært gift med hans lamme venn Hardy, ville han tatt imot invitasjonen hennes, ingen tvil om det.

I det samme ringte mobilen. Det var Assad, og han virket opphisset.

«Hei, hei, litt roligere, Assad. Er du fortsatt på jobben? Okay, hva er det du sier?»

«De har ringt fra Rikshospitalet og informert til drapssjefen. Lis ringte nettopp og sa det til meg. De har vekket Merete Lynggaard opp av koma.»

Carl ble fjern i blikket. «Når skjedde det?»

«Nå i formiddag. Jeg tenkte kanskje du vil vite det.»

Carl takket, la på røret og stirret på trærne som kneiste livskraftig med sine lysegrønne, sitrende grener. Han burde være glad langt inn i sjelen, men var det ikke. Kanskje Merete ville bli liggende som en grønnsak resten av livet. Ingenting her i verden var enkelt. Ikke engang våren varte evig, det var det som var så trist ved å gjenoppleve den. Ja, snart blir det igjen tidlig sent, tenkte han og hatet seg selv for dette svartsynet.

Han så enda en gang over mot Fælledparken og Rikshospitalets oppkvikkende grå koloss som tronet høyt i bakgrunnen.

For andre gang puttet han mynter på parkometeret og satte kursen mot parken og sykehuset. «Gjenstart Danmark» var dagens hovedparole, og folk satt rundt omkring i gresset med sine små grønne, mens en storskjerm kastet Jytte Andersens avskjedstale helt over til Frimurerlogen.

Det ville sikkert hjelpe.

Den gangen han og kameratene var unge, satt de i T-skjorter og så ut som beinrangler. I dag vraltet folk rundt med bilringer over hele kroppen. Det var et velnært, sedat folk som var ute og protesterte i dag. Regjeringen hadde gitt dem opiumet de forlangte: billig røyk og billig sprit og dill og dall. Hvis disse folkene på gresset var uenige med regjeringen, var det i hvert fall et midlertidig problem. Den gjennomsnittlige levealderen var kraftig på retur. Snart ville de slippe å irritere seg over sunnere menneskers sportslige utskeielser i Danmarks Radio også.

Jo da, det var stø kurs i landet.

GRUPPEN AV JOURNALISTER sto allerede klare inne i mellomgangen.

Da de så Carl komme ut av heisen, tråkket de hverandre nesten ned for å komme til med spørsmålene sine.

«Carl Mørck,» ropte en av de forreste. «Hvor alvorlig ser legene på Merete Lynggaards hodeskader, kan du si noe om det?»

«Har visepolitikommissæren besøkt Merete Lynggaard før?» spurte en annen.

«Hei, Mørck! Hvordan synes du selv at du klarte jobben? Er du stolt av deg selv?» kom det ute fra siden. Han snudde seg etter lyden og så rett inn i de rødsprengte griseøynene til Pelle Hyttested. De andre snudde seg også og stirret på ham, som om han var en skam for journaliststanden.

Det var han også.

Carl svarte på et par spørsmål, men ble fjern i blikket da han kjente et begynnende press inne i brystet. Ingen hadde spurt ham hvorfor han var her. Han visste det ikke selv engang.

KANSKJE HADDE HAN regnet med et større antall besøkende inne på avdelingen, men bortsett fra oversykepleieren fra Egely, som satt bortest på en stol sammen med Uffe, så han ikke et eneste kjent ansikt. Merete Lynggaard var godt stoff i pressen, men som menneske var hun bare et nummer i rekken av pasientjournaler. Akuttbehandling av dykkerleger i trykkkammeret i to uker. Så en uke i Traumesenteret. Så på intensivavdelingen på nevrokirurgisk, og endelig her på nevrologisk.

Beslutningen om å vekke henne av komaen var et forsøk, sa avdelingssykepleieren da han henvendte seg. Hun medga at hun visste hvem Carl var. Det var han som hadde funnet Merete Lynggaard. Hadde han vært en annen, ville hun ha kastet ham ut.

Carl beveget seg langsomt bortover mot de to som satt og drakk vann av plastkrus. Uffe med begge hender.

Carl nikket til oversykepleieren fra Egely og ventet seg ikke noe tilbake, men hun reiste seg og rakte ham hånden. Hun virket beveget, men sa ikke noe til ham. Satte seg bare ned igjen og stirret mot døren til sykerommet med hånden på Uffes underarm.

Det var tydeligvis stor aktivitet der inne. Flere leger nikket til dem idet de passerte inn og ut, og etter en time spurte en sykepleier om de ville ha en kopp kaffe.

Carl hadde det ikke travelt. Det ene grillpartyet i Morten Hollands regi var det andre likt.

Han tok en slurk av koppen og betraktet Uffes profil, der han satt helt stille og så mot døren. Når sykepleierne passerte forbi, holdt han fokuset på døren i bakgrunnen. Ikke et øyeblikk slapp han den av syne.

Carl fanget oversykepleierens blikk og nikket mot Uffe og spurte lydløst ved hjelp av fakter hvordan det sto til. Han fikk et smil tilbake og en hoderisting. Ikke helt elendig og ikke helt bra, pleide det å bety.

Det gikk et par minutter før kaffen begynte å virke, og da han kom tilbake fra toalettet, sto stolene på gangen tomme.

Han gikk bort til døren og åpnet den på klem.

Det var helt stille i rommet. Uffe sto ved fotenden med ledsagerens hånd på skulderen, mens en sykepleier noterte sifrene som hun leste av på en rekke digitale måleinstrumenter.

Merete Lynggaard var nesten usynlig der hun lå med lakenet trukket oppunder haken og bandasjer rundt hodet.

Hun virket fredfylt, med adskilte lepper og en svak dirring i øyelokkene. Bloduttredelsene i ansiktet så ut til å være på retur, men helhetsinntrykket var likevel bekymringsfullt. Hun virket like sårbar og skrøpelig nå som hun hadde vært sunn og vital tidligere. Snøhvit, med papirtynn hud og mørke, grottedype søkk under øynene.

«Dere kan bare gå bort til henne,» sa sykepleieren og stakk kulepennen i brystlommen. «Jeg vekker henne igjen nå. Dere må ikke ta for gitt at hun viser noen reaksjon. Det skyldes ikke bare hjerneskaden og perioden i koma, det har med mange ting å gjøre. Hun ser fortsatt svært dårlig på begge øynene, og hun har fortsatt lammelser og muligens også store hjerneskader. Men sjanseløs er hun ikke, slik det ser ut nå. Vi har god tro på at hun vil kunne gå en vakker dag, men hvordan det blir med evnen til å kommunisere, er et åpent spørsmål. Blodproppene er borte, men tausheten består. Afasien har nok tatt talespråket hennes for alltid, det tror jeg vi må innstille oss på.» Hun nikket for seg selv. «Vi vet ikke hva hun tenker der inne, men vi må håpe på det beste.»

Hun gikk bort til pasienten og stilte på et av de mange dryppene som hang over sengen. «Sånn. Nå tror jeg hun er med oss om et øyeblikk. Hvis det er noe dere vil oss, trekker dere bare i denne snoren.» Dermed forlot hun rommet med klaprende tresko og massevis av ventende oppgaver.

Alle tre sto stille og så på Merete. Uffe fullstendig uttrykksløs, og ledsageren med et sørgmodig drag rundt munnen. Kanskje hadde det vært best for dem alle sammen om Carl aldri hadde blitt involvert i denne saken.

Det gikk et minutts tid, så åpnet hun øynene ganske langsomt, synlig sjenert av lyset utenfra. Det hvite i øynene hennes var et nettverk av rødbrunt, og likevel var synet av henne i våken tilstand nær ved å ta pusten fra Carl. Hun blunket flere ganger som om hun forsøkte å fokusere, men tilsynelatende uten å lykkes. Til slutt lukket hun øynene igjen.

«Kom Uffe,» sa oversykepleieren fra Egely. «Sett deg litt hos søsteren din.»

Det virket som om han forsto det, for han gikk frem av seg selv og fant stolen og satte seg ved sengekanten med ansiktet så nær inntil søsterens at pusten hennes fikk det lyse pannehåret hans til å vibrere.

Da han hadde sittet slik og betraktet henne en stund, løftet han bort en flik av lakenet slik at den ene armen hennes kom til syne. Han tok henne i hånden og lot blikket vandre stille rundt i ansiktet hennes.

Carl gikk et par skritt nærmere og stilte seg ved siden av oversykepleieren ved fotenden av sengen.

Synet av den tause Uffe med søsterens hånd i sin og ansiktet hvilende mot kinnet hennes, var svært rørende. Han minnet der og da om en bortkommen hundehvalp, som etter lang tids leting nettopp har funnet hjem igjen til tryggheten og varmen i hvalpekullet.

Etter en stund trakk Uffe seg litt tilbake, så enda en gang granskende på søsteren, la leppene mot kinnet hennes og kysset henne.

Carl så hvordan kroppen under lakenet sitret svakt, og at hjerterytmen gikk litt opp på EKG-måleren. Blikket hans gikk videre til det neste måleapparatet. Jo, pulsen steg også merkbart. Så kom det et dypt sukk fra henne, og hun åpnet øynene igjen. Denne gangen skygget Uffes ansikt for lyset, og det første som møtte blikket hennes, var broren som satt og smilte til henne.

Carl merket at han sto og sperret opp øynene selv også, mens Meretes blikk ble mer og mer bevisst. Leppene hennes gled fra hverandre. De sitret. Men mellom de to søsknene var det et spenningsfelt som ikke ville tillate kontakt. Man kunne se det på Uffe, som langsomt ble mørkere i ansiktet, som om han holdt pusten. Så begynte han å rugge litt frem og tilbake mens klagelyder dannet seg i strupen hans. Han åpnet munnen og virket presset og forvirret. Knep øynene sammen og slapp søsterens hånd mens han førte hendene opp til halsen. Lydene ville bare ikke komme, men han tenkte dem, det var helt tydelig.

Plutselig slapp han all luften ut av systemet, og det så ut som om han ville falle tilbake på stolen med uforrettet sak. Men strupelyden begynte på nytt igjen, og denne gangen høyere oppe i halsen.

«MMmmmmmm,» sa han og pustet tungt av anstrengelse. «Mmmmee,» fortsatte han. Merete så intenst på broren nå. Ingen tvil om at hun visste hvem som satt foran henne. Øynene hennes ble blanke.

Carl snappet etter pusten. Sykepleieren ved siden av ham hadde slått hendene for munnen.

«MMmmmeerete,» kom det endelig etter en enorm kraft-anstrengelse.

Uffe virket selv sjokkert over denne lydstrømmen, han pustet fort og lot kjeven falle et øyeblikk. Kvinnen ved siden av Carl begynte å hulke og søkte skulderen hans med hånden.

I det samme kom Uffes arm opp igjen og fant Meretes hånd.

Han klemte den og kysset den og skalv over hele overkroppen, som om han nettopp var blitt dratt opp av en råk i isen.

Plutselig rykket Merete til og bøyde hodet bakover med vilt oppspilte øyne, mesteparten av kroppen var i spenn, alle fingrene på den frie hånden var trukket inn i håndflaten som i krampe. Selv Uffe merket forandringen som noe illevarslende, og oversykepleieren gikk rett bort og rykket i snoren.

Da kom det en dyp, mørk lyd fra Merete, og hele kroppen ble slapp. Hun hadde fortsatt øynene åpne og fanget brorens blikk. Det kom enda en hul lyd fra henne, som når man puster på en isete rute. Hun smilte nå. Det virket som om lyden innenfra pirret henne.

I bakgrunnen fløy døren opp, og en sykepleier fulgt av en ung lege med søkende blikk stormet inn. De bremset opp foran sengen, der en avslappet Merete Lynggaard lå og holdt broren sin i hånden.

De undersøkte alle instrumentene uten å finne noe alarmerende, og så deretter spørrende på Carl og Uffes ledsager. De skulle til å si noe da lyden kom igjen fra munnen til Merete Lynggaard.

Uffe la øret helt ned til søsterens lepper, men alle i rommet kunne høre det.

«Takk, Uffe,» sa hun lavt og rettet blikket opp mot Carl.

Og Carl kjente hvordan trykket i brystet gradvis slapp taket.